TAHÜL
et
LES PIERRES DE FOUDRE

DU MÊME AUTEUR

Kepler, le chien des étoiles, Séguier, 1989.

Élisée Reclus, l'homme qui aimait la Terre, Stock, 1997.

Tycho Brahé, l'homme au nez d'or, Presses de la Renaissance, 2004.

Johannes Kepler, le visionnaire de Prague, Presses de la Renaissance, 2004.

Dépossédée, Presses de la Renaissance, 2006.

Élisée Reclus, un encyclopédiste infernal !, L'Harmattan, 2006.

L'Énigme Pythagore, Presses de la Renaissance, 2007.

Andreas Vesalius, chirurgien des rois, préface de Jean-Didier Vincent, Presses de la Renaissance, 2008.

Cervantès, plume du diable et ambassadeur de Dieu, Presses de la Renaissance, 2009.

Le Mystère Rabelais, Le Rocher, 2011.

La Passion secrète d'une reine, Le Passeur, 2013.

Henriette Chardak
avec la collaboration scientifique du

Pr Henry de Lumley
et de l'équipe de chercheurs du
Centre européen de recherches préhistoriques de Tautavel

TAHÜL
et
LES PIERRES DE FOUDRE

l'Archipel

Un livre présenté par Luciano Melis

Notre catalogue est consultable à l'adresse suivante :
www.editionsarchipel.com
Éditions de l'Archipel
34, rue des Bourdonnais
75001 Paris

ISBN 978-2-8098-1466-8

À Thierry Maleville, l'avocat des innocents,
disparu de la surface de la Terre mais pas du cœur de ses amis.
À tous les préhistoriques d'aujourd'hui...

Avant-propos

Enfant, je me passionnais pour l'histoire des découvertes; aujourd'hui, après tant d'années de fouilles, je sais que les hommes prénéandertaliens s'interrogeaient déjà sur la signification des choses, sur leur place dans la nature – les prémices de la pensée symbolique.

Être historien paléontologue m'a demandé beaucoup de patience. Les fouilles recèlent parfois des trésors. Ce que j'ai ressenti avec l'homme de Tautavel, c'est un face-à-face avec l'énigme de l'homme avant l'ère du feu et des « possessions ». Il fallait pierre après pierre, os après os, crâne après crâne, déduire, comprendre, partager cette science entre spécialistes.

L'aventure fut extraordinaire et communautaire, en quelque sorte.

Raconter la découverte du crâne et son énigme, replacer cet homme dans le contexte de la préhistoire européenne et apporter un éclairage sans équivalent sur les premiers habitants de l'Europe. En prenant en compte les découvertes et les observations effectuées sur le terrain, dans la Caune de l'Arago, au cours de cinquante années de fouille, avec la participation de plusieurs centaines de chercheurs et d'étudiants chercheurs, venus de nombreux pays du monde. En s'appuyant aussi sur le bilan des recherches multidisciplinaires au carrefour des sciences de la terre, des sciences de la vie et des sciences de l'Homme effectuées par les chercheurs du Centre européen de recherches préhistoriques de Tautavel.

Quand l'éditeur Luciano Melis – chez qui j'ai publié l'histoire des *Premiers Peuplements de la Côte d'Azur et de la Ligurie* – me proposa de collaborer à un roman historique, je fus séduit par l'idée. Un peu plus tard, il me présenta l'écrivain, journaliste et cinéaste Henriette Chardak. J'ai fait le pari de répondre à toutes les questions d'une romancière, sans jamais la brider dans sa réflexion. Mon équipe et moi étions curieux de connaître le résultat. Comment Henriette Chardak, spécialiste de la Renaissance et de l'époque de Pythagore, allait-elle trouver matière à scénario, à partir de nos données scientifiques ?

Tout est dans ce roman : la brièveté de la vie, le risque, la survie face aux éléments. Ces hommes et ces femmes habitaient la Caune de l'Arago, une caverne en pays catalan, il y a 450 000 ans environ – l'équivalent de 22 500 générations ! Henriette Chardak nous fait vivre le récit du vieux Gohr, devant un petit groupe du clan des Graüls réuni dans la Caune de l'Arago. Il retrace les aventures de son fils Tahül, qui vient d'être tué par Tank, du clan des Troms. Dans ce roman, les lecteurs découvrent la vie quotidienne des habitants de Tautavel, face aux caprices de la nature. Le roman nous fait voyager dans cette époque lointaine et pénétrer sans effort dans le quotidien de ce petit groupe d'*Homo erectus*. Nous découvrons les relations qu'ils entretenaient, leurs amitiés, leurs rivalités et même leurs amours.

À cette époque, l'inventivité, l'amour des belles choses, de la symétrie existaient déjà, l'intelligence, les émotions aussi, peu avant la découverte du feu. C'est un peu le roman de l'humanité que nous suivons. Les germes de notre humanité d'aujourd'hui ! D'autres choix auraient pu se faire et décider de notre avenir.

Henry de LUMLEY

Principaux Personnages

Tahül : Le chasseur amoureux qui n'a pas froid aux yeux

Ékorss : L'antihéros, Pr Nimbus à l'ère du biface

Jald : La sirène aux yeux bleus qui séduit tous les mâles

Tank : L'affreux jojo et criminel, nouveau chef des Troms

Gohr : Le grand chef des Graüls du plateau, et père de Tahül

Aghir : Le chef du clan des Ogrrs de la montagne

Sno : Le chef des Snèks des rivages

Kira : La mère de Tahül

Mah : La mère de Jald

Et tous les rôles secondaires des quatre clans aux quatre coins cardinaux.

Les Animaux
Loul : La femelle lynx
Desk : L'étalon
Tound : L'ourse féroce

Les Éléments
Le vent, le froid, la neige, les météorites, une éclipse solaire, les poux, la mer, les grottes, les pierres, les cristaux, les eaux, les os, la nuit, le jour.

Les Émotions
La peur, le courage, l'attirance, la répulsion, la communication, la joie, l'angoisse, le jeu, le beau.

Préambule

Dans l'équation sociale, l'individu figure
à la fois le zéro et l'infini.
Arthur Koestler

L'homme est Janus, il est capable de tuer et de soigner. À l'aube de l'humanité, il y a 452014 ans, l'origine des origines brouillonnait nos pas. L'homme de Tautavel tâtonnait. Les traces de la préhistoire permettent de suivre cet ancêtre du groupe des anténéandertaliens. C'est un *Homo erectus* européen. Les cailloux sont sa marque de fabrique, il les empile pour recouvrir le sol afin de se protéger de l'humidité. Habile chasseur, il est capable d'abattre des animaux aussi puissants que le bison, le cheval de Mosbach ou le rhinocéros, aussi agiles que le mouflon et le thar, aussi redoutables que le lion ou la panthère. Il ne vivait guère plus de trente ans.

Il y a donc 4500 siècles, notre homme s'est déjà adapté à une séquence de conditions climatiques en yo-yo, clémentes et glaciaires. Sa volonté de vivre, son génie inventif l'aident à improviser, à emmagasiner des connaissances, à perfectionner sans cesse son outillage. Il connaît son milieu dans tous ses détails et son territoire de chasse s'étend autour de la grotte de Tautavel dans un rayon de plus de 30 kilomètres. Mais le temps prend encore son temps, génération après génération, jusqu'à vous, lecteur.

Notre lointain précurseur fut un remarquable sportif, capable de parcourir de longues distances pour chasser ou pour se procurer les roches nécessaires à la fabrication de ses outils. En 1971, la découverte de son crâne a pu faire remonter son histoire jusqu'à nous. C'est l'équipe d'Henry de Lumley qui le découvrit, dans la Caune de l'Arago.

Avant l'ère du feu, comment vivait-on, quels étaient les enjeux, les espoirs et les peurs, les amitiés, les haines, les amours ? Sommes-nous comme eux, portables et électricité en plus ? Le larynx n'étant pas encore descendu, comment faisait-on pour s'exprimer ? Comme le mime Marceau ? L'homme de Tautavel émettait des sons particuliers, les chercheurs le savent à partir des moulages de l'endocrâne. Les deux aires de Broca et Wernicke apparaissent développées et permettent de dire que les H*omo erectus* avaient des notions de langage articulé, pour exprimer des choses vitales et descriptives. Avaient-ils des mots, des protophrases, un protolangage ? Pour tout ce qu'ils avaient à réaliser en commun, ils devaient bien s'« entendre » !

Le Pr Henry de Lumley et son équipe de chercheurs m'ont permis de réaliser une enquête époustouflante pour faire revivre cet homme qui a posé le pied sur la Terre bien avant que nous ne posions les nôtres sur la Lune.

L'histoire va commencer dans votre imaginaire, aux pieds des Pyrénées, à Tautavel, qui signifie « Tel, je veux ». En plein quaternaire, les pierres du Jurassique avaient déjà un passé d'environ 200 millions d'années. La grotte de Tautavel où vont vivre nos héros nomades date « seulement » du Crétacée, entre 145 et 65 millions d'années. Dans ce passé relativement récent, vous assisterez à une révolution humaine en route. Les embûches, les pieds de nez à la mort seront les premières marches, telles des initiations à la vie. Vous allez faire connaissance avec Tahül et son inventivité, avec son père Gohr qui nous conte sa légende. Son fils est né sous une pluie de météorites, et son intrépidité l'a confronté au monde. À ses côtés, il y aura Ékorss, le non-audacieux, qui médite sur un monde violent mais uni. Nos ancêtres bipèdes étaient très peu nombreux sur Terre avant l'arrivée de l'*Homo sapiens* ; pas plus que l'équivalent de deux grands stades de football. C'est l'aventure de quelques poignées d'individus qui a assuré l'accélération démographique que nous connaissons aujourd'hui. Aucune religion, aucune légende n'émerge encore. Avant l'Histoire, la survie, la débrouillardise, racines de la conscience préhistorique…

Tahül serait aujourd'hui bien embarrassé avec un GPS, assis dans une voiture hybride filant sur une autoroute, mais il serait mille fois plus débrouillard que nous en pleine nature. Il ne se poserait pas la question *to be or not to be*. Ayant choisi d'être, sans doute serait-il effrayé par le gigantisme, le bruit, l'artificiel de nos vies. Que ferions-nous si nous devions survivre, perdus dans son univers, sans chaussures, sans lumière, sans chauffage et sans Internet, à moitié nus au milieu de sa faune sauvage ? Nos fiches de paie ne nous seraient d'aucun secours, encore moins nos avoirs improductifs… Le Roussillon de l'homme de Tautavel était somptueux, sans effet de serre, mais invivable pour nous.

En cas de refroidissement climatique ou de panne universelle de tous nos moyens de communication, résisterions-nous ? Plongés dans l'ère de l'homme de Tautavel, nous réapprendrions le combat pour la survie. Mais nos sens étant émoussés depuis des millénaires, nous deviendrions les proies des fauves, des ours et des poux. Nos ancêtres étaient organisés, plus courageux, plus communautaires que nous, et ne chassaient que pour manger. La culture consumériste a-t-elle changé la donne ?

L'histoire d'un héros inconnu de l'humanité vous fera oublier l'asphalte, les insupportables sonneries, le stress des villes, les pylônes, les avions. Rien ne viendra souiller l'horizon, pas un gramme de notre « progrès » et de son cynisme né du combat pour la survie moderne. Si vous acceptez d'ouvrir ce film de papier, quittez le virtuel pour les pierres taillées !

Le ciel de cette très vieille histoire humaine comptait bien plus d'étoiles visibles. Il n'y avait pas encore de feu pour cuire les aliments, pas de torches pour s'éclairer, encore moins de fusils pour se défendre. Rien que la nature à l'état brut. Que d'inventions depuis brouillent nos sens, mais elles ont sans doute les mêmes racines, et si nous parlons avec les mains et toute une gestuelle prolixe, c'est qu'il nous reste quelque chose de primitif, sans que cela soit « primaire ». L'homme de Tautavel est notre étalon-Homme sans nos accumulations inutiles…

Il y avait plusieurs genres d'êtres qui nous ressemblent déjà, mais n'existait pas la conscience de la mort, encore que…

Il est temps d'embarquer à l'âge du biface et de la chasse aux rennes et bœufs musqués à l'épieu, dans un temps où l'on était adulte à douze ans.

Ce retour à une « nature naturelle » vous rappellera bien quelque chose…

Prêt ?

Ce bond en arrière demande quelques marques de notre temps, ne serait-ce que les mots.

I

Temps-boucle

Figure-toi des hommes dans une demeure souterraine, en forme de caverne, ayant sur toute sa largeur une entrée ouverte à la lumière; ces hommes sont là depuis leur enfance, les jambes et le cou enchaînés, de sorte qu'ils ne peuvent bouger ni voir ailleurs que devant eux la chaîne les empêchant de tourner la tête…

Platon

Le temps est père de vérité.

François Rabelais

Le soleil rouge mûrit son sommeil. Il roule dans sa fourrure nocturne, pas Gohr!

Gohr ne comprend pas la raison d'une rosée salée qui jaillit de ses yeux qui clignent contre sa volonté.

Ce ne sont pas ses mâchoires qui lui font mal, mais un phénomène atroce et insidieux. Gohr est fort mais très vieux, tant de lunaisons sont passées…

Figé, il regarde son fils Tahül, retrouvé sans vie en pleine lumière. Hirsute, plein de terre, ses yeux semblent vifs, du sang sec pleure de sa bouche, mais il est raide comme du bois. La tribu l'a traîné au sommet de la montagne, au creux d'une grotte profonde et « mouvementée ». Tahül fixe la voûte de pierre. Ses grands yeux restent figés et ses paupières collées au plafond de ses sourcils. Ses longs cheveux brillent de cristaux salés…

Jald, une femme qui excite les regards, s'avance vers lui et le dévêt. Il ne réagit pas lorsqu'elle le touche. Jald pose une main sur la main charnue et velue de Tahül. Elle renifle bruyamment les fourrures du chasseur vaincu, froid. Elle les dépose à ses pieds et gronde comme le vent qui s'engouffre dans la caverne et repousse les chauves-souris à l'intérieur. Jald s'agrippe à Tahül. Les souris volantes passent au-dessus d'elle, insensibles à la présence de Graüls. La pluie crépite d'un coup au-dehors. On ne sait pas d'où tombe l'eau, comme on ne sait pas pourquoi le vaillant Tahül ne bouge plus. Après une lourde chaleur, le froid habille chacun. Pieds nus, emmaillotés dans des peaux de bêtes, les membres du groupe luttent contre les parasites qui s'incrustent et les insupportent. Les poux ne sont pas les pires attaquants, mais ces parasites les démangent en permanence.

Quelques enfants, quelques adultes, quelques vieux appréhendent la fin du jour avec une anxiété plus forte que d'autres jours… Un garçon joue avec la mandibule d'un ours et Gohr n'en peut plus d'attendre que le silence respecte son chamboulement. Ses propres os devraient côtoyer ceux des chevaux dépecés et mangés, pas ceux de Tahül, son fils, chassé, tué, non par un tigre aux deux dents plus longues que des mains, mais par son ennemi, Tank, du clan d'en bas, celui des Troms…

Ce regroupement de Graüls unis dans la gravité avant dispersion du corps enserre Gohr. Sous sa poitrine très poilue, il sent le souffle qui trouve sa sortie par les narines. Il regarde chacun. Ils peuvent terrasser un monstre, mais sont abattus par l'absence d'un seul chasseur, son fils.

Peu à peu, tous se rapprochent de Gohr, car il va falloir dépecer son propre fils. Cheveux fous, jaunis comme les herbes sèches, Gohr l'avale des yeux, puis détourne la tête. Gohr agite ses pieds dans le chaos des bruits des découpes. Desk mastique un vieux bout de viande, avant de casser un fémur de cheval pour en trouver la moelle qu'il offre à Gorki, le fils de Tahül et de Jald. Le moment est terrible et pourtant habituel. L'astre rouge est avalé du côté de l'imposante montagne, et bientôt la pleine lune offre sa lueur. Le vieux Gohr se demande si Gorki engendrera à son tour, il a presque l'âge d'être homme. Le cycle des saisons lui indique qu'il a assez de « doigts » de temps pour se trouver une femelle, les poils qui envahissent son dos disent que c'est pour bientôt.

Tahül vivait il y a peu. La gorge de Gohr rugit : son fils est rigide, ses muscles sont aussi durs que la pierre de la grotte, sa peau se glace. Des larmes inondent à nouveau le visage du gardien des Graüls, sa face est parcourue de poux qui se fraient un chemin entre des poils crasseux. Gohr se racle la gorge et crache. Les craquements, claquements et percussions se muent en tronçonnages et dépeçages. Il n'a pas besoin de regarder pour savoir…

Tahül vient d'être soigneusement dépecé, ses tibias vidés de leur moelle grâce à un percuteur et sa tête continue à regarder le monde. Elle résiste aux coups de pointes et de pierres. Jald, agenouillée, avale avec délectation le cerveau du cadavre qu'elle veut partager avec l'ancêtre. Gohr hésite. Sa main droite aux ongles noircis, il l'essuie sur une peau de lapin. Il n'ose attraper ce blanc laiteux qui ressemble au blanc des yeux. Il attrape un peu de cette douceur molle. Que faisaient ces tortilles sinueuses sous le front de Tahül ? Elles ressemblent à celles des mouflons, mais il y en a davantage que dans le crâne d'un rongeur. C'est grâce à cette matière visqueuse que la tribu mange plus qu'à sa faim. Un filament du sang de Tahül est sur la langue de Gohr. On lui a réservé le meilleur, le trésor savoureux caché sous l'os rond de la tête. Il entend les autres mâcher des morceaux de viande de cheval dans l'obscurité qui se fait. Le vieil homme à la peau tannée lance une énorme pierre qui fait résonner les parois en un cri rauque. Les souris volantes s'en détachent. Lorsqu'on n'entend plus que le vol des pipistrelles, Gohr expulse des sons de rage. Jald regarde au sol. C'est à cause d'elle que Tahül est mort, elle n'est pas de leur tribu d'en haut, mais appartient à celle d'en bas qui préfère vivre là où les proies et les dangers abondent, mais plus au chaud… Au froid, même mal perché, on résiste, on apprend à prendre des risques. C'est Ksiss qui a frappé Tahül, car Tank lui avait promis Jald. La feinte s'est refermée sur le clan des Graüls, telle une morsure définitive. Tahül voulait défendre Jald aux yeux limpides. Tank le cruel est alors apparu, à la façon d'un félin et a enfoncé un pieu à travers son corps, à l'endroit où palpite un poing rouge.

Jald a couru… Gohr a dévalé la montagne. Il a vu Tahül allongé. Cette dépouille animale, c'était son fils. Le sang de Tahül est une source tarie…

La voix inhabituellement gutturale du vieux Gohr est amplifiée et ressemble à celle d'un lion des cavernes en furie. Ce son impose le silence aux enfants. Gorki vient de perdre une dent de lait et passe sa langue dans l'espace créé, infiniment plus petit que la caverne immense. Il se rapproche de sa mère. Elle place un bras sur ses épaules. Le moment se grave en tous, telle une pointe dans la terre molle... Gohr trouve le gras du crâne de son fils délicieux et facile à manger, mais la rosée nocturne redouble en lui. Il plisse les yeux dans une grimace que tous comprennent.

L'obscurité couvre les expressions de chacun.

* * *

Tahül était un enfant intrépide. Ses pouvoirs étaient pris à la foudre, aux félins. Pourtant il est mort. Pourtant les jours oubliés combattent et reviennent ! Les Graüls chassent le passé qui fait irruption, c'est un animal terrifiant, qui peut leur faire perdre la vie. Un instant d'inattention, c'est le danger suprême des chasseurs ! Il ne reste rien de Tahül que son histoire, et qu'est-ce qu'ils peuvent bien faire d'une histoire, la ronger ou la ranger ?...

Tahül n'avait peur de rien. Il s'adressait au ciel et demandait de devenir aussi fort, aussi vif que les cailloux qui en tombaient les jours où l'on pouvait se passer de peaux de bêtes sur le dos. C'étaient des cailloux de feu jetés d'au-delà des nuages ! Tahül devint aussi rapide que l'éclair du ciel, et dans les cheveux verts de la terre, il attrapait les mouflons en déséquilibre, les lapins inoffensifs à main nue. Il voulait devenir robuste et grand, il aurait pu être le plus grand chef des Graüls. Le groupe entier faisait confiance à ses astuces pour mener la bataille contre les féroces à cornes. Quand un gros ours fuyant le froid entrait dans leur grotte, il ne s'affolait pas, se souvient Gohr, les yeux mouillés. Tahül trompait les éléments les plus dangereux, guettait ses proies telle la foudre qui brûle les arbres. La foudre est un être aux multiples bras. L'arbre pousse lentement dans l'autre sens, et ne parvient pas à imiter les griffures du ciel. Tahül avait la patience de l'arbre et l'ardeur des fulgurations de l'orage.

Gohr s'étonne de s'être rappelé tant de choses. D'habitude, il ne pense qu'au jour qu'il vit, au moment qu'il traverse.

Les branches et le tronc sans sève de Tahül ont été découpés en morceaux sur la grande pierre plate. Des perles au goût de mer parviennent à la langue de Gohr.

Le passé épie le présent... Tahül confectionnait des peaux pour Jald, celle qu'il voulait garder, mais qui disparut pour le malheur de tous, enlevée par l'autre clan. Il y a deux lunes, son fils partit à sa recherche pour la retrouver. Le piège de Tank vient de mettre fin anormalement à la vie de Tahül. Gohr songe à tout cela, aux jours qui ne reviennent jamais, à l'inverse du temps qui a ses respirations, ses chaleurs et ses glaces, ses ondées, ses tempêtes qui repassent. La vie ne repasse pas comme les oiseaux qui migrent et reviennent. Tahül est définitivement parti...

Comment faire revivre Tahül ?

Gohr reste impassible : faire revivre un Graül est impossible, tout le monde le sait. Pourtant, il a bien une idée... Avant qu'il fasse totalement nuit, Gohr mime la naissance de Tahül au moment où les pierres de foudre venues du ciel percutaient le sol. Elles choquaient la terre, puis leur feu disparaissait. Un géant invisible jetait des galets mal taillés sur les Graüls : un immense Tahül furibond sans doute, un géant invisible qui taillait une pierre énorme.

La tribu se souvient des actes héroïques de son fils né sous les roches en feu venues du ciel. Les pierres de foudre sont plus rapides qu'un cheval ! Cela, on ne peut l'oublier, comme on n'oublie pas l'odeur d'une Graüle, ni la première neige qui s'est abattue sur le clan alors que les arbres ne perdaient pas leurs feuilles. En revanche, aucun Graül ne sait qui fabrique les pierres de foudre, qui les jette et pourquoi les flocons s'agglutinent et se glacent. Tous savent que Tahül était une force de la nature.

Tahül ne va plus courir. Jamais.

Il aimait les longues marches qui mènent aux pierres rouges, vertes et même bleues. Qui se rappellera son rire dans l'obscurité pour faire fuir les peurs ? Gohr, écroulé au milieu de détritus d'os énormes, cherche des sons particuliers pour réveiller l'histoire de Tahül, pour qu'il reste encore un peu en eux tous. La tête entre les mains, Gohr invente le souvenir, il le taille dans sa tête. Gohr comprend ce qui fait naître ses larmes qui perlent sans qu'on les commande. Tous les jours, il trouvera des sons-objets, des gestes-histoires, des mots-mémoire à partager avec le clan : alors les larmes seront remplacées par l'évocation mimée de Tahül. Il appellera son fils et il le fera revenir, parce qu'on s'en rappellera !

Jald ne dort pas, et elle a peur de garder ses yeux ouverts.

Avant la chasse du lendemain, Gohr commence ainsi en moulinant des bras :

— Durant la nuit où la boule d'argile jaune nous regarde du ciel avec son œil collé, après le chemin des pierres rousses, on perdit la trace de Tahül encore vivant. Au matin, je l'ai senti près de l'eau remuante : son odeur avait changé. Elle était mauvaise. J'ai retrouvé mon fils flottant dans la grande eau, comme un poisson crevé. Moi, Gohr, je veux partager l'autre moitié du mou de sous le crâne de mon fils. Jald, il me faut un reste de ce gras pour m'emplir de lui, encore un peu, s'il en reste…

On ne le comprend plus. Gohr refait les gestes, trouve des sons pour remplacer les gestes. Il se gratte la tête et écrase un pou qui l'obsédait depuis un bon moment. Les poux sont des points vivants sans autre prédateur que soi. Ils s'agitent. Où sont ceux de Tahül ?

Le cerveau de son fils est vraiment bon, même en rognures. La meilleure partie de son fils est sous sa langue. C'est bien plus comestible qu'une fesse de jeune fille trépassée, mais Gohr est triste. Il ne reverra plus son premier fils. Il veut raconter Tahül.

— Tahül discernait tout avant tout le monde, celui qui galope en tête, les chevaux au point d'eau, le porteur de cornes qui les perd comme un arbre perd ses bras de bois, les nuages de pluie, les empreintes du monstre poilu sombre. Tahül avait le courage de moi, son père. Il était fort, son odeur était forte ! Il était la force du ciel ; il préférait ne pas l'être quand il entrait dans la petite caverne de Jald, il le redevenait quand il tuait le grand griffeur qui venait parfois ici à la mauvaise saison pour dormir son énorme nuit. Gorki, fils de Jald, écoute l'histoire de Tahül, ton père. Prends ce qui reste de sa tête. Une vie : ce sont comme des morceaux de viande et des os liés, ensuite on est obligés de casser et de disperser. Prends un peu de son gras, c'est ton père tout de même !

— Mange, dit Kira, la mère de Tahül. Au moins ça...

Gorki n'a jamais mangé de cervelle. Il hésite, mais c'est son père tout de même... Il trouve cela bon. Il a peur un jour d'être à la place de son père. Sous la langue de qui ?...

On pose les restes de Tahül, là où il aimait plonger son regard dans les recoins de la vallée. Seule sa tête reste dans la grotte. Tahül regardait entre ciel et terre au même endroit où reposent les phalanges de sa main droite. Ékorss y voit comme un signe, un signe de la main qui n'est plus une main, mais des phalanges qui attirent quelques fourmis...

Les bruits de mastications se sont raréfiés. Un cuon[1] aboie au loin, énervé par un congénère et le vent se lève, ce grand souffle vient du pays des Ogrrs où il fait froid et se dirige là où le soleil se couche. Tout est chaos. Tout est insondable.

Bien avant tous ces vents et ces pluies, Tahül était sorti du ventre de Kira.

Gohr reconstitue des bouts de vie de Tahül, Tahül venu d'entre les cuisses de Kira, la deuxième sienne... La vie de Tahül commença en pleine nuit des bons jours chauds, quand on peut dormir dehors sans rien sur le corps, et voir les cailloux tomber du ciel, ceux qui font des traits dans le ciel tels des épieux qui filent. Quand ils tombent, ils deviennent des pierres de foudre. Un véritable trait a perdu Tahül. *« La tribu des Troms nous a enlevé le meilleur d'entre*

---

1. Particularité de l'âge du pléistocène où l'on trouvait des *Hyaena prisca*, et des *Cuon priscus*. On connaît aujourd'hui le *Cuon alpinus* qu'on retrouve en Asie sous le nom de « dhole ». C'est un genre de chien sauvage qui fait partie des canidés. Il s'apparente au loup et au lycaon. Sa robe est d'une couleur brun-roux. Il vit principalement en Asie centrale et orientale, mais s'adapte facilement à de nouveaux environnements. Le mâle est beaucoup plus grand que la femelle. Les dholes ou cuons vivent en groupe pouvant atteindre 40 individus. Autrefois de plus de 100 individus, des troupes aussi nombreuses ont disparu lorsque les grands herbivores ont commencé à se raréfier. Comme chez les loups, seuls le mâle et la femelle alpha se reproduisent, ce qui explique peut-être les menaces de disparition qui pèsent sur cette espèce. Ils élèvent leurs petits dans un terrier, comme les lycaons. Il n'en reste aujourd'hui que quelques milliers sur la planète, principalement en Inde, en Asie du Sud-Est, en Corée, en Russie et au Japon. Il était encore présent en Europe jusqu'au début du Paléolithique supérieur, vers 40 000 ans avant J.-C., où il a succédé à une autre espèce éteinte sans nécessairement descendre de celle-ci.

nous... Les Troms vont finir par disparaître, ils visent un Graül comme un animal dangereux. Ils ne savent pas vivre et font mourir! Les Troms sont pires que des ours», se dit Gohr. Il exprime la colère et la peine; il enfonce son regard dans le ciel hostile...

Kira sent qu'elle n'a plus de force, prête à disparaître et à se faire manger, si sa viande est encore tendre... Elle écoute et prend, mange les cris de Gohr. Elle n'a pas voulu goûter au cerveau de son chasseur de fils. Elle préfère suçoter un de ses tibias et songe que la rivière vue du sommet ressemble à deux jambes liquides couleur du ciel. Elle ferme les paupières. Kira craint de s'éteindre comme le jour à la nuit... Gohr tente de se faire comprendre. Gohr à la peau fripée couleur de sable se fatigue à revivre le passé. Il n'a jamais cherché autant de sons dans sa gorge, bougé ses mains et fait autant de mimiques:

— Tahül s'accrocha au corps de Kira et aspira le blanc, celui qui coule de la poitrine et qui rend glouton. Il trouva sa force. Ensuite, il marcha sans peur. Nous l'avons appelé Tahül. Après le temps qu'il faut pour que la corne vienne aux pieds, il attrapa un coureur sauteur qui s'était enfoui entre des touffes d'herbes couleur du ciel. Il l'avait guetté à la sortie de sa grotte de terre. Tahül ne savait pas encore manger un grignoteur, celui aux dents qui poussent tout le temps.

La vieille Kira s'étonne de se rappeler si bien ce moment et arrête de mastiquer.

Tahül tenait le lapin autour de son cou, comme il l'avait vu faire avec un mouflon que son père avait poussé d'une falaise pour le tuer avant de le placer sur son dos. Kira regarde Jald. Même si sa vue a baissé, elle discerne sa peau lisse qu'elle ne gratte pas. Jald a raison de s'enduire souvent d'argile... Kira sait que sans cette Troms d'en bas, Tahül serait encore vivant. Jald est venue se réfugier chez eux, les Graüls. Elle a survécu grâce à eux tous. Elle se sent bien dans le clan de Tahül.

Jald garde dans ses mains la peau de lion que portait Tahül et la respire, l'aspire comme s'il était encore dedans. Gohr pose le crâne du guerrier vaincu par la tribu de Jald sur une pierre plate. Le crâne est parfaitement nettoyé et brille d'une lueur laiteuse.

La voix de Gohr est amplifiée lorsque le vent tourne :

— Savoir ou ne pas savoir, telle est la question ! Fils de Jald et de Tahül, apprends, petit Gorki. Savoir ou ne pas savoir qui a fracassé ton père. Savoir attaquer le monstre à grandes oreilles ou se faire écraser par ce brise-tout. Ne va jamais t'approcher des grandes oreilles à deux défenses, ils sont plus forts que toi, même un petit ! Tahül a vite appris de nous, fais comme lui. Il a commencé par viser les planeurs à plume, puis les rongeurs. Lorsqu'il prit son premier coureur-sauteur, il ne savait pas comment lui enlever la peau. Il l'avala trop vite et recracha les poils !

Gohr s'interrompt, car toute la tribu des Graüls se met à rire. Tous imaginent le petit Tahül qui mord dans de la fourrure, puis crache les touffes de poils collés dans sa bouche. Tous rient, même Jald. Ils ne savent pas qu'ils rendent hommage au plus fier d'entre eux. Par l'écoute et le rire, ils ne sont pas une meute, mais un groupe d'êtres qui rient et qui sont tristes en même temps. Un coup de tonnerre les fait vibrer de crainte. Le ciel se fracasse. Une cascade de pluie ricoche sur les pierres et les feuilles.

Quand l'obscurité est totale dans la grotte, le crâne disparaît à la vue. Kira cache sa peur. Elle a eu autant d'enfants que de doigts des deux mains. Presque tous sont morts avant leur deuxième dent.

Gohr est soudain pétrifié. Il prend le crâne parfaitement dégraissé de son fils entre ses mains calleuses et se demande si la matière qui doit se trouver sous son propre crâne sera aussi bonne pour Gorki, un jour prochain. Gohr n'a pas d'arme pour se défendre contre cette chose sans chair, sans durée, et qui coule sans fin : la tristesse, et il est démuni face à ses propres questions. Et c'est très dangereux pour un chasseur que de ne pas donner tout son temps à la chasse… La seule chose utile, c'est la viande ! Pas ce crâne évidé et poli…

Le jour revient avec force, signe que tout demeure pareil, malgré tout…

Gohr reprend le récit et sans gestes, c'est sa nouvelle arme, à coups de *grrr*, de *ksss*, et de *prrrou*. Personne ne le comprend plus. Gohr va trop vite. On oublie sa présence et ses gestes sont comme des oiseaux…

Ékorss se glisse sous sa vieille peau de bison et s'allonge tel un petit de cuon ou d'hyène. C'est le paresseux du clan, toujours dernier, toujours inoccupé. Lui aussi songe, et il parle dans sa tête à Tahül : *« Pourquoi tu nous as quittés ? La nuit ne m'a pas empêché de conserver ton image, celle de toi, Tahül. Moi, je ne t'abandonne pas. Tu te souviens du cuon ? Tu m'entends, Tahül ? Je vais faire quelque chose pour toi. Quelque chose de grand. J'invente ton souvenir, comme le veut Gohr, ton père. Notre chef. Tahül, il fallait fuir comme moi, plutôt que de jouer au plus fort… Tank n'est pas un animal, il ne tue pas pour chasser-manger… J'ai su qui tu étais, je garde le secret de l'eau qui protège. Il n'y a rien contre la furie d'un Tank… Tahül, je suis seul sans toi… Je dois trouver quelque chose pour qu'on pense à toi… »*

Ékorss repart en arrière des nuits. Il revit et revoit les choses : Tahül jeune, debout, au-dessus d'un jeune cuon.

Ce quatre pattes à la couleur du sable, roux et blanc, est affalé sur la neige épaisse, il semble regarder le paysage, mais Tahül de ses yeux perçants voit une tache de sang. Et s'il attrapait ce chasseur si habile ? Tahül peut parvenir à bloquer l'animal s'il arrive contre le vent. Il renifle et fixe la truffe de l'animal. Il passera par le haut et se jettera sur lui quand la bête commencera à déchiqueter le lapin. Le cuon semble apaisé et secoue sa tête. Son poil doit être doux et chaud. Tahül grelotte. Ce fils né sous les feux du ciel imite la foudre et attrape le quadrupède au cou, par les pattes, et le muselle.

L'animal n'a plus aboyé. Son ami ne devait pas avoir cette même fin ! Demain, Ékorss fera quelque chose de grand pour Tahül.

Il sauvera Tahül à sa manière.

Gohr reste assis, calé contre la paroi. La rosée salée coule de ses yeux, sans fin.

Gohr se tait. Les pierres entassées dans la grotte ne bronchent plus d'aucun mouvement et disent le sommeil de tous.

Gorki dort, tout contre sa mère. Toute la vie de Tahül a filé comme le vent.

Où sont parties les images ? Que devient ce qui ne revient pas ? Ékorss est le seul que le sommeil ignore... Demain, il fera quelque chose de grand. Demain, ce sera un acte petit pourtant énorme que les Graüls découvriront !

2

TAHÜL À L'ÉCOLE DU MONDE

Elisa, cherche-moi des poux,
Enfonce bien tes ongles,
Et tes doigts délicats
Dans la jungle
De mes cheveux, Lisa.
Serge GAINSBOURG

Le doute est l'école de la vérité.
Francis BACON

Gohr est parti chasser avec les autres. C'est lui le chef, et il décide. Les ventres, le vent, et les habitudes des animaux font qu'il organise une chasse ou non.

S'il triomphe des dangers, il reste chef.

Gohr ne craint rien… Il est jeune, fort, puissant. Il sait diriger les chasseurs, du jeune courageux au plus ancien. Il a vaincu la peur de défaillir.

Trancher entre affronter ou ne pas affronter un monstre, c'est rendre la peur plus petite. Gohr aime quand elle disparaît. Il a perdu Rroue, frappée par la foudre. Il a raccourci la peur, il a passé son temps à tailler ses bifaces et à choisir ses percuteurs. Il a fini par oublier Rroue, avant que les œillades de Kira ne le saisissent.

Kira l'a choisi, lui, Gohr. Dikt l'a aidé à tenir sa force comme un bâton, et il est à nouveau un vrai Graül.

La nuit, Gohr découvre que Kira en sait plus que Rroue pour le rendre chasseur de ses formes si rondes. Kira est l'inverse des roches, elle est douce et ronde. Kira sait l'épouiller comme personne.

Gohr voit le clan s'agrandir, rétrécir, s'agrandir. Bientôt ce sera son tour de participer à la force des Graüls par sa progéniture. Trop d'enfants et pas assez d'adultes, et c'est une catastrophe. Pas assez de mâles, et c'est un désastre. Des femelles et leurs graülots qui ne se relèvent pas, et c'est la fin.

Kira s'assied, envahie par la douleur. Un paysage immense, trop grand pour elle, gêne son état. Des élancements inhabituels lui annoncent qu'elle va accoucher et peut-être y laisser sa peau… Ce n'est pas le moment de regarder les hommes marcher au-dessus des clans de bêtes, ni de lambiner. Elle doit vite se mettre à l'abri des prédateurs. On a déjà vu des lionnes attraper des nouveau-nés comme les Graüls font d'un faon. C'est la première fois que Kira va perdre une partie d'elle-même qui n'est pas elle-même. Son ventre trépigne de l'intérieur.

Cachée dans une grotte étroite et basse, elle fixe un oiseau charognard. Les rhinocéros se sont mis en sommeil, comme les chevaux et les animaux à grandes oreilles qui chargent parfois les Graüls. Les Graüls esquivent ; Gohr est maître en la matière pour mieux attaquer ensuite… Un mouflon retardataire provoque un éboulis. Kira souffre. Elle ne pourra plus redescendre. Soudain, des pierres de feu zèbrent la nuit, fracassent le sol. La vibration entre en elle et pousse son petit hors de sa grotte de chair. La mise bas est atroce. Kira reste assise contre une paroi fraîche. Soudain une chose gluante sort d'elle qui hoquette.

Kira a aiguisé une pierre pour détacher le petit, car ses dents n'y suffiront pas.

C'est le fils de Gohr ; maintenant il crie. Il n'a pas encore de nom. Il faut attendre qu'il vive et qu'on sache qui il est. Il est passé de blanc à rose. Ce n'est qu'un bourgeon de chair fragile et il est né sous des pierres lancées du ciel. La nuit s'enfle et la lune bien pleine va bientôt maigrir à nouveau. On donne un son particulier à chacun pour éviter que tous réagissent pareillement à une exclamation. Ces appels plus ou moins longs s'apaisent lorsque la nuit efface les visages.

Zra et Luah sont les seules femmes matures du groupe. Les autres ont été emportées… Kira est avec sa sœur Luah. Luah grogne de soulagement et savoure le repos, étonnée de voir le ciel en accord avec les cris de sa sœur. Les plus jeunes Graüles suivront et auront des petits, elles hurleront, elles crieront, elles garderont ou pas leurs petits ; on ne sait jamais qui va résister le mieux. Le fils de Gohr et de Kira est fragile et trépignant, tout rose encore, et sans corne aux pieds.

L'enfant qui est venu est gros comme il faut, Kira le renifle contre elle. Elle est avec lui comme une jument avec son poulain, proche, tendre, et parfois distante. Dans cet abri qu'elle ne connaît pas, sa peur grandit dans la nuit qui fait ressortir le paysage sonore. Aucun Graül n'est là pour les défendre. Que faire si un fauve pénètre dans cette caverne trouvée au dernier moment ? Luah, sa jeune sœur, attend le matin pour l'épouiller et la calmer. Leurs respirations se répondent. On dirait deux galops étouffés par de la mousse.

Kira voudrait qu'un feu embrase le dehors sec tant le froid humide de son corps l'étreint. Soudain le feu tombe du ciel, rampe, lèche la terre et la dévore, il est animal et sauvage, il est sans tête mais court plus vite qu'un lapin. Personne ne peut tuer celui qui défait tout sur son passage, rend rouge, puis noir… Il faut s'en méfier comme d'un serpent qui brûle. Le petit aspire sa poitrine et avale goulûment son lait.

Kira grelotte et se frotte le corps avec des herbes. Luah prend le nouveau-né dans ses bras, le couvre d'une peau sans vermine et parle avec les mains aux contours découpés par la lune. Le ciel vibre et le petit s'endort.

— J'ai apporté des graines au goût de miel. Prends dans ma main. Mange. Il faut manger, Kira.

Un projectile tombé du ciel fait un dernier bruit sec en chutant tout près : *ta !*, pendant que Kira souffle un gros *hu* de fatigue.

— Si. Seulement si, s'il est aussi fort que les pierres de foudre, nous le nommerons Ta-hül, marmonne Kira, gluante de sang.

Le jour s'agrandit et la chaleur le suit. Kira regarde les grands yeux de Tahül, ornés de cils sombres que les poux adorent en général comme refuge… Dire qu'il peut devenir aussi grand que Gohr ! Tahül se colle à sa mère. Sans elle, il n'est qu'une proie incapable de survivre. L'aigle, le loup, peuvent s'aventurer vers un Graülot. Tahül ne devra jamais rester seul avant de savoir se défendre face au monde hostile. Il faudra du temps. Le temps est long pour certaines choses et très court pour d'autres. Il est long avant que les dents tombent, et très court pour tomber du haut du plateau qui surplombe l'immensité du ciel et de la terre.

Tahül commence sa vie au cœur de l'entrechoquement permanent des cailloux qu'on choisit avant de les casser et ceux qu'on ne choisit pas et qui tombent du ciel. Avant de savoir marcher, il ouvre grand ses yeux déjà grands. Quand il veut téter, il fait « Oui » de la tête, quand il ne veut plus du sein, il fait « Non » et détourne la tête.

Son père est de la lignée de ceux qui disent *Grrrr* pour non, et *Ouah*[1] pour oui ou oui-boire l'eau. Le chef des Graüls a une sorte de crête osseuse à l'arrière du crâne qu'on aperçoit quand sa tignasse flotte au vent. Elle est de la couleur du mammouth. Ses grosses dents sont solides, sa tête allongée repose sur un cou large mais long. Son visage se reconnaît entre tous à cause de ses orbites un peu moins proéminentes que celles des autres. Ses jambes sont celles du coureur et ses bras puissants ceux du tailleur. Moins velu qu'un cuon et plus qu'un souriceau, il fait battre le temps avec dextérité lorsqu'il frappe ses cailloux qui deviennent des armes à dépecer ou à faire des trous dans le cuir ou le bois. Gohr est meneur des chasses et Kira protège Tahül, bourgeon de chasseur. Tahül prend son père pour un géant et observe son univers du dos de sa mère. Souvent ce sont des lieux de sécurité comme cette caverne immense cachée par des arbres touffus où tous les Graüls se réfugient pour dormir et parfois manger.

1. Les émotions agissent sur les muscles du visage et créent un genre de langage universel ! Il existerait donc des constantes interculturelles, ce qui permet d'imaginer que l'homme de Tautavel savait s'exprimer au moins aussi bien qu'un sourd-muet. Cependant, des sons et des mots semblent possibles comme « ouah » qui existe dans de nombreuses langues ou dialectes africains de l'Est : *Ouah* signifie « eau », notamment en Éthiopie. Phonétiquement, « eau » est souvent synonyme d'émerveillement : *ô ? What ? Wasser* (veut dire « eau »).

Tahül résiste aux champignons qui grignotent certaines peaux, aux froids, aux fièvres. Il grandit et observe ce qui est à sa taille. Il s'étonne que Müss, la souris, s'aventure parfois au milieu d'eux. « *On ne va pas la dévorer, car elle est trop petite* », se dit l'enfant. Dehors, le monde est beau et effrayant. Tahül a vu Brou, le frère de sa mère, à demi mangé par un grand fauve. Brou est devenu une bestiole traquée : le repas d'une famille de lionceaux affamés. Il sait qu'il devra un jour suivre Gohr, son père, et lui obéir pour ne pas finir sous la dent d'un très rapide à crocs.

La vie de Tahül reflète celle de la nature. Il veut maîtriser ce qu'il entrevoit et pour cela il lui faut apprendre à résister à tout et à ne jamais perdre le groupe de vue. Le moindre détail compte. Brou ne reviendra pas. Brou n'a pas compris que le danger pouvait lui sauter dessus, dans son dos, pour lui arracher les jambes et le reste !

Le ventre rond de Luah augmente et personne ne sait comment cela se fait, mais il y aura bientôt un garçon ou une fille qui sortira d'elle. Peu de petits Graüls vivent longtemps, et aucun ne sait pourquoi ils deviennent parfois raides comme les chevaux qu'on dépèce. Il y a tant à faire, qu'on oublie les disparus pour en refaire d'autres…

Ékorss est assis sur une molaire de mammouth et tient un petit os qu'il râpe sur une autre dent crénelée de l'animal ; le bruit provoqué calme Tahül qui rêve de voir l'animal en vrai. Ses défenses sont si belles, mais effrayantes aussi, elles farfouillent la neige ou brisent tout obstacle sur son passage… Sa mère l'a nourri comme le font les cuons femelles avec leurs petits, et il sait qu'il va devoir manger de la viande avec ses propres dents, de la chair de l'animal qui fait peur ! Pour l'instant, Kira lui mâche encore sa part.

Tahül grandit encore. Il marche à quatre pattes. Lorsqu'il faut partir, il est lié à sa mère et s'amuse à lui tirer les cheveux.

Tahül marche à petits pas et enrage de ne pas pouvoir courir. Il doit attendre de faire comme les plus grands. Pour lui, cela semble une éternité.

Un bébé mammouth s'est perdu et la lionne des cavernes qui le poursuit, affronte le clan réuni. Gohr fait des signes et tous acculent le fauve contre la paroi. Sa peau fera bientôt un dessous de pied agréable et le petit mammouth sera le premier vrai repas de Tahül. On lui donne de la graisse et aussi une poignée de la substance moelleuse qui vient de l'intérieur du crâne.

Un crâne de « mammouthon » n'est pas effrayant. Dehors, le clan a placé celui de l'ancêtre, deux défenses rondes qui aboutissent à un masque guerrier, où les orbites vides semblent abominables. Kira se moque des petites dents de Tahül. Il se met debout et hurle. Ses cris sont étouffés par les bruits des Graüls. Rassasiés, ils décident de partir à la recherche de nouvelles pierres, certaines ne servent à rien, elles sont belles, elles ont des couleurs et un pouvoir d'attraction. Trouver une belle pierre, c'est une expédition sans risques, car on les trouve dans des anfractuosités où ne vont pas les puissants brouteurs…

Ékorss s'assied sur une corne du gros mammouth et prend ses aises. Il songe que le mammouth n'est pas méchant, seule sa force est colossale, et jamais, il ne se mêlera à aucune chasse à cause de la masse du monstre. Il a vu un jour un mammouth avec une défense tournée vers le ciel, l'autre vers la terre qui a renversé un apprenti chasseur, qui a fini troué sous l'ivoire. Perforé, sanglant, le pauvre Troms fut traîné par le monstre. On ne revit ni l'un ni l'autre. Les fauves sont encore plus dangereux, car on ne les entend pas venir. Il faut les sentir quand on peut le faire !

Gohr regarde Tahül, comme s'il voulait le voir pousser plus vite et être sûr qu'il résiste aux froids, aux chutes, aux mystérieuses pierres de foudre, à tout cet univers grand et hostile et qu'il devienne enfin chasseur. Il plaint Ékorss, le mal foutu, au grand front et aux jambes sans muscles.

Tahül apprend vite que tout est question de crocs, de dents et de force, d'attaque et de défense. Il faut toujours plus d'épieux et des pierres plus dures que le bois pour résister à tout. Sa tribu en a fabriqué avec du bois et des pierres taillées pour mordre les monstres qu'il entend dans l'immensité. On change les pierres dès qu'elles sont émoussées et ne coupent plus. Il ne viendrait à l'idée d'aucun Graül de prendre le risque de partir avec des silex qui s'effriteraient au moindre choc.

Les armes arrêtent souvent la vie des animaux. Quand les animaux sont plus forts ensemble, les visages des Graüls changent d'expression. Il y a une foule de gestes, de mimiques[1] à comprendre pour ne pas se faire prendre la vie. Tout participe, les sourcils, la bouche, les joues, le front, les yeux, pour dire sa peur, sa joie, son attirance, son agressivité, sa fatigue, son dégoût, son ressentiment, l'étonnement, la colère et parfois le doute. Les mains et les bras indiquent la vitesse d'une panthère, la direction à prendre, le danger…

Kira surveille Tahül et lui apprend à bien marcher, à s'accrocher à une racine, à un rocher pour ne pas dévaler au fond de la vallée. Beaucoup de petits Graüls ont glissé à cause de leur curiosité, et il a fallu abandonner leurs corps au fond des rocailles. Les cabris n'ont pas tant de perte dans leurs rangs…

L'attente sera longue avant que Tahül ne parte chasser à son tour. Pour l'instant, il voit les animaux saisis arrivés morts à la grotte, montés à dos d'hommes en morceaux ou traînés entre les arbustes s'ils ne sont pas trop pesants. Il trépigne pour dire qu'il veut chasser. Ékorss, qui est plus grand que lui, se moque gentiment :

— Gohr doit t'apprendre. Tu n'es capable que de chasser des fourmis ou des araignées pour l'instant ! fait-il avec des gestes très précis.

— T'es qui toi ? Kira te donne à manger. Gohr n'est pas ton père et personne ne connaît ta mère : t'es qui ?

— Ékorss. Je suis ce nom. Je n'ai pas de parents, plus de parents, ni l'envie de chasser, moi !

1. Aujourd'hui, les bébés miment ceux qu'ils reconnaissent, le désir d'être passe d'abord par la copie avant l'invention. Les langues indo-européennes ont des racines communes, l'apprentissage suit également une forme de mimétisme. Le mimétisme a joué un grand rôle dans l'évolution. Dans le règne animal, très peu d'animaux se contentent de leurs capacités physiques pour survivre. Le mimétisme comportemental ne date pas d'hier ! C'est en voyant un parent, un autre faire, que l'on se représente l'utilité de la chose en train d'être faite. Le mimétisme comportemental induit une passation de pouvoirs et implique une appartenance et une transmission. Les tentatives de ce copiage évitent l'exclusion… Même chez les prénéandertaliens, il y avait des modèles et certains tabous. Rappelons que pour Gilles Deleuze, René Girard, ou Gabriel Tarde, ce qui s'exprime dans les collectifs, ce sont des énergies propres à la dynamique des grands groupes. Certaines émotions, certains fantasmes sont typiques des grands corps sociaux que constituent les peuples par exemple.

— Comment tu vas faire, toi Ékorss, si tu ne chasses pas ? Tu n'es pas une femelle !

— Les femelles fuient les mammouths à laine et l'haleine des lions. Non ! La chasse, c'est pas pour elles ni pour moi. Je le sais.

— Comment tu le sais ? Tu n'as jamais saisi un épieu dans la main avec les autres, toi le grand. T'es pas dérangé de ne pas faire comme tout le monde ?

— Non. Entends ce que j'ai compris, toi, le petit ! Pas envie d'être transpercé, boulotté, et pris pour un intrépide. Je ne suis pas un courageux ; ça me garde en vie ! Pas envie de devenir un lapin sur la pointe d'un épieu. Voilà, c'est comme ça, tu sais. Je suis Ékorss le pas courageux.

— Tu détales comme les lapins font, alors ?

— Même pas. Je reste à l'abri. Je suis bien, assis sur une défense de gros colosse, à regarder les attaques des Graüls. C'est pas pour moi la bravoure et la mort…

— Tu ne changeras pas ?

— Toi non plus. Le plus important, c'est d'être soi-même comme le vent est vent et souffle, l'eau est l'eau et coule. Tahül, tu ne peux empêcher la pluie de mouiller, et le feu de brûler et Ékorss de paniquer…

— Je ne suis pas une pierre, ou une feuille, moi.

— C'est vrai, tu es Tahül ! Et moi, je suis Ékorss, conclut le lâche du clan avec une expression ironique.

Ékorss est grand et malingre. Ses mains noueuses ne font apparaître aucune blessure et ses yeux sont légèrement troubles. On dirait qu'une tempête pourrait le renverser. Il serre les mâchoires et regarde là où aucun Graül ne regarde. Il comprend Tahül, mais Tahül ne le comprend pas. C'est une forme de traque à l'amitié qu'il veut tenter, car il aime l'expression de Tahül, sans ombre, sans jugement ; sa force n'est pas irréfléchie.

Le fluet n'envie pas le fort, mais l'admire. Kira nourrit Ékorss et parfois soupire. Gohr ne s'adresse guère à lui, mais parfois, il lui montre un aigle ou des crottes d'ours.

— Tu vas au moins être des yeux en plus pour nous les Graüls ! On n'est jamais assez nombreux pour tout voir. Ékorss, tu ne chasses rien avec tes mains, alors, avec ta vue, attrapes tout ce qui bouge.

— Tahül chassera à ma place. Le grand chef sera content.
— Arrête de parler d'un temps qui n'est pas là !
— Le futur.
— C'est pas la question. Qui décide de tout ?
— Tout...
— Moi, le chef à qui tu dois tout. Je veille sur ce qui se passe partout.
— Au futur, je veillerai pour le chef, par Tout.
— Et sur Tahül, le fils du chef.
— Et sur Tahül, je veillerai.

Les échanges sont brefs et précis, le temps manque, l'action vaut parole et Ékorss n'est qu'un gros bavard. Il s'emplit des paysages qu'il ne découvre que très rarement à cause de la peur qui niche en lui...

Tahül, lui, se dresse sur ses pieds, avide de faire comme son père. Rien ne l'inquiète, il se sent protégé, invincible. Alors Kira lui prend la main. Ils avancent vers le bord d'une falaise. Elle s'écarte et l'appelle : « Ta-Hüül ! » Il tourne le dos au vide et marche vers elle en regardant le ciel puis le sol. Rien ne lui échappe. La nature est un piège permanent, mais aussi une force qu'il faut contraindre, aimer : il en fait partie. Tahül s'adapte au monde comme la rosée du matin au réceptacle d'une feuille.

Tahül grimpe aux arbres et guette ce qu'il y a à guetter : un oiseau, un nuage, un troupeau, un vent de sable, un insecte, un serpent, un bipède d'un autre clan... Il gratte la peau des arbres, goûte aux herbes, triture la terre, il porte à sa bouche ce qu'il ne connaît pas pour en découvrir la forme, la texture et parfois le goût.

Un jour, sa mère l'enduit d'une seconde peau de couleur rouge. Les pigments servent à se protéger. Ses bras, ses jambes sont maintenant de la couleur du soleil qui va dormir. Le masque d'argile permet d'éviter les piqûres d'insectes. Ce qui n'empêche pas ses premiers poux de s'installer où bon leur semble... Lors d'une sorte de transhumance des Graüls, Ékorss, qui est plus grand que lui, lui choisit des terres gris-bleu pour faire de grands traits sur ses membres, il y ajoute du blanc et termine par du jaune. Aujourd'hui, il a voulu ressembler à un lynx, demain il prendra la couleur du lion. Ékorss refuse toujours d'apprendre à chasser, et tous se moquent de lui sans lui en vouloir pourtant. Ékorss devine, c'est un genre de devin... Comme il risque de ralentir les chasses, il reste très souvent avec les Graüles qui allaitent ou se reposent, et il participe alors à la fabrication des choppers[1] et des bifaces. Dans une gorge appréciée pour son calme, il ramasse les éclats de pierres pour tenter d'en faire quelque chose, il cherche des nuances de pierres. Certains cristaux vont de l'orange au bleu pluvieux, des pierres sont striées de couleurs prodigieuses. Soudain, il trouve une roche aux cercles d'un bleu incroyable[2] et la regarde, avant d'être fasciné par un cristal jaune qu'il ne peut détacher de son socle naturel. Pour participer à la vie du clan, il accumule des pierres aux formes particulières, ou contenant des empreintes de la mer, et il en a ramassées autant que de proies abattues. On lui fait comprendre que cela ne sert à rien... Ékorss a une cachette pour les dents de petits animaux dans un tronc d'arbre, et une autre pour les dents des bêtes féroces, un lieu pour ne pas oublier les naissances et les disparitions. Chaque objet signifie quelque chose d'autre pour lui que la chose elle-même. C'est son secret.

Quand les Graüls changent de lieu, Ékorss porte tout son bric-à-brac sur lui dans une poche en peau de lapin. Il choisit aussi des cailloux clairs ou sombres qui ne servent à rien. Cela occupe Ékorss. Le clan le regarde faire, indécis sur ce qu'il faut en penser. Avec, il fait des tas ou des figures dans la terre. Personne ne comprend ce qu'il fait. On sait juste qu'il craint de s'écarter des mères et de leurs petits. Un soir, sous ses yeux, sa mère a été dévorée par un lion des cavernes. Son père l'a cédé à Gohr, à moins que ce ne soit Gohr qui l'ait enlevé de force. Le passé est parfois plus trouble que l'avenir. Ékorss est depuis incapable de voir un lion sans trembler. Comme trembler n'est pas digne d'un

1. Galet brisé utilisé comme outil.

2. À Padern-Montgaillard, au nord de Tautavel, on trouve de l'azurite, du cuivre, de l'argent, de la barynite, de la malachite et bien d'autres trésors. Le patrimoine minier est fermé depuis plus de quinze ans. Des sites miniers ont existé dans les Corbières depuis le Moyen Âge. L'homme de Tautavel ne connaissait pas le métal, cependant, il en voyait sous ses yeux...

chasseur, il ne sera jamais chasseur... Il le sait! Il sait pourquoi il est faible.

Tahül se pose deux questions essentielles: qui lance des boules de neige du haut du ciel et comment couper ses ongles de pied qui le font trébucher?

Ékorss, peureux, sort de sa tanière pour jouer avec Tahül comme avec un petit frère plus fragile que lui, mais si téméraire déjà. Ékorss lui montre les grands épieux et les mouvements qui assurent une bonne frappe. Sur ce terrain, Ékorss n'est habile qu'à cibler le vent... Tahül veut alors se battre avec lui, avant de savoir chasser. «*Fuir, c'est pour les faibles*», pense-t-il. Il regarde Ékorss, lynx humain couard, et il l'attaque en mimant un lionceau. Ékorss et Tahül se reniflent et se grattent la tête avant de basculer et de rouler sur une pente douce, piquetée de plantes défensives. Ils rient et deviennent frères joints: ils acceptent de rester différents et unis. L'un est grand et mou, l'autre est petit et puissant. Le clan s'inquiète de les voir folâtrer ensemble. Le premier, sans plus ni père ni mère, est rêveur, l'autre est vif et il aime s'aventurer au-delà des limites admises par le chef et son clan. Ékorss préfère rester au même endroit, regarder et toucher les éclats des galets, plutôt que fabriquer des pointes, casser des noix plutôt que se casser la tête face à des éléphants. Ékorss associe des images: l'oiseau et le vent, le sable et le temps, l'eau et l'algue, le bison et la force. Même si l'on ne comprend pas son étrangeté, on le laisse en paix. Il est de bon secours: c'est un excellent guetteur et d'ailleurs, puisqu'il ne chassera jamais, autant qu'il épie pour ceux dont les yeux sont abîmés. Gohr a vu juste: Ékorss est utile aux Graüls. Il intrigue et fait rire. Il est un Graül particulier, mais un vrai Graül qu'on retrouve avec joie!

— J'ai mis dans tous les sens ta question, Tahül... Qui lance de l'eau gelée du haut du ciel? Quoi lance quoi? Je n'en sais rien. Pour les griffes qui te poussent aux pieds, elles t'aident à ne pas dégringoler d'une falaise. Alors...

La réponse bien mûrie du battu d'avance sur la différence entre qui et quoi, et qui fait quoi, pourquoi, pour qui, laisse Tahül songeur...

— Il y a trop de choses qui nous sont étrangères. Pourquoi tu dis: «quoi lance» au lieu de «qui lance»? Je n'ai jamais vu un arbre lancer un fruit ! C'est le fruit qui tombe, et voilà ! Alors on dit : « quoi tombe ».

— La tempête fait rouler des feuilles et le ciel des pierres ! Et les flammes font disparaître des arbres à résine. Quoi, qui, quoi, quoi ? se moque gentiment Ékorss.

Sans réplique en tête, Tahül tire la langue et Ékorss ne se formalise pas. Il sait qu'un fruit mûrit, qu'une fleur ne fait pas sa belle quand l'eau gèle et que Tahül cheminera vers la force et qu'il trouvera que pré-voir, pré-parer les coups est une pensée pas une action. Alors, Tahül ne se moquera plus de son « quoi ou qui ? ».

Une paire de lunaisons a passé. Ékorss et Tahül, assis au soleil réchauffant, laissent les impressions pousser en eux, leur vue plonge vers la rivière qui glisse ses jambes le long des à-pics de pierre grise en contrebas. Entre eux et la vallée : des oiseaux qui tournoient. Au-dessus, vit, palpite un lac, œil immense qui reflète les joncs et les arbres. Cet œil est dangereux, les enfants de Broy y ont disparu en voulant attraper un oiseau qui nage. Le trou d'eau est un faux serein, c'est un avaleur de vies ! Ékorss et Tahül suivent leurs aînés et restent loin du lac où s'ébroue une loutre. L'agile bestiole quitte le bord et trouve un abri. Quelque chose l'a inquiétée et ce n'est pas un rhinocéros des herbes hautes, mais simplement le bruit que font les Graüls !

Ékorss se tait, il dépose ses pensées comme le glacier ses moraines. Tahül s'agite, des yeux, il se mêle au groupe et mime les gestes des grands.

Tahül et Ékorss assistent au rabattage d'un animal qu'ils distinguent mal. Le clan lance des bolas[1] attachées à de la corde contre la bête pour la précipiter dans l'eau. Il s'agit d'une chorégraphie[2] bien rodée !

— Comment vont-ils faire ensuite si ce lion des cavernes sait glisser sur l'eau ? demande Kira à son fils avec force gestes.

— Ils ont réussi ! J'entends des hyènes qui s'approchent.

1. Il y a une probabilité, une éventualité, que des bolas aient existé. À la même époque, on trouvait en Asie du Sud-Est ces polyèdres particuliers qu'on reconnaît aux insertions et à l'attache végétale.
2. Chorégraphie, du grec : ronde faite ensemble.

— Je ne comprends pas, réagit Ékorss. Explique à ton frère joint.

— Lion touché, coulé, sinon pas de hyènes pour attendre ses entrailles. Tu vois tout et tu ne fais rien, dit Tahül. Pas la peine de t'expliquer, si tu ne chasses pas. À « quoi » ça te servirait ?

— Je préviens, et ce n'est pas rien de prévenir. Je chasse avec ça, ronchonne-t-il en montrant ses yeux exorbités.

Ses yeux sont très bombés et sans repos. Ses mains sont fines et propres, seul son corps est criblé de piqûres d'insectes. Ékorss distingue la loutre, revenue avec ses petits loutrons. Elle vit dans un autre monde. La loutre joue, s'amuse avec sa progéniture, plonge et se met sur le dos face au paysage immense. Dans l'eau, elle ne craint pas les lions, à peine les ours…

Dans la terre molle, Ékorss glisse sa main et creuse une forme. Étonné du résultat, il y pose délicatement un caillou pour créer le gros globe oculaire d'un animal. Tahül regarde et secoue la tête, imitant une panthère. Mais c'était une souris qu'Ékorss a voulu tracer…

— C'est pas les mêmes oreilles, c'est vrai ! Chacun voit, tout le monde sait voir, pleurniche Ékorss. Pour re-voir, je n'y arrive pas…

Tahül sent l'odeur de fâcherie s'évader de la peau d'Ékorss.

— Ékorss, raconte-moi la loutre. T'es pas obligé de la revoir par tes doigts.

— La bestiole est à l'aise dans l'eau, sur terre. Elle est comme moi, le lourdaud des Graüls : elle vit sa vie en cachette.

— On la voit pas souvent, c'est vrai.

— Elle a raison. Elle furète, discrète. Elle, elle me faire rire. C'est pas le cas de tous les Graüls.

— Elle mange quoi ?

— Poissons et grignoteurs.

— C'est dégoûtant le poisson… Et elle a jamais froid ?

— Elle porte sa fourrure sur elle ! Je te montre un de ses terriers ? On risque rien, tant que Gohr te surveille du coin de l'œil !…

— Y en a vraiment pas beaucoup, des loutres.

— Que tu crois ! Ça va, ça vient, ça se balade. La grosse à moustache, elle a plus de grottes sous terre que nous de points de repos !

— C'est pas vrai ?

— Tu me crois ou tu observes. Tiens, elle s'est mise sur le dos près du bord ! Tu la vois dans l'eau, près du rocher rond ? Y en a d'autres dans les eaux gluantes.

— C'est quoi les « eaux gluantes » ?

— C'est comme un petit lac pas profond, dégueulasse. Tu marches dedans, t'as les pieds collés ! Bon, voilà son gîte, un tout petit peu bien camouflé ?

— Ça veut dire quoi, « camouflé » ?

— C'est pour mettre ses mouflets et elle à l'abri, elle a arraché des herbes, apporté des cailloux et des petites branches. L'entrée de sa grotte est étroite, bien camouflée, quoi.

— Tu me la montres, je vois rien dans ce fouillis !

— C'est fait pour, c'est une futée. Elle fait comme moi, elle mène sa vie comme elle veut.

— Sauf que toi, t'attaques rien. C'est toi, le camouflé !

— T'as jamais vu deux loutres se renifler, sur leurs pattes arrière ?

— Non.

— Alors, c'est toi le camouflé, dans ton regard.

— Ah bon ?

— Ben oui ! T'as des yeux, et c'est pas à eux de commander ce que tu veux voir... C'est toi. Cette bestiole, c'est celle que je préfère ! Et toi ?

— Euh... Le lynx. Kira porte du lynx et c'est doux.

— Et tu veux être chasseur ? Tu ne comprends rien aux...

— Aux quoi ?

— Aux animaux. Eux aussi, ils décident de faire des choses, et des choses qui sont parfois impossibles pour nous. Se voler dans les plumes, attirer une femelle avec un caillou, encore que..., faire comme si, ou comme ça les arrange...

— Et pourquoi tu préfères la loutre ?

— ... Parce que j'ai vu une maman loutre dans l'eau sur le dos et...

— C'est tout ?

— Laisse-moi finir. Sur son ventre, un petit dormait comme sur une peau d'ours qui flotte.

— Ah !

— Regarde-la !

Les deux amis s'étonnent de la grosseur de la queue de la loutre. Elle revient à terre, pataude, suivie de plusieurs petits. Les bruits changent autour du lac.

Kira commence à racler une peau. La lumière dorée agrandit les ombres. Il faut rentrer.

La journée voit le clan se reformer en direction de la caverne. Les petits traînent, sauf Ékorss et Tahül qui ont froid.

Soudain, Ékorss pousse Tahül du coude et l'oblige à regarder ce qu'il dessine rapidement avec un os dans la terre entre des cailloux : une grosse boule. Tahül ne réagit pas, alors Ékorss lui fait une grimace effrayante.

— C'est pas un truc rond qui va me faire peur, Ékorss ! Quoi ?

— Qui !...

Un ours énorme renifle l'air et suit de loin les Graüls dans leur dos. Il cesse de se dandiner et les dépasse par un détour qu'il avale à grande allure. La torsion de la bouche d'Ékorss indique que la bête va bientôt entrer dans leur abri : la caverne ! Ékorss craint d'y être dévoré ! C'est une bête torsadée de muscles sous sa fourrure épaisse ; debout, elle est géante ! Une seule de ses pattes peut faire jaillir le sang, enlever la peau et briser un bras. Tahül s'approche de Broy le vieux et de Rar le jeune, et de ses yeux, il leur indique l'entrée de la grotte. Broy comprend immédiatement et crie :

— Ouiiiiih !

Les anciens assis dans la caverne frappent le sol pierreux et se lèvent avant d'encercler la bête. Celui qui sera au plus près devra l'assommer ou la blesser avant que tous la mettent hors d'état de s'attaquer à l'un d'eux. Mais Gohr n'est pas là pour coordonner la lutte. Tahül endosse son rôle, et s'approche de la bête, abandonnant Ékorss. Les vieux Graüls noueux tiennent des pieux et ne font plus qu'un corps pour se défendre. Tahül comprend qu'on ne fait pas un jeune avec tout un groupe de vieux, même si eux savent où frapper. Au même moment, Ékorss se fait la même réflexion, affolé...

Les yeux de miel de la bête semblent doux, mais ses bruits de gorge terrorisent les plus courageux. Pour Dikt, qui a toujours espéré la place de Gohr et croit que sa bravoure suffit, c'est le moment d'agir. Il fonce vers l'ours, mais il tombe au sol sous sa masse. Il lui jette une poudre bleue. L'ours réagit et déchire le mollet de Dikt. L'animal semble mâchouiller une de ses jambes avant de l'attraper à la gorge. Tahül ne parvient pas à envoyer les bolas trop lourdes pour lui et s'en prend une sur le pied ! Il crie de douleur et voit son père qui arrive en courant. Gohr contourne la bête et enfonce un épieu profondément dans le cou. L'ours furibond se déchaîne ! Il va le mettre au sol ! Maho et Stal, les plus anciens, enfoncent leurs armes dans le ventre de l'horrible goulu.

Kira souffle comme une bête et transpire, Dikt perd de son sang et voilà qu'Ékorss s'arme de courage et s'approche de lui. Il met sa main sur la blessure du chasseur trop âgé, et le sang se calme. Le clan gronde en chœur pour remercier Gohr, puis Ékorss. Finalement, le jeune paresseux a eu de l'audace !

À la fin de cette peur colossale, Luah accouche d'une frêle petite qui passera ses nuits dans le monstre étripé servant de couverture. Les pieds sans corne de la nouvelle petite Graüle sont encore doux… Tahül sait, à cet instant, qu'il faut protéger les faibles et les rêveurs comme Ékorss. Il sera celui-là, gardien des craintifs et des pieds roses. Tahül respire un grand coup !

Dikt encourage Tahül du regard et le fait approcher :

— Je peux mourir à cause des jambes. Elles sentent mauvais et je vais rejoindre les autres pour qui Ékorss met des gros cailloux. Va le trouver. Je dois lui donner le secret de la force des eaux. La force extérieure s'envole. Celle du dedans est plus précieuse qu'un bison entier !

— Ne pars pas, Dikt !

— Je fais ce que je peux. Des nouveaux vont venir. N'oublie pas les fleurs de terre à têtes vertes et n'en parle à personne, même à Gohr. Ékorss est ton ombre qui protège… Vous deux… Ah… Va le chercher. Ah… L'eau

Dikt se plaint à peine et oublie la présence de Tahül.

Tahül s'assied à côté d'Ékorss.

— Dikt dit qu'il pue des jambes. Il veut redevenir fort.

— Impossible.

— Il veut que tu ailles le voir.

Luah sent que la petite frissonne et elle la place sur son ventre. Rar, le jeune père, s'approche d'elle, mais elle le repousse. Rar ne comprend pas et va s'asseoir à côté d'Ékorss.

— Rar, j'ai une chose à faire…

— M'étonnerait.

— Rar, tu as l'air penaud comme un cuon sur de la glace.

— Ah ? C'est parce que Luah ne m'a pas donné de mâle. Les femelles, ça peut pas se battre. Comme toi, t'es une fille. C'est mauvais pour le clan trop de femelles. On va manquer de gros bras…

Ékorss serre les mâchoires. Il pense. Il ne s'exprime plus. Seul Tahül le comprend un peu. Qu'est-ce qui est mauvais pour les Graüls ? Le froid, le vieil âge, le manque de « gros bras » ou la présence des fauves, des serpents, des loups, des aigles ? Tout ensemble ?… Il se dirige vers le vieux Dikt qui bave.

— Après la nuit, au soleil, je te dirai un secret.

— C'est quoi un secret ?

— C'est pareil au soleil, qu'on ne voit plus…

Un filet de lune met tout le monde d'accord. Sans l'astre pâle de la nuit, les grottes font peur et les Graüls préfèrent dormir, que de dire qu'ils ont peur.

3

L'EMPREINTE DES TERRES

Chacun recèle en lui une forêt vierge, une étendue de neige où nul oiseau n'a laissé son empreinte.

Virginia WOOLF

Mowgli, il avait souvent vu les dholes dormir, jouer et se gratter sans crainte parmi les petits creux et les mottes qu'ils utilisent comme gîtes. Il n'avait pour eux que haine et mépris, parce qu'au flair ils ne sentaient pas comme le Peuple Frère, parce qu'ils n'habitaient pas dans des cavernes, et surtout parce qu'ils avaient du poil entre les doigts de pied, tandis que lui et ses amis avaient le pied net.

Rudyard KIPLING

Dikt, avec l'aide de plantes très particulières et d'une pierre qu'il a fait tremper dans un trou d'eau et qu'il a bue, s'en tire. Il boite, et clopine pour aller laper « son » eau bienfaisante. Parfois Gohr le rejoint et éloigne le reste du groupe par des gestes explicites.

— Tous croient que les mains d'Ékorss ont un pouvoir. Laisse dire, Dikt. Il a besoin qu'on le trouve remarquable pour quelque chose.

— Il le faut aussi, si tu veux garder ton secret à toi. Puissant Gohr. Quand donnes-tu le secret à Tahül ? C'est une façon de dire au clan qu'il te remplacera.

— Retournons à l'abri. La pluie s'annonce par son odeur… Je te défends de transmettre notre secret!

Gohr attend que son fils grandisse. Une sorte de jalousie s'insinue dans sa volonté de garder le mystère des « têtes vertes ». Dikt et lui en ont encore un peu. Le goût est reconnaissable. L'eau et la pierre leur donnent la force physique et quelques picotements[1] sur la langue. Il n'y en a assez que pour eux deux qui doivent diriger les chasses et rester forts, quoi qu'il arrive. Gohr ignore que Dikt a décidé de n'en faire qu'à sa tête… Il voit juste ses yeux qui filent de côté, et ses lèvres qui se pincent.

Les grottes s'emplissent de pierres et d'os. Au-dehors, le monde est fait de toutes les vies, des lieux qui changent, des pierres qui restent pareilles, sauf si on les attaque, des insectes qui vont de lieu en lieu. Ce sont des vies à pattes, des vies à dents et à plumes, qui rampent, qui sautent, volent ou fleurissent. Une vie, c'est quand on n'est pas mort comme un caillou…

Ékorss et Tahül s'entendent bien et eux seuls saisissent par quelques grognements ce qu'ils ont à faire, à exprimer, ou à ne pas faire ou à ne pas exprimer. Ékorss sait l'argile sous toutes ses couleurs et il veut montrer un endroit rouge à Tahül. Mais le flanc couleur de sang séché est trop loin pour Gohr qui dit « Non » : *« Grrr! »* Alors ils jouent, ils roulent dans la glaise verte et le soleil sèche la terre collée à eux. Ils se fondent aux herbes. La terre se craquelle sur leur peau, et ils s'amusent à combler les trous de leur épiderme de leurs doigts sales. Ékorss sait qu'un ours peut passer des lunaisons ou un seul jour dans une grotte, que les chevaux mangent de l'herbe et ne se tuent pas. Tahül sait

1. Le cuivre, reconnaissable à son odeur, est présent à l'état naturel dans la roche, le sol, les plantes, les animaux, l'eau, les sédiments et l'air. Le cuivre est souvent présent sous forme de minéraux, et les principaux minerais de cuivre sont les sulfures, les oxydes et les carbonates. Le cuivre est souvent présent dans les nappes phréatiques à l'état naturel. Tous les organismes vivants, dont les êtres humains, ont besoin de cuivre pour vivre; toutefois, à des concentrations élevées, le cuivre présent dans l'eau peut être nocif. Au-delà des concentrations supérieures aux limites, cela peut provoquer des diarrhées, des vomissements ou des crampes d'estomac. Des bénéfices, on passe aux risques! Oligoélément essentiel, le cuivre en excès perturbe le métabolisme du fer et endommage le foie. Il n'est actif que sous forme soluble. Les eaux variées que buvaient les prénéandertaliens de Tautavel avaient, pour certaines, des vertus curatives.

que les hyènes rongent ensemble un même mouflon, comme ensemble les Graüls s'attaquent à un bison qu'ils découpent ensuite pour tous. Le grand et le petit partagent leurs observations si dissemblables et seul Dikt semble voir cette relation éclore d'un bon œil... Son mollet est presque cicatrisé et certaines Graüles vont même jusqu'à admirer de près le résultat...

Ékorss a peur de devenir une fourmi face à un félin, il ose le faire savoir à plus petit que lui, mais déjà si fort: Tahül, le fils vivant du grand chef Gohr à la fourrure rouge et couleur de terre.

— Pas de courage en moi! Je sais. Les Graüls s'attaquent aux plus faibles des bêtes. Et je suis le plus faible des Graüls, alors les lions aux dents longues me mangeront. Mes restes iront aux féroces du ciel.

— Je serai fort pour deux. Tu vivras sans peur. Viens, on va se réchauffer encore.

— Une chose te rendra fort. Sois prévenu.

— Quoi?

— Une chose.

— Qui vient de qui?

— ...

— De quoi?

— Tu commences à comprendre. Une chose qui renforce ou qui tue. Une chose pas connue, à connaître.

— Tu me fatigues. Pas d'énigmes avec moi.

— Tu veux une pierre, juste jolie?

— Non. J'ai taillé mon premier biface!

— Fais voir? Pas encore assez symétrique. Un biface doit être beau.

— Ah?...

— Même Gohr te le dira.

Les deux enfants sous un ciel rond et bleuté marchent à travers les saisons, la neige remplace le sec, et ils sucent de l'eau gelée en riant. De loin, ils voient la meute humaine des Graüls pousser des rennes et un mouflon égaré dans un précipice. Les leurs glissent dans de la neige fondue, tels des oiseaux malhabiles. Arrivés en bas, les Graüls, frappés par le gel, se réchauffent en morcelant les bêtes. Les os seront cassés à l'intérieur d'une grotte protégée des vents. Les chasseurs crient et se divisent en deux groupes, ceux qui découpent sur place et ceux qui remontent les carcasses. Tahül grelotte et tremble, mais il inflige cela à son corps pour trouver une sorte de chaleur en lui. Soudain, il se blottit sur le duvet de la neige, car il voit très distinctement, sur un tronc pourri éclairci de blanc, un superbe lynx souriant. L'animal, au pelage clair et légèrement strié, ne bouge pas d'un poil et aspire l'odeur des deux petits Graüls fumants de froid. Ékorss suinte la peur. Le lynx reste immobile. Ses oreilles noires et pointues font deux traces sombres dans le ciel laiteux. Le félin s'approche lentement et sans bruit. Le lynx est très malin et en quelques avancées, le voilà qui surplombe Ékorss qui aperçoit soudain ses yeux jaunes au-dessus de sa tête. Tahül, qui n'est pas encore prêt à se battre avec des gestes sûrs, cherche alors autour de lui une arme. Il n'aperçoit aucune branche, aucune pierre pour se défendre, il doit trouver en un instant la solution pour sauver son ami Ékorss ! Soudain, face au félin solitaire, il voit le museau tremblotant d'un lapin, l'attrape par la peau du cou et le lance en direction du prédateur. Le cœur de Tahül bat fort. Il observe le lynx et les gouttes de sang du rongeur pénétrer la neige en créant une petite fumée et la fonte des flocons. Tahül regarde partir le lynx, le lapin dans son museau, et le trouve beau.

Un jour, il l'aura, et il gardera sa peau. Mais le mal est fait, il s'est attaché au regard de ce parfait traqueur tueur qui disparaît tel un nuage qui laisse de fines empreintes dans la neige. Les pattes du lynx forment quatre yeux et une bouche, enfin si elles ne s'enfoncent pas trop, sinon elles laissent la forme d'une boule en creux, avec la trace des griffes...

Le rouge du lapin arrête de suivre les traces du lynx. Le prédateur doit le dévorer quelque part à l'abri...

La petite de Luah est appelée Bo. Elle est toujours avec sa mère comme une seconde peau. Luah maigrit. Bo grossit. Tous ont peur du noir qui envahit le jour ; tous ont peur que le ciel de pierre de la caverne s'écroule sur eux, comme cela est déjà arrivé dans d'autres trous où ils ont niché. Le soleil a beau pointer sa face ronde à l'entrée de la grotte, le froid et la neige le combattent et gagnent du terrain. Au fond du trou immense et profond, règne un hibou qui dort sous leurs yeux étonnés.

Les ombres bougent comme si elles représentaient les parents de Gohr venus vérifier que tout se déroule comme avant.

Par grand froid, le chef porte des fourrures de loups reliées entre elles par des tendons de rennes. Bruits connus et inconnus flagellent les sens de Tahül. Il doit se montrer digne du regard intransigeant de Gohr. Si les éléments ont un pouvoir, il a le pouvoir de résister à sa peur. Les autres ne montrent rien, il ne doit rien montrer, comme eux.

L'hiver se prolonge et le lynx flaire les chasseurs vêtus de peaux volées, incapables de courir dans le duvet froid et cela excite sa faim. Ce lynx ressemble à Tahül, courageux et malin. L'enfant admire ses mouvements lents et rapides. Ce miauleur peut-il affronter plus fort que lui ? Au moment où Tahül se pose la question, un aigle se destine le lynx comme repas du jour. Le félin si agile frétille de l'arrière-train, prêt à cueillir un rongeur hors de son trou. Qui sera le plus rapide ? Le rapace pique sur le félin sans autre son que celui du vent. Tahül expulse un cri. Sidéré, il voit le lynx se défendre, et l'oiseau de proie renoncer à ce trop « gros morceau ».

Ékorss essaie d'imiter le mouvement du lynx. Tahül se retourne vers lui :

— Tu imites mal le lynx. Prêt à bondir, il est muet et frétille du dos. Tu tenteras de l'imiter à nouveau, aux jours-fleurs et insectes ? Tu as les muscles en glace ou quoi, pour pas pouvoir te remuer ?

— Toi, tu es ami du lynx ! Tu crois que c'est un ancien membre du clan ? Il t'a regardé dans les yeux. En général, ils n'aiment pas qu'on les fixe. J'ai de l'admiration pour toi.

— Moi aussi ! Tu comprends des choses que je ne vois pas.

Les gestes d'Ékorss sont symboliques et très faciles à comprendre. L'index signifie, la main explique, les yeux expriment, les pieds, sa respiration aussi… Tahül tarde à lui répondre, il observe aussi un gypaète barbu[1] qui se découpe sur fond de nuages et de bleu glacé, ses bras plumés le font planer. Le prédateur a une vue si perçante qu'il distingue la dépouille d'un petit mouflon d'entre les nuages, il attrape un fémur et l'emmène au ciel. L'oiseau le fait se fracasser sur les rochers et se pose pour s'en délecter. Ékorss surprend Tahül en train de rechercher la silhouette du lynx :

1. Espèce de vautour.

— Pourquoi tu as regardé ce lynx si fort ?

— Avant de dormir, je veux non dormir. Le lynx me plaît parce qu'il me plaît.

— Et si tu as sa fourrure, il te plaît encore plus ?

— Je préfère une peau entière de grand fauve qu'une famille de petits miauleurs... La peau des lynx est mieux sur eux que sur ma mère...

Tahül se rassasie de paysages blanchis qui brillent comme des quartz, et son père le laisse à son poste d'observation favori, en surplomb de la vallée. Ékorss se balance si fort sur une défense de mammouth qu'il en tombe. Il se dit que même ça, bouger sur la tête d'un animal dépecé, il ne sait pas le faire...

À contempler dans les moindres détails chaque élément, Ékorss et Tahül s'habituent à voir de toutes petites bêtes, qui de près sont immenses. Bientôt Gohr prend son fils à part et lui fait voir la force du clan, comment des deux-jambes pas plus hauts que quelques lapins et qui n'ont que des bras face aux monstres aux défenses enroulées, réussissent à mettre à terre un brouteur ou un mangeur de viande. C'est la gloire des Graüls. Ils améliorent leur façon d'attaquer à chaque échec. En attendant que Tahül soit prêt, Gohr le laisse grimper aux arbres et gober des œufs. Il lui apprend à marcher sans faire de bruit, à marcher contre le vent et à choisir les bonnes branches qui font les bons épieux. Il faut lui transmettre tout ce qu'il sait, sinon son fils risque d'être piégé, et dévoré. Il y a tant de bêtes malignes, bien plus que de Graüls, tant, que c'en est effrayant... Gohr ne comprend pas qu'Ékorss soit toujours en vie avec son apathie installée.

Ékorss n'aime pas mâcher la viande et craint le froid. Nerveusement, il torsade des fibres pour imiter le lierre qui s'enroule autour de l'écorce des arbres. Plus tard, il essaie de lier des pierres rondes entre elles avec celles-ci. En vain, les pierres s'échappent du végétal. Elles ne serviront pas à arrêter le mammouth ! Ékorss aimerait tant aider les Graüls qui chassent en risquant leur vie. Tout cela le dégoûte. Gohr le trouve ridicule. Personne ne veut des bizarreries d'Ékorss. Ékorss, songeur, se demande comment le mammouth, qu'il voit déambuler au loin, ne tombe pas en marchant, sa tête est si énorme, que lui, petit Graül, peut s'asseoir sur une de ses molaires ! Ékorss passe beaucoup de temps à se poser des questions sans réponses. C'est le seul qui pense à l'avenir, aucun du clan ne s'en préoccupe, il y a trop de choses qui se présentent dans une journée, dont certaines peuvent emplir d'effroi. Il y a surtout beaucoup d'outils brisés à refaire et à refaire... Chez les Graüls, on ne pense qu'au lendemain et pas plus. Malgré leurs appréhensions, ils doivent s'attaquer aux animaux dangereux qui éventrent ou qui égorgent. Ils doivent éviter les troupeaux de bisons pour ne pas être écrasés, et imaginer qu'un lion-panthère les guette quand le vent n'apporte aucune odeur. Celui qui ne bouge plus du tout sous les crocs, défenses, ou pieds, on le ramène, s'il n'est pas trop abîmé... Tahül apprécie le jugement de son ami rêveur qui ne peut feinter sa peur. Sa seule force est d'aimer ce qui est beau. Ékorss évite tout risque pour vivre, et seulement grâce au groupe. Tahül ne voudrait pas lui ressembler et pourtant il écoute son ami lui expliquer la matière des pieds en corne des chevaux aux crinières courtes. Ékorss lui fait part de ses découvertes inutiles, comme un presse-poux personnel :

— On peut raser une tête avec ça. Plus de poils, plus de poux !

— Les poils, ça tient chaud, ça marchera jamais. Invente autre chose.

— Je cherche un moyen de garder l'eau.

— Encore plus fou et ça sert à rien de garder de l'eau, il suffit de descendre aux jambes de la rivière ou d'aller au petit lac.

— Je disais ça comme ça.

— Parce que tu es paresseux, voilà !

— C'est pourquoi le paresseux ne perd pas de temps et cherche des choses pour lui et les autres...

— Des choses qui ne servent à rien...

Grand et chétif du dedans, Ékorss refuse de mâchouiller les peaux et d'ignorer ses rêves d'outils nouveaux. On se moque de lui, mais curieusement, il échappe à tous les pièges du monde d'ici et de plus loin. D'autres plus hargneux boitent après une mauvaise chute ou bien ils ont l'œil crevé, lui est malin et lâche, oisif et habile dans des tâches difficiles. Pour se faire pardonner, il attise la curiosité de tous. Il fait exprès aussi de parler de projets irréalisables, un épieu à deux pointes, une poche à eau, un polisseur de miettes de pierre... Lorsqu'il prépare les plus beaux silex cherchés à une journée de là, Tahül le regarde faire jusqu'à la nuit. Il sait grâce à lui les différences entre racloir, grattoir, perçoir, chopper, épieu, biface. Tahül touche ces objets pour les faire entrer en lui, comme de futures armes de défense ou d'attaque. Ékorss les remet en place par ordre de grandeur.

— Pourquoi tu fais ça?

— Je m'occupe.

— À quoi?

— À voir si je trouve un galet de la taille de mon pied!

La chasse a été bonne, les découpes sont aisées.

La nuit digère les peurs inutiles.

Gohr prend son fils avec lui, pour aller au lac, près de l'étendue d'eau qui s'interpose entre le ciel et la terre. Le jour se lève et la chaleur ne fait pas sortir les monstres... Tahül serre la main velue de son père. Son père a deux branches de salut: ses bras. Gohr repère les lieux et laisse Tahül prendre contact avec l'eau. Son corps sourit à l'eau, du dedans et de toute sa peau. Il entre en elle jusqu'à la taille et son père ne le gronde pas. Au contraire, il est fier de voir Tahül imiter des animaux imaginaires et ne pas craindre la noyade. Il faut repartir et la marche reprend, de celle qui durcit les pieds et tord les chevilles. Tahül voudrait voler pour ne plus sentir sa peau crevassée, nager pour être comme la loutre... Lorsque le soleil est parfaitement au-dessus d'eux, et qu'ils ont soif, son père lui fait comprendre que le monde est rempli de dangers et qu'il faut se méfier de certains ennemis bipèdes qui se cachent. Sur un tertre herbeux, le chef commente:

— Entre les choses, regarde. Là les Troms, là les Snèks. Les Troms frappent, les Snèks étouffent. Danger. Les Troms craignent nos jeunes mâles, dit Gohr. Surtout Rar « l'embrancheur ». Ssssssss, serpents sont les Snèks. Pour ne pas avoir peur d'eux, sois sûr de toi. Tel tu dois vouloir.

Tahül frappe sur sa poitrine pour dire « oui ».

— L'eau: oui! Ô, je dis eau oui... Soif! J'ai soif. Il embranche quoi Rar?

— Les Troms violents!

Gohr oblige son fils à regarder l'horizon en profondeur. À moitié cachés par des herbes, les Troms sont faits exactement comme les Graüls, mais ils sont tous camouflés par de l'argile verte, et leurs peaux sont usées, comme mitées. Au loin, on voit dans un ravin des cavernes-feuillages où se reposent les Snèks. Ils dorment comme des serpents. Un cuon grignote un reste de repas que les bipèdes ont jeté dans les herbes. L'animal, après avoir grignoté tout seul, est rejoint par sa meute, et il met sa queue entre les jambes. Tahül comprend les batailles de l'homme et du cuon. Les aboyeurs se rassasient des restes d'énormes côtes d'un magnifique bœuf musqué ou d'un vulgaire rongeur dont on a pris la peau. Les Graüls ne mangent pas de cuons efflanqués, car il n'y a pas assez de viande autour de l'os, mais ils les chassent parce qu'ils font du bruit et sont parfois tout aussi peureux qu'Ékorss. Ils sont moins partageurs que celui-ci et cela rassure Tahül qui ne peut s'empêcher d'avoir de l'affection pour ce raté de la chasse.

Troms, Snèks, il y a peut-être d'autres clans au-delà ? Au-delà d'où, jusqu'où ? L'eau immense entoure peut-être un gigantesque îlot ? Tahül questionne son père. Mais Gohr grogne que ce n'est pas la peine d'aller voir, et de quelques mouvements de tête, il ajoute que trop de nuits loin du groupe seraient un péril qu'il ne pourrait affronter.

— Un terrain que tu connais vaut mieux que deux que tu ne connais pas, lui dit-il en substance.

Les Troms vivent leur vie qui ressemble à celle des Graüls. Mais leur eau est salée, et sans fin, elle respire.

— Les Troms ne boivent pas l'eau qui remue. Ils viennent la prendre près de nos abris, précise Gohr.

— Regarde, il y a une loutre qui aime l'eau salée. C'est comment l'eau salée ?

— Elle pique la bouche et donne soif !

— Ah !...

Une loutre déboule et s'infiltre vers le sable, nage dans la mer pour attraper des crustacés et des poissons. Une jeune Troms la regarde faire, les pieds dans l'eau.

— T'es une grande maligne, tu attaques par-dessous. On ne te voit pas et tu attaques par surprise ! Tu pousses le gros poisson vers moi, pas mal... Et si je te pique ce truc immangeable, tu fais quoi la loutre ?

Sard regarde encore. C'est le temps des fleurs, elle trouve une autre loutre au bord d'un étang. La loutre brille.

— Tu te débrouilles bien.

Elle appelle sa sœur :

— Vite, viens voir cette loutre ! Elle avale la grenouille en entier.

— C'est une jolie bestiole. Méfie-toi du Troms à un œil. Lui aussi, il avale d'un coup ses proies ! Lui aussi, il jette ce qu'il en reste...

Les deux fillettes papotent au sujet des amours des loutres, sans se gêner devant Krah, le chef des Troms qui ramasse des galets... Elles voient les silhouettes d'un grand Graül et d'un petit disparaître. Ces ombres mobiles sont si loin qu'elles continuent leur papotage :

— Les loutres ont de l'appétit pour faire des petits qui arrivent quand ils arrivent, dit la plus grande.

— Jald, c'est pas comme les biches ou les mouflons ? soupire Sard. Eux, on sait quand ils font des petits.

— Pas les loutres, elles s'accouplent quand elles décident. Elles jouent d'abord. Si la loutre s'arrête de jouer, le mâle vient lui mordiller le cou. Tout ça dans l'eau ! Ils se disent des choses, à mon avis.

— Quoi ?

— « Tu plonges en premier. Vas-y. Bouge plus », dit le plus fort.

— Il dit ça ?

— Le mâle tient la femelle entre ses pattes, et tous deux glissent sous l'eau, c'est beau à voir. Ensuite, le mâle disparaît, et laisse la maman loutre toute seule avec ses petits.

— Et qu'est-ce qu'il fait tout seul ?

— Il reste tout seul, jusqu'à la prochaine fois. C'est un couple défait après l'accouplement, quoi.

— Ah, c'est ça ?

— Lorsqu'il rencontre une femelle sur son territoire, le mâle l'entraîne dans l'eau, on voit plus que son dos à la loutre, sa queue hors de l'eau. Cela veut dire qu'elle est d'accord.

— Comme quand je fais ça de la tête.

— Oui, c'est un signe qui dit « oui »... Tu es trop jeune pour savoir que ce signal dit au mâle : « Monte par-dessus, et tiens-moi fort avec tes dents !... Et vas-y ! » Chez les Troms, on fait aussi connaissance, mais la nuit, je ne pense pas que ce soit si fou, chez les Troms… Le Troms fait vite son coup…

Sard reste bouche bée. Les loutrons ont l'air de s'amuser plus que les petits Troms. Ils sont gris et tout peureux. Ils changent de gîte avec leur mère. Les Troms sont beaucoup plus paresseux pour quitter un bon endroit.

— Pelage brun, clair par-dessous, la loutre ne fait pas de bruit dans l'eau.

— Pourquoi tu me dis ça, Jald ? Personne ne chasse ces bestioles !

— C'est pour pas que tu confondes des jolies loutres avec des rats des étangs. Krah, c'est le chef et tu le confonds pas avec Tank. Tank a un œil qui manque. La loutre a de la chair entre les doigts, comme le ca… ?

— Le casse-pieds ?

— Le castor…

Les jeunes Troms ne parlent jamais de chasses. Elles se disent qu'elles sont favorisées, car elles ne risquent que de se casser une dent sur une noix, pas un gros os, ou alors très rarement. Alors que les Troms ou les Graüls se cassent des jambes, des bras, perdent parfois la vie. La chasse n'est jamais certaine.

Bien droits sur une butée, Tahül et son père voient très en contrebas quelques Troms grands comme des fourmis. Ils regardent la mer, puis se tournent vers la montagne. Ils respirent un grand coup avant d'attaquer la remontée vers le plateau.

Tahül voit son père grand, fort, mais vieux, crasseux, avec des yeux brillants et vifs ; il est le chef des Graüls. Tahül sera chef à son tour, s'il mérite de l'être.

Le père et le fils grimpent une pente difficile. Tahül tente de marcher avec le pas du chasseur. Gohr ne veut pas que son fils pense qu'il peine, alors il allonge le pas d'une pierre à l'autre et saute, en habitué des roches. Tous deux reviennent à la caverne avant la nuit et apportent des graines sucrées et quelques verdures à mâchonner. Des lumières apparaissent dans le ciel. Elles ne sont pas exactement au même endroit que la veille leur précise Ékorss, toujours à suivre ses troupeaux d'étoiles. Kira s'énerve : Ékorss ne mûrira donc jamais, elle ne veut pas que son fils devienne comme lui.

— Bon à rien ! Ékorss traque les yeux du ciel, c'est pas de la chasse, ça ! Pourquoi je l'ai pris avec nous ? Si Tahül fait pareil, ils finiront dans le ventre d'un ours.

— Ékorss nous sert de guetteur et Tahül est bon pour la chasse, comme moi ! rétorque Gohr.

Il faut que son fils connaisse les forces et les faiblesses de chaque prédateur, avant de se risquer au moindre geste d'attaque. Un jour Tahül sera en âge de prouver sa force. Ékorss ne doit pas l'influencer, c'est tout. Tahül passera de rabatteur à traqueur et mènera un jour une chasse.

Tahül, les yeux écarquillés, comprend les expressions de son père. Il tourne le dos à Ékorss pour que son ami ne voie pas sa joie à être bientôt un vrai Graül !

Il voudrait affronter un ours de face, plutôt que de préparer un piège à brouteurs d'herbe…

4
Le lynx, les chevaux et les rats musqués

L'Homme est le seul animal qui rougisse, c'est d'ailleurs le seul animal qui ait à rougir de quelque chose.
George Bernard Shaw

On voit qu'un ami est sûr quand notre situation ne l'est pas.
Cicéron

Ékorss explique à Tahül qu'il y a dans le ciel des animaux bizarres qui attendent la nuit pour guetter de leurs yeux minuscules. Il y a des fauves, des cuons entre les nuages, une grande ourse et ses petits, un grand serpent qui se cache, et même un troupeau de rennes. Le garçon possède des expressions semi-gestuelles et sonores qui font rire Tahül. Le jour, le conteur se transforme en avertisseur et interrompt Tahül dans ses contemplations des vastes étendues herbeuses. Quand il n'y a pas de crinières à l'horizon, il instaure une joute :

— Qui attrape une bête à cornes ne prend que sa viande, il ne mange pas ses cornes ! Et qui est la grande gloutonne qui gobe tout, même les os ?

— La lionne ?

— Perdu ! C'est l'hyène ! Tahül, tu n'as jamais vu de hyènes ?

— C'est comment déjà ?

— Tu les as entendues ricaner !

— Ah oui, je vois… J'en ai senti de loin, ça pue, mais qu'est-ce que ça pue.

— Normal !

— Normal ?

— Rien que d'y penser, je suis dégoûté…

— L'odeur fait aussi *hiii*…

— Oui, les hyènes font *hi* et leurs cris puent, dit Ékorss en riant et en les imitant. *Hihihi héhéhé.* Mais elles me font moins peur que les lions qui sautent sur le dos et sous le ventre d'un gros brouteur. Il y a du feu dans leurs yeux !

— Le feu c'est quoi ?

— C'est les cheveux de la foudre qui brûlent les branches, les herbes sèches…

— Ah…

— Mais le feu n'attaque pas, il mange le sec, parfois des bestioles qui restent trop près…

— Les Graüls vivent et trouvent les grottes du haut pour échapper au feu, aux prédateurs et aux brouteurs. En bas, les Troms, quand ils voient passer les bêtes à cornes, ils fuient.

— Où ils se cachent, quand le troupeau fonce sur eux ? Tu as vu comment c'est là-bas ? demande Ékorss.

— Il y a une grande eau, graaaande et qui va loin. Je les ai vus les Troms, ils vivent à côté. Ils sont comme nous. Gohr m'a montré le chemin pour rejoindre la grande étendue bleue en bas.

— Ton père est rude. Il te gronde comme un bison qui charge.

— Pour que je m'en méfie ! Cet animal mange calmement, après, il fonce en avant pour te transpercer le bide. Ce soir, on se fait un bison au sommet de notre montagne ? Je parie qu'on s'en bouffe un.

— Quoi, tu paries ?

— La souris.

— Müss, on peut pas l'attraper, elle file comme l'eau à la vitesse du vent. C'est pas un vrai pari, ça. On parie deux rats à queue plate pour me faire des groles.

— C'est quoi des groles ?

— Pas encore inventées, c'est des chauffe-pieds pour Graüls.

Tahül perd son pari. Aucun bison en festin. La bête était énorme et méchante. Elle a blessé Desk, le plus rapide des coureurs. Il geint et frotte sa jambe. Tout le monde a faim et les ventres gargouillent. Kira se gratte sur tout le corps et gronde. Demain, il faut de la viande pour tous ! Mais le bison qui les a pourchassés est une montagne. Quand il charge, on ne peut que grimper plus haut que lui. Le clan de Graüls change de refuge et part vers là où la boule chauffante devient rouge et se couche. La crânerie de Tahül l'oblige à faire ce qu'il a dit.

Le lendemain, il voit des Snèks au loin et s'en méfie. Il dégringole seul vers un ruisseau et marche bien au frais. Ses jambes se délectent, l'eau raffermit et adoucit sa peau… Tahül cherche à piéger deux pieds chauffants pour Ékorss, mais un rat musqué reste un rat musqué et il faut d'abord l'attraper. L'occasion est trop belle, deux d'entre eux dorment comme s'ils attendaient de devenir les couvertures des pieds d'Ékorss… Tahül assomme les deux bêtes avec un rondin et parvient à les évider sur place. Il revient auprès du clan tenant la paire de rats des eaux dans sa main gauche. Il lui faut les outils de son père, ses bifaces tranchants. Horreur, Tahül constate qu'un rat est plus grand que l'autre et que l'autre est plus petit qu'un pied !… Il faudrait qu'il prenne à l'un pour agrandir la dépouille de l'autre. Avec ses dents, Tahül tente de mâchonner les peaux. Mais les groles ne sont ni bien tannées ni de même taille, il n'a aucune notion des surfaces ou des volumes. Ékorss se moque de lui :

— Tes chauffe-pieds attirent les mouches. Tu es un bon chasseur, tu as les yeux du lynx et de l'aigle réunis. Oublie mes pieds, je n'arriverai pas à marcher avec. Tes peaux, ça glisse et ça tient pas bien, pas du tout. Dommage, ça tient chaud.

Les ventres grondent de faim et Tahül agite un groupe de dents qu'il tient fermement dans sa main :

— Tu peux en faire quelque chose ? J'ai gardé ça, des dents des bestioles.

Ékorss réfléchit et sourit :

— Je te fabrique des épieux pour Müss ?…

Tahül fait une grimace de rire et plisse les paupières. Ses yeux énormes et sombres comme la nuit animent son visage volontaire. Tout tourne autour de ses yeux et de son nez. Son odorat l'alerte en permanence, et ses deux globes mobiles filent vers d'éventuels dangers ou beautés. Il comprend que des temps identiques reviennent. Il sait que le gras lutte contre le froid et que les fourrures aident à survivre. Le cuir provient du travail des femelles qui passent leur temps à mâchonner... Il sait que les os de ses frères et sœurs jamais grandis sont mêlés à ceux des galopeurs et des sauteurs qui gisent au fond de la Grotte-Mère. Il appelle cela « carcasse », ce qui casse tout : l'éclat dans l'œil et la course des jambes.

La joie, la tristesse, la peur, voilà les trois saisons des Graüls, une pour la chaleur et le grand jour, une qui cesse d'être chaude, suivie par celle qui refroidit les corps, les arbres et toute joie. Tahül regrette de n'avoir pas ses frères auprès de lui. Ékorss, à lui seul, les incarne tous. Ékorss a les os, la chair et le sang, les trois matières indispensables... Car carcasse enlève la chair à jamais et suivent le sang, les nerfs et les tendons, et même la moelle des os cassés disparaît. Tahül veut être chasseur pour lutter contre sa peur, tout voir sans crainte, autour de lui, sous lui, et au-dessus. Il tient à protéger Ékorss ! Mais pourquoi tant d'animaux qui courent sur le sol de toutes leurs pattes, et si peu de marchants-debout, comme les Graüls... Il y a des troupeaux énormes qui foncent sous le vent et les Graüls sont si peu... Et pourquoi Ékorss cherche-t-il à voir en lui des images de choses qui n'existent pas ? Tahül hésite, peut-on être ami de son contraire ?... Cette question l'obsède. Lorsqu'il considère que les ruminants se font des amis qui n'ont pas les mêmes poils, beuglements et comportements, Tahül décide de décider seul. Il a même vu une mère cuonne allaiter un louveteau perdu. L'important, c'est de savoir chasser et de bien découper son manger...

Aux beaux jours, Kira quitte sa peau de lion et porte sa tenue de lynx qui la rend invisible au milieu des branchages. Il y a longtemps, un lion féroce a sauté sur ses épaules, mais Gohr enfonça son épieu dans le ventre de la bête. Et bientôt, Kira ressembla à une lionne en portant sa dépouille. En lynx, elle est plus agile et ses cheveux en font une marcheuse aux allures de fauve. Aux beaux jours, Ékorss s'enferme dans une fausse indolence et s'amuse à spécifier les animaux par leurs bruits et cris : le mouflon, le bœuf musqué, le bison, le cerf, l'éléphant, le mammouth. *Hiii*, c'est le piaillement du mouflon pour alerter ses congénères. Le rhinocéros fait semblant de pleurnicher, mais c'est un tueur. La loutre fait crocroc lorsqu'elle croque, et *rreu* ou *rré*, ou *rrou* dans la nuit, son petit : *ni*, *nan*, *hiiii*. Le cerf, à l'automne, réveille le monde avec son *aaaah* repris par d'autres :

Waaaaahha... Ahahahaaaahhhhahahhh... C'est à celui qui aura le plus grand *Waaaaharaaraaaaha...* Les biches, elles, font *ho*! Le bison lance des *raaao*. Ce grand cornu possède des oreilles qui semblent le guider vers une source d'eau, mais elles ne parviennent pas à enlever ses parasites et s'agitent sans repos, même lorsqu'il dort. Tahül voudrait qu'on chasse les bisons endormis. Selon Ékorss, ce serait stupide.

— Un bison qui se réveille est plein de force et fonce dans le tas. Trop dangereux. Sauf s'il est très jeune, et encore, il n'y a pas assez à manger pour tous avec un petit...

Ékorss refuse d'approcher ces colosses, car il les connaît bien par leurs dentitions qui forment un tas dans la Grotte-Mère. Ce tas qui grandit le rassure : ce sont toutes les bêtes gigantesques que les Graüls ont mises à terre ! L'épaisseur est signe de l'infatigabilité des Graüls. Lui se sent trop fragile. Il aime vivre dans cette grotte et déteste changer d'abri. Il a vu des lions s'en prendre à un mouflon et tels des Graüls, les lions peuvent attaquer en bande. En chemin, heureusement, Tahül est toujours là pour le protéger maintenant. La survie du groupe dépend du lien qui attache tous les Graüls entre eux. Ce lien est plus fort que celui qu'il n'arrive pas à faire autour des pierres. Il existe, même si on ne le voit pas... Ékorss a été sauvé par Tahül quand le lynx s'apprêtait à bondir sur lui. Il s'en souvient. C'est un lien aussi.

— Tu me protèges de Loul ! lance Ékorss à Tahül.

— Qui ?

— Loul, le lynx qui ne fait jamais de bruit. La voilà. Tu l'aimes, Loul !...

Loul observe la caverne des bipèdes, ces idiots qu'on voit de loin... C'est une femelle qui ne comprend rien à ces animaux qui avancent debout et qu'on voit de loin et qui s'associent entre eux. Loul est une femelle solitaire qui a remarqué Tahül, un petit malin qui sent bon. Elle pourrait n'en faire qu'une bouchée, enfin quelques-unes et délicieuses, mais elle préfère la viande des rongeurs. Ils sont si bêtes ces quatre pattes, que c'est un plaisir de marcher dans la neige ou sur les mousses pour les attraper. Ils ne la sentent pas venir derrière eux. Elle se méfie des hordes de chevaux car elle a failli finir sous leurs galops. Elle se garde d'approcher Gohr de près ou de loin, car c'est lui, le grand debout, qui a pris son compagnon des beaux jours pour en faire la peau de printemps de Kira. Dès que Loul l'aperçoit, elle retrousse les babines et éteint le *araaaahhh*, le *wah!* et le *ffff!* Cris qui montent dans sa gorge et qui pourraient la faire repérer. Elle sait les trois saisons d'instinct. Son poitrail frissonne. Seul Ékorss entend ses piaillements retenus et les vibrations qui parcourent son corps.

Tahül voit la féline cambrée à l'endroit de son point de vision. Il lui envoie un os à ronger; elle hésite, saute et renifle l'odeur avant de disparaître dans un feuillage. Elle joue avec l'os et le délaisse: rien à ronger de bon. Elle semble froissée!

Les chevaux sont libres et n'ont qu'à se baisser pour se nourrir, ils traversent l'immensité herbeuse sans but, ils ne chassent que du végétal! Desk, le meneur, est le maître des juments, les Graüls le craignent et l'admirent car il sait les bipèdes plus dangereux que les fauves, et il se cabre face à eux, tel un torrent de muscles. Desk le cheval fougueux et Desk le coureur sont vifs et ne craignent jamais de percuter l'adversaire. Desk le cheval et Desk le Graül blessé sont musclés et cherchent parfois la bagarre pour une femelle. Desk à la crinière courte et bicolore se fait respecter mieux qu'un chef bipède, mais il ne peut rien contre les guerriers du clan des Graüls, alors il les surveille avant de boire. Quand l'air refroidit son dos, il penche son cou et boit en dernier, il surveille... Lui et les autres tapissent la vallée, elle est à eux! Enfin presque à eux, car les êtres debouts qui peinent à se mouvoir sont des arracheurs de chevaux! Ils sont de taille à les attraper à la tombée de la nuit. Les Graüls sont malins et se cachent; leur odeur est rarement portée par le vent. Tahül a repéré le manège de Desk qui boit en dernier et tourne sur lui-même pour ne pas se fier à sa vue. Ce cheval serait une magnifique prise, encore que sa chair serait dure sous la dent et qu'il manquerait au paysage. D'ailleurs, il y a tant de chevaux jeunes ou blessés, qu'on peut facilement attraper, qu'il faut préserver ce magnifique meneur et éviter ses coups de sabots! Il vivra longtemps.

La nuit, Tahül rêve qu'il se confronte à Desk! Le jour, assis aux côtés d'Ékorss, il le contemple. Ce cheval à lui seul est tous les chevaux, son attitude incarne la fierté. Desk, à l'allure du vent, rend jaloux les chétifs, mais pas Tahül! Il aime le voir sur ses pattes arrière attaquer un ennemi ou la croupe d'une femelle cheval. C'est un exemple de vigueur et de perspicacité instinctive.

Dans les vagues de calcaire qui surplombent la tignasse brûlée de la terre, la vie et la mort se rejoignent dans la grotte ; des restes humains s'y entassent, ils disent les absents, les bien vivants, les malades et les blessés. Un Graül disparaît facilement... Crânes, mandibules de chevaux mêlés tapissent le sol. Il a fallu les désarticuler, les décharner, les couper. L'humilité face à la mort étonne Ékorss. Ce qu'a remarqué Tahül, c'est que les os des jambes des Graüls et des chevalins n'ont pas la même taille, mais tous ont été cassés à cause de la substance moelleuse dont raffolent les Graüls. Parfois Tahül prend un beau tibia pour le lancer en l'air. *Shlaaak*. Aussitôt, Kira lui crie à sa manière qu'on ne joue pas avec la nourriture et ajoute :

— Il y a encore de la viande autour de l'os ! Faut pas gâcher !

Ékorss et Tahül, fatigués par ce genre d'attitude, s'évadent du territoire de Kira et de sa sœur Luah qui a le ventre aussi rond qu'une femelle de cheval. Gohr ne hurle pas qu'il faut un clan uni en permanence, car il est trop loin pour apercevoir les deux casse-cou.

Ékorss se faufile derrière Tahül, pourtant il craint son courage aussi terrible que l'orage. Soudain, les voilà face à la tribu des galopeurs en entier, un petit vient de naître qui déplie ses jambes et se met debout, tout blanc et tout gluant.

— Ne risque rien, lance Ékorss de ses mains implorantes, qu'il place aussitôt sur les yeux. Je te connais, tu veux toucher à tout, même à Desk, le chef des chevaux !

Tahül ne répond pas. À plat ventre, il s'avance à pas de lynx. Il rampe, et bientôt, il sent sur sa tête une haleine chaude : c'est la jument du petit qui boit son lait. Elle a de bonnes dents et sa peau tremble pour chasser les piquants-volants et les piquants logés entre les poils. La jument ne semble pas voir Tahül et lutte contre les parasites incrustés dans sa peau. Tahül s'enhardit et tente de boire comme le poulain à côté de lui ; il reçoit aussitôt un coup de sabot ! Il recule à quatre pattes et se rapproche d'Ékorss. Une fois loin du troupeau, ce dernier grogne pour lui faire comprendre qu'il a risqué de se faire écraser par une maman cheval! Pour rien, vraiment pour rien.

— C'est bon, au moins?

— Un peu épais… Aïe…

Desk, le Graül, court en claudiquant vers eux et les arrache au sol, comme deux vulgaires chamois.

— Grrr! Tissss!

Desk est en colère, le troupeau aurait pu leur passer dessus. Il restera en colère tant que l'autre Desk, le grand galopeur et coureur de galopeuses, les narguera.

Seul Ékorss pose la question fatale… Lorsque ce cheval se dresse et retombe sur un Graül, c'en est fini. Fini de quoi? Il s'adresse alors à Tahül, celui qui ose affronter la force d'un animal:

— Si plus de mouvements, plus de fuite, plus de vision, si plus de Graül, on mange son gras. Donc un Graül en moins.

— Arrête, Ékorss. Tes questions sont des réponses gelées, grogne Gohr qui envahit soudain l'espace.

— Un Graül en morceaux n'est plus en entier, enchaîne Tahül. Refroidi, découpé, on le voit plus.

— Il ne disparaît pas complètement. J'ai bien revu ma vraie mère en rêve, rétorque Ékorss.

— C'est qu'elle est vivante, ça se trouve…

— On arrête et on part chercher des pierres qui coupent bien, hurle Gohr, des branches à tailler plein les bras.

Le groupe ne fait que passer d'un jour à un autre jour, cherchant à manger, à boire et à dormir tranquillement. Les Graüls parlent sans bruit quand ils chassent, avec des gestes. Ils ont des sons à échanger entre eux, sauf pour la fin d'un Graül. Leurs bruits du dedans griffent, déchirent le silence. *« Mais pourquoi se comprennent-ils, même dans le silence? »* se demande Tahül. Ékorss le solitaire réfléchit à des choses inutiles, mais bientôt, Tahül aime à son tour se poser des questions sans en parler. Y penser c'est déjà comme de tailler une pierre sans faire de bruit… Au bord du lac, il gamberge. Pourquoi le ciel s'assombrit ou s'éclaire, pourquoi il donne du chaud ou du froid, de l'eau ou de la glace qui fond en eau dans la main?… Pourquoi les enfants si doux de peau grandissent ou non, prennent goût à la chasse ou non? Qu'y a-t-il au fond d'un étang, de la Grande Bleue, dans l'œil d'un cheval ? Ékorss ne s'agite guère, mais il donne des avis parfois aussi ciselés qu'un biface :

— On attrape froid par les pieds ; il faudrait inventer des niches à pied. C'est parce que les Graüls sont plus faibles que les cornus qu'ils sont plus malins pour s'en sortir. Qui se réfugie dans une grotte ne doit pas se demander pourquoi il reçoit des fientes de souris volantes sur la tête. La mandibule du cheval est faite pour broyer des herbes et arracher des écorces, mais pas pour mâcher de la viande. Le cheval ne prend que le jus des feuilles. Le lynx est l'ennemi du cuon, ces deux animaux ont le poil qui se hérisse quand ils se croisent. On ne peut finir ce qu'on n'a pas commencé. Il faut commencer, ou alors, on ne finit pas…

Ékorss est considéré comme un incapable, pourtant ses raccourcis de pensées creusent un terrier invisible dans celles de Tahül.

Tahül apprend d'Ékorss et Ékorss le regarde faire. Ékorss ne deviendra jamais fort et courageux comme lui, c'est le prix à payer pour se poser encore des questions qui dévorent sans cesse le temps à faire des choses utiles.

— Tu as toutes les questions du clan en toi, Ékorss.

— J'ai aussi le secret de Dikt.

— C'est quoi ?

— Un secret. Tu peux pas comprendre. C'est des têtes vertes. Enfin, des têtes qui fleurissent et qui ne sont pas des plantes…

— Tu me les montres quand ?

— Quand tu auras besoin de la force qui dure !

— Montre-les-moi !

— Pas encore… Je sais même pas où elles sont.

— Quand ?

— Quand tu auras besoin de moi. Ne me prends pas pour un raté. Je ne suis pas intrépide, c'est tout… Si je pouvais, je vivrais dans un arbre…

— C'est quoi tes têtes vertes ?

— Des gros cailloux. Le vieux Dikt dit qu'avec il se sent mieux avec.

— Elles existent ou elles n'existent pas, ces pierres qui soignent Dikt ?

— Gohr, ton père le chef les cache. Elles trempent dans l'eau.

— Pourquoi il les cache, Dikt ?

— C'est comme un lapin pour tous, on le montre pas… Pas assez. Pour l'instant c'est son lapin à lui. On dit que ça n'existe pas les têtes vertes…

— Pourquoi ?

— Si on le garde pas que pour nous, ça sera plus un secret.

— Et alors ?

— Alors, il paraît qu'un secret qui est rompu, rompt les liens, tous les liens.

— Chez les Graüls, on partage tout, tu n'as pas remarqué ? C'est fou sûrement, ton histoire, comme tes groles. Avec, on ne sentirait pas le sol sous nos pieds ! Y a pas de secret à partager.

— Tu dis rien à personne, surtout pas à Gohr.

— Parce que tu crois au secret et aux têtes vertes ?

— Il faut bien, si tu veux qu'on reste liés.

Les Graüls considèrent Ékorss comme ces loups qui baissent l'échine devant le chef. Tant pis. Il n'y peut rien… Il baisse la tête. De loin, il suit du regard Tahül qui marche à côté de son père. Ils se dirigent vers le lac. L'enfant enlevé ne partage pas ce genre de complicité muette et chaude. Ékorss suit son ami des yeux : il faut toujours que Tahül essaie quelque chose de nouveau, dans l'action, jamais dans l'idée… En ce moment, Tahül tente d'imiter la loutre, incapable de mettre la tête dans l'eau, Ékorss amorce un sourire. Lorsque sa vision s'élargit, il voit de féroces bipèdes s'attaquer à un « repas » à venir, un chamois égaré qui appelle sa mère…

Le relégué sait qu'un jour, Tahül et lui vivront autrement, quelque chose les éloignera l'un de l'autre. Il sent déjà pousser le bourgeon de la séparation. Ékorss donnera la force qui fait tenir debout un épuisé, un malade, quand Dikt et Gohr l'auront décidé. Et lui, Ékorss, restera toujours à la traîne, têtes vertes ou pas. Chaque fois qu'il croit avoir trouvé une chose admirable, cela tombe à l'eau, comme une cuisse de bison sans viande, un repas qui dévale un précipice… Tahül, lui, ne regarde pas dans sa direction, il marque la terre de ses empreintes de pieds. On l'admirera un jour comme chef de clan… Il fixe le ciel où un aigle tournoie. Il craint pour Loul, mais Loul a des astuces qu'aucun Graül ne possède. Elle s'en sortira…

Les animaux sont les maîtres du sol, des airs et des eaux, et les Graüls sont fiers de leur tenir tête et de les manger. Pourtant, qui peut affronter un ours ou un mastodonte ? Personne. Il faut être en meute, comme les hyènes, les loups, les cuons ou les charognards, ensemble, tous ensemble, sauf Ékorss… Les Graüls ne détestent pas mâcher une vieille peau charnue, quand les mouches et le soleil ont attendri sa chair… Ékorss a en horreur le fait de marcher, de mâcher, de courir. Les chemins sont trop longs pour lui et le fatiguent. Il rêve parfois d'obtenir l'effet fantastique des fleurs de pierre dissoutes dans l'eau… Il aurait peut-être moins peur ?

Dikt n'aurait jamais dû lui donner ce secret, il agit tel un feu souterrain que seul le sommeil éteint.

L'ami délaissé sourit tout le temps à ce qu'il voit. Et quand ce sont les visages des Graüls, il décode leurs sentiments mieux que quiconque. Gohr vient d'ailleurs parfois lui demander conseil pour comprendre un rictus qu'il n'a jamais vu chez Dikt. Il peine à être compris, non à cause des rides, mais de deux informations contraires qu'il exprime au même moment. Il s'agit d'une expression réelle de refus, camouflée par un rictus d'approbation.

— Alors, tu l'as vu quand il m'a regardé, qu'est-ce que ça veut dire ? Ékorss, tu me dis ?

— Je te dis alors ? Tu es sûr, Gohr ?

— Vas-y !

— Le haut du visage ment moins que le bas, le regard moins que le sourire… Gohr, voilà ce que j'ai vu. Tu lui as redemandé la même chose à chaque fois ?

— Oui. Je comprends maintenant sa réponse… Il me prend pour un cuon… Il chasse plus, un mammouthon lui fait peur ; alors il se venge comme ça, en me mentant…

— Je t'ai aidé, alors ?

— On verra.

Chacun voudrait et craint d'être à la place de Gohr, voilà ce que comprend Ékorss dans son silence.

Tahül ne s'intéresse guère aux grands chasseurs eux-mêmes, il adore trotter et voir loin. Il renifle les odeurs et reconnaît les formes, les couleurs. Tahül fait corps avec tout ce qui l'entoure, et chaque obstacle devient un jeu, un apprentissage. Il a grandi et sa famille c'est Gohr, Kira et le clan. Tahül voit les arbres, les roches, les animaux comme des sources de bienfaits ou de terreur. Pour le reste, il s'accommode de tout. Avec Ékorss, il cherche un peu de rêve.

La Grotte-Mère, chaque Graül pourrait la reconnaître des yeux, des pieds ou des mains. Ékorss cherche des têtes vertes auprès de Dikt pour tenter d'être plus résistant, mais Dikt affirme qu'il n'en a plus.

— Oublie ! La nouveauté est un leurre !

— Il faut retourner là où poussent les têtes vertes, Dikt ! Il faut penser à Tahül, si l'eau de là-haut protège si bien en bas… Tu dois affirmer ta volonté. Dikt… Gohr se doute de quelque chose…

— C'est toi le malingre qui ose me dire ce que je dois faire ! Gohr est encore très fort, il n'en a pas besoin. Oublie !

— Et Tahül ?

— Ékorss, Gohr ne veut pas donner le pouvoir des eaux à Tahül. Tu diras à Tahül où elles sont, le jour décidé.

— Où, toi seul le sais ! Quand ?… C'est Gohr qui décide…

— Tant qu'il n'a pas à combattre, Tahül n'en a pas besoin. Sans ces eaux, et ces têtes vertes, je serais pourri. J'en ai plus besoin que lui et je n'en ai plus pour moi-même… Alors arrête de demander.

— Pourquoi on n'irait pas s'installer vers l'eau qui rend invincible ? Dikt ! C'est quand même pas pour qu'on respecte Gohr et toi encore plus, que le secret est gardé ?…

— C'est mieux qu'il soit secret, le secret… Il vaut mieux vivre dans le monde connu. La montagne des pierres qui soignent, même les bêtes n'osent pas s'y aventurer. À la longue, ce qui soigne, tue… L'endroit est beau, si on ne s'y accroche pas.

— Tahül peut y aller, savoir où c'est ! Je le suivrai…

— Toi ? Ékorss, tu es vraiment le chef des fouineurs ! Je songe à te révéler le lieu, uniquement pour lui… Les chefs ont leurs eaux volontaires pour durer, car ils doivent décider, eux. Tu veux décider d'aider Tahül ?

— Pour qu'il soit le plus fort !

— Tu sais que la vie s'arrête quand elle doit s'arrêter et que Gohr disparaîtra quand il disparaîtra. Retourne à ton silence. Le jour venu sera le bon jour… N'y pense plus. On ne décide pas qui devient fort.

— Il ne fallait pas me parler de tout ça !
— Alors, oublie !
— On peut pas oublier que la nuit est noire.
— On peut oublier ce qu'on n'a jamais vu.
— J'oublie pas d'imaginer ce que j'ai pas encore vu !

Ce court instant est crucial, même s'il s'envole avec le vent… Ékorss fera tout pour savoir. Il marche tête baissée et ramasse une mue de serpent. Il l'accroche à la branche d'un arbrisseau. Le bruit semble faire le son de l'animal et siffle avec le vent. Une fois qu'Ékorss voit Tahül, il lui montre la couleur de ses propres yeux et fait le signe qui zigzague :

— Cela devait être un serpent noir, un qui se tortille à plat.

— Onco est mort piqué par un *tortilleur* pareil. N'en cherche pas de vivants ! exige Tahül. Les sans pattes peuvent tuer avec rien ! Et maintenant accepte de chercher avec nous les bons cailloux. Ils sont très loin…

— Quand on ira là où…

— Tu ne risques rien avec Gohr, Desk, Rar, les autres et moi.

— Et si l'on se lançait dans la chasse aux papillons, plutôt ? demande Ékorss. Je peux te battre ! Je viendrai, je suivrai quand nous irons à la recherche des têtes vertes.

— Des têtes vertes ?… C'est quoi ?

— C'est comment ! Là où ces pierres sont, l'eau donne une force de loup à celui qui la boit.

— Si j'en bois, je vais faire *Ouuuuuh* ?

— Voilà, et tu vaincras les ours !

C'est bien le seul endroit au-dessus du val où l'on rit, que ce plateau des Graüls, le seul clan où l'on glousse sans trop se moquer. La Grotte-Mère protège de beaucoup de choses et permet une bonne vision de tout ce qui se passe autour. Cela augmente la curiosité de tous les Graülots, la compréhension des dangers aussi…

Au pied de leur repère favori, Tahül et Ékorss voient deux chevaux retardataires boire tranquillement sans craindre les hommes ; leurs miroitements se lient aux vaguelettes du vent. Un fauve repu boit à leurs côtés. Ékorss tape dans ses mains pour dire qu'il aime l'image et le calme qui l'envahit. On le prend pour un fou, mais il continue à être lui. Un abruti, c'est un Graül qui refuse d'être brut et qui laisse les proies vivre leur petit graül de chemin. Mais il est tout sauf un abruti. Dikt lui dicte d'attendre et lui fait confiance pour le « futur ». Le futur n'existe pas. Eux seuls partagent pourtant l'idée qu'on peut le conformer à la manière d'un silex dont on prévoit la taille. Le futur contient aussi des écueils, des éclats trop grands qui rapetissent la pierre. Il faut accepter que le futur soit imparfait, et tenter de le parfaire.

Ékorss se sent investi d'une vérité qui un jour sera connue : on peut tailler le futur, il y a dans la nature et dans la tête quelque chose qui s'approche lentement, une chose plus subtile que le parfum d'une fleur mais plus forte que le courant, une chose qui renforce et qu'il faut partager aux jours dits… Cette chose repose en la croyance de « l'à venir » !

La chasse est terminée, règnent le vent et la nuit.

Une carcasse de thar gît maintenant sous une nichée de chauves-souris, les courtes cornes et les côtes seront bientôt cassées et empilées. Chacun se dépêche de manger un bon gros morceau de viande. Les chauves-souris se réveillent et gobent tout sur leur passage, surtout les mouches qui sont venues en masse pour festoyer. Gohr déteste les souris volantes. Il lance contre elles un gros os pour les effrayer. Cela veut dire qu'il en a assez de recevoir leurs déjections. Müss, effrayée à son tour, va se mettre à l'abri dans un trou où poussent de fines plantes de caverne gorgées d'eau. L'eau, les Graüls vont la boire comme les autres animaux. Ékorss attend le moment où Tahül boira l'eau qui rend fort. L'eau qui dissout certaines pierres qui contiennent autre chose que de la pierre, c'est son espoir.

Tahül s'approche de son père, il veut apprendre à chasser en tête. Finalement, la faiblesse d'Ékorss commence à lui être lourde à porter. Tahül veut qu'on le considère comme un brave, un vaillant, un intrépide, pas un dormeur-rêveur comme son ami.

— Je veux faire comme toi, être comme toi ! Gohr, je veux chasser comme un grand Graül.

— Quand tu ne regarderas plus les mouches voler.

— Je ne suis pas comme Ékorss.

— Je sais. Tu es courageux, Tahül. Une chose ne va pas : la mauvaise influence d'Ékorss sur toi.

— Faux. Ékorss est vif et il voit tout. Il connaît des choses incroyables !

— Comme ?

— …

— L'incroyable n'existe pas ! Au lieu de perdre ton temps avec lui, montre que tu peux jeter un mouflon du haut de la montagne et le ramener entier sans broncher. Un simple mouflon. Et alors tu participeras à la chasse.

— Je saurai !

Un sentiment nouveau entre en Tahül : son propre père l'a piqué au vif et le trait pénètre un grand vide. Il le comblera quand il aura la taille et la force de faire basculer un sauteur des hauteurs… Lorsqu'il saura dégringoler sans tomber, ensuite ce ne sera pas bien difficile. Il fera ainsi… Lorsqu'il prouvera qu'il participe à la force du clan, il n'aura plus de temps pour jouer aux questions et perdra la présence d'Ékorss. Il le regarde avec la honte d'avoir eu honte de lui, c'est son ami… Ékorss est un peu comme une ombre ; une ombre, on ne l'attrape pas, et l'ombre n'attrape personne. Une ombre, c'est un peu soi, mais ce n'est pas soi. Décidément, Ékorss, chasseur de questions, lui a transmis les bolas du dedans à attraper du vent… C'est un vent qui parfois fait du bien, parfois entortille tout ce qui est déjà entortillé, un vent qui enchevêtre tout.

5

La nuit dans la nuit

La nuit est la muraille immense de la tombe.
Victor Hugo

Le bonheur, c'est de continuer à désirer ce qu'on possède.
Saint Augustin

On entend distinctement le ruissellement de la pluie. La terre parle. Tahül ne parvient pas à s'endormir : il pense aux animaux qui se déplacent dans la nuit du ciel, et sur terre. C'est effrayant de ne pas savoir. Ékorss qui sait plus de choses que lui n'est pas plus rassuré. La nuit l'oblige à se mettre sous une couverture pour éviter les fientes des souris volantes et les griffes du froid, la morsure d'horribles araignées. La pluie a cessé. Tahül décide de respirer l'air du dehors qui sent les cheveux de la terre encore chauffée par le jour. Le dehors résonne de bruits inconnus. Il n'a pas le temps de faire un pas qu'un bras l'arrête, c'est Prok l'ancien qui lui intime l'ordre de ne pas sortir. Il sent qu'un lion des cavernes s'approche. La bête est splendide. Ceux qui ont chassé le bison sont épuisés et doivent réagir. Les petits se cachent avec Ékorss au fond de la grotte. Les pierres tintent sous leurs pas. Ils sont nus et deviennent des proies faciles et tendres à manger. Dikt se lamente et Tahül n'en mène pas large, il ne sait pas encore vaincre sa peur ni tuer un monstre aux dents longues… Le rugissement l'atteint comme la foudre. L'ombre du fauve se découpe dans la pénombre. Tahül se colle contre sa mère. Prok lance de grosses pierres contre l'animal surpris. Tahül voit les crocs du lion et lui jette de la poudre de pierres dans les yeux. Les rares Graüls réveillés le font fuir par leurs cris et une rafale de fracas. Tahül a le temps de voir que le lion furieux a des pattes bien au chaud, leurs dessous aux ronds de chair noire lui permettent de bondir. Sa force est immense et sa gueule s'ouvre, il y voit des dents démesurées et pointues qui s'apprêtent à mordre, à tuer. Il faut faire quelque chose !

Le clan a fait front.

Le monstre revient. Tahül se trouve devant lui. Il prend une poignée de sable qu'il jette à la gueule du lion, mais le fauve ferme les paupières et se jette sur lui. Tahül étouffe sous son poids, il va finir dans sa gueule.

— Tu vois, tu n'es pas encore prêt ! lance Gohr. Tu n'as pas bougé, pris par la peur, pris par le lion ! Et ça voudrait chasser ? Tiens, le revoilà. Il saute sur toi !

— Tu as besoin de la force du haut, lui dit Ékorss, sûr de lui.

Tahül se réveille en sursaut sous la hanche de sa mère qui a dû se retourner en dormant. Tahül se lève. Il fait nuit comme dans son rêve. Il marche vers l'entrée de la grotte. Les chauves-souris flottent dans le ciel, curieux territoire assombri qui touche la roche, l'eau, les arbres et les Graüls. Comment font-elles, les souris ailées, pour voler dans rien sans voir ? Pourquoi les Graüls ne savent-ils pas le faire ? Sont-ils si habiles que le disent Dikt et Gohr ? Les bipèdes ne savent pas bondir, ni nager, ni voler, tout juste savent-ils chasser à plusieurs. Ils ne font que copier ce que fait le lion qui va pour tuer la lionne, qui l'écrase de tout son poids et repart, crinière au vent, tout fier de quelque chose de mystérieux qu'il vient de faire. Tahül se sent infime et fort, solitaire. Un jour, il sera prêt à défendre le groupe à la manière de son père, et mieux que dans son rêve affreux mais si clair !

Ékorss, qui ne dort que d'un œil, lui aussi a eu peur du lion effilé, lui aussi a fait un rêve étrange où Gohr portait la dépouille du lion avec lui petit Ékorss dedans. Ékorss retrouve Tahül dehors.

— J'avais besoin d'être à l'air. Dedans j'étouffe.

— Moi aussi, parfois…

Ils regardent autour d'eux. La plaine et le ciel fourmillent d'animaux nocturnes, au sommet, des yeux sans corps font des signes célestes, brillants et mobiles. Tahül écarquille les yeux.

— Ce sont des oiseaux à petits yeux, lui explique Ékorss qui remue ses jambes griffées.

— Et pourquoi on ne les voit pas en entier ?

— Parce que dans la nuit, on ne voit que leurs yeux. Le jour, ils sont fermés. Et c'est ça qui m'étonne...

— Tu ne sais pas !

— Je ne sais pas tout, c'est ça qui est bien. C'est peut-être pas des oiseaux, mais des lions noirs ! Rrrrouahou !

La nuit respire, la nuit fait fuser des pointes de feu dans le ciel. Tahül est sorti de sa mère par une nuit de pierres de foudre comme celles-ci. Les deux garçons restent la tête à l'envers sans rien dire, ils s'amusent à découvrir les nuages éphémères qui obstruent la lune, les fibres d'étoiles qui filent, fusent dans le ciel, suivent parfois des météorites qui font des bruits terrifiants, non parce qu'ils sont assourdissants, mais parce qu'ils viennent d'un ailleurs inimaginable et qu'elles pourraient écraser leur tête ! Les deux jeunes Graüls face à l'immensité avec ses bolides et ses bruits d'oiseaux nocturnes sont tout à la fois émerveillés et apeurés, ils profitent de la chaleur ambiante, avant de se mettre à l'abri dans la grotte.

Au matin, Ékors montre à Tahül un oiseau qui dort en plein jour.

— Cet oiseau m'intrigue, dit Ékorss.

— Tu ferais mieux d'apprendre à te défendre, à chasser, à étrangler un miauleur qui t'attaque. Tu es une proie, Ékorss. Une proie !

— Tu seras mon chasseur défendant, et moi, je serai ton guetteur. Les autres n'envisagent pas le futur. Bientôt, on partagera l'eau des têtes vertes... Tu verras !

— Le futur, ça n'existe pas.

— C'est vrai. Pourtant le futur va exister. Il est pareil pour personne, et il est pareil pour tous.

— Le futur, c'est après quoi ?

— Après l'obscurité, il fait jour, et après l'obscurité...

— C'est pas le futur. On le saurait tous ! C'est ce qu'on a déjà tous remarqué. Y a pas de futur.

— Le futur est un œuf avec la coquille, c'est ce qu'on sait comme ça…

— Et personne peut connaître la tête du lézard…

— De l'oiseau aussi, pourtant on peut dire que quelque chose de vivant sortira d'un œuf ! Le futur est couvé par les jours, les nuits, les jours…

— Tu dis n'importe quoi ! Tu peux dire le futur ?

— Non.

— Tu vois bien qu'il n'existe pas…

Les deux amis aiment s'affronter par des gestes inventés qui disent des choses compliquées, ils grognent de contentement car ils se sont mis d'accord : le futur, c'est du présent pas encore né et il est forcément plus beau que le passé, il est fragile avant de naître et il peut tuer si c'est une avalanche de pierres de foudre. Ékorss songe que dans le passé, il y a les racines et le germe du futur, à la façon des têtes vertes dissoutes dans l'eau, ces fleurs de pierre qui donnent la force, la force qu'aura un jour son ami et frère Tahül.

Ékorss, qui est de bonne humeur, passe ses mains dans de la terre glaise et se travestit en lynx. Une fois grimé, il va s'asseoir sur une branche pas trop haute et miaule pour amuser Tahül de mauvaise humeur… Tahül se demande si la nuit c'est l'absence de jour et si le jour est en danger d'une nuit sans fin, une nuit qui fermerait son œil immense, il se demande si le ciel a des paupières. Ékorss lui répond que c'est idiot parce que cela voudrait dire qu'il n'aurait qu'un œil. Or, tous les animaux ont deux yeux.

— C'est pas un animal, Tahül. La nuit, le jour, c'est pas un animal…

— Nous sommes pas ses yeux, alors ?

— Cherche pas des réponses pareilles.

— C'est toi qui me dis ça ?

— Des réponses, c'est des réponses !

— Les bonnes questions, c'est ça que je dois trouver ?

— Oui. Une bonne question est : pourquoi les petits sont s'allaités ?

— Pour être nourris ?

— Pourquoi ?

— Parce qu'ils n'ont pas de dents pour manger… Ils doivent manger pour ?…

— … Vivre ?

— Oui. Une bonne question trouve sa réponse.

— C'est quoi une mauvaise question ?

— Pourquoi ton père m'a pris comme un lapin et qu'il a demandé à Kira de me faire manger. Je ne suis pas son fils…

— Tu as la réponse ! Gohr t'a ramené ici.

— La vraie réponse, je ne la trouverai pas. Il faudrait que je sache pourquoi il y a des Graüls, des Snèks, des Troms ou des Ogrrs qui n'ont pas assez de petits mâles, et ils en prennent chez le voisin, et pourquoi quand tu es chaud de partout, tu risques de t'étouffer et de disparaître.

— Moi, j'aime la chaleur !

— Il y a chaud et trop chaud.

— Ah ?

— Imagine le feu en toi. T'as jamais connu ?

— Non…

Le jour chauffe les sens et les couleurs. Gohr fait signe qu'une grande chasse se prépare.

Ékorss pense. Ceux des montagnes comme les Ogrrs ont de grands yeux pour mieux voir, et ceux d'en bas en ont de plus petits, car ils ont moins d'efforts à faire pour voir. Lui a les yeux d'en bas et ils sont vert feuillage. C'est peut-être ça qui ne va pas chez lui. Alors que tous ont les yeux de la nuit, lui a les yeux des feuilles et il s'intéresse aux pierres qui soignent et donnent à l'eau un pouvoir. Dikt lui a dit un jour : « Le soleil se couche entre les arbres. En bas sont ces pierres et il y a des ruisseaux qui parviennent à ronger ces pierres qui deviennent vertes… Elles sont un pouvoir ! » Quand Dikt parle de ce lieu, il cesse d'avoir une mine patibulaire, il est là-bas !

Dikt fait signe à Ékorss, il veut qu'il s'approche. Le vieux Graül ferme les yeux et prend les mains d'Ékorss dans les siennes, tailladées, douloureuses :

— Protège Tahül. Les Graüls iront là-haut. Un jour chaud. Tu vois, je comprends le futur, je le façonne ! Tu es un farceur, tu es un presque sage. Au sommet qui regarde l'endroit, j'ai dressé une haute pierre, large comme un demi-bras. Tu la trouveras, il n'y a rien autour. J'ai fait une encoche pour la direction, il faudra descendre. Tu reconnaîtras les pierres. Tahül saura où trouver sa force, dans les pierres qui fondent dans l'eau. Les pierres passent au vert dans l'eau qui sauve. En descendant tout en bas, il trouvera… Il faut boire l'eau. Ensuite, partir quand on se sent fort. Ne dis rien encore à Tahül. Surtout ne pas rester, sinon l'eau est furieuse…

Ékorss brûle de raconter cette histoire à Tahül. Dikt lui montre une pierre blanche et friable qu'il a taillée :

— C'est moi. On est tous des friables… Lorsque tu trouveras la pierre levée, descends les marches du ruisseau devant Tahül pour qu'il croie en toi, d'habitude si peureux… Et plonge-toi dans les eaux qui sont chaudes. Bien chaudes… Pas celles des Ogrrs, celles de A…

— Il y a des eaux chaudes à A… ?

— Là-bas, la nature nourrit et donne ses forces. Là-bas, c'est Alekhta, où les forts se baignent pour le rester. Les autres n'ont pas la force d'y aller. Je suis trop vieux pour y remonter. Tu trouveras. A est la force… Seul Tahül, achhhht… doit savoir. Ach… Prends la réponse à tes questions.

Dikt, pris d'une toux sans fin, quitte Ékorss et le laisse à ses suppositions ; de son autre main roule une pierre piquetée de pustules rondes. Ékorss la ramasse.

Qu'est-ce que la pierre levée, une jambe de pierre, un bras vers le ciel, une pierre qui s'est mise debout ? Le signe pour se repérer dans un fouillis d'arbres ou de rochers, sûrement.

Lorsqu'on boit l'eau où des pierres cuivrées ont trempé, on se sent mieux, a dit Dikt. Voilà ce qu'il comprend, car du cuivre[1],

1. Le cuivre est essentiel à la vie et le carbonate de cuivre a des effets anti-inflammatoires. Le cuivre est un des plus anciens métaux utilisés par l'homme, mais pas à l'époque de Tautavel. Dans les grès et schistes, il est probablement d'origine hydrothermale, on en trouve aussi dans les météorites. Le carbonate se trouve également dans l'azurite bleue et la malachite verte. Une petite page d'histoire et de géologie devient nécessaire : le site d'Alet-les-Bains a été habité depuis la « nuit des temps ». On y retrouve les traces d'un oppidum gallo-celtique dont un monument mégalithique formé d'un seul bloc de pierre dressé. *Peulvan* signifie littéralement « pieux de pierre » ou « pierre fitte ». Il y a aussi une galerie souterraine : peut-être une caverne artificielle de protection pour une tribu ou un clan. Les Gaulois fondèrent le bourg d'Alekhta connu pour ses eaux curatives. Les Romains s'installèrent, créèrent dans cette localité un poste militaire et un établissement balnéaire sous les auspices de la déesse Hygie et de la nymphe Thermona, qui présidait aux eaux minérales. Le bourg prit le nom d'Aletha. À l'avènement du christianisme, une première église fut construite sur l'emplacement du temple païen, puis une communauté monacale installa

il en a déjà vu, le cuivre forme des perles d'un rouge particulier et semble perforer un calcaire presque sableux. Ce sont ces perles qui verdissent les pierres, lorsqu'il a beaucoup plu... Ékorss a mordu dedans, depuis il sait que ce n'est pas une pierre mais une pierre supérieure qu'il appelle *« métahül »*. C'est une pierre-métal. Il y a sans doute de l'eau cuivrée qui protège, ou doit-on se protéger tout seul, et tout cela n'est-il que le rêve d'un vieux Graül qui a peur de disparaître ?...

Le clan protège tout le clan et c'est la seule chose qui rassure Ékorss. Ce qui se passe dans sa tête ne peut être expliqué, tracé, hululé, mais il a le métal en tête. Il sort de sa peau de bête la pierre qui a roulé de la main de Dikt, là où le cuivre verdit à l'eau de pluie, la pierre minuscule que Dikt vient de lui donner avant de tousser. Il imagine d'autres couleurs : blanc, sable, cuivré, rouge, vert – c'est le soleil qui joue dans ses yeux. Il se sent mal, lui aussi voudrait boire l'eau qui avale les pierres !

---

le premier monastère dédié à Notre-Dame à l'intérieur de la forteresse wisigothe. L'abbaye comporte une étoile de David qui intrigue les visiteurs... Les hommes changent, le mystère des lieux demeure. Il y a peut-être une grotte à découvrir ? En tout cas, on trouve dans les eaux d'Alet-les-Bains une minéralisation qui comporte : des bicarbonates, du sulfate de cuivre, du potassium, du sodium, des chlorures, du calcium et du fer. Aujourd'hui, l'eau des curistes est conseillée pour lutter contre les maladies digestives : gastrites, colites, colopathie, troubles fonctionnels, troubles du transit intestinal, traitement de l'obésité, du diabète sucré et de l'hypercholestérolémie. Rappelons que la chalcantite qu'on retrouve dans l'Aude est une espèce minérale composée de sulfate de cuivre hydraté pouvant contenir des traces de fer, de magnésium et de cobalt ; cette pierre extraordinaire est de couleur bleu intense parfois nuancé de vert, c'est un minéral secondaire d'altération des sulfures de cuivre. La chalcanthite très soluble dans l'eau était bien connue des anciens chimistes ou alchimistes sous le nom de « vitriol de Chypre » ou de « vitriol de Hongrie ». La chalcanthite est un terme issu du latin *Chalcanthum* : fleur de cuivre et du grec χαλκόσ (chalkos) : cuivre et νθος (anthos) : fleur. On trouve la chalcanthite dans des zones oxydées. Elle s'accumule en plus grande quantité dans les régions arides où elle cristallise facilement après évaporation de l'eau, tandis que l'exposition à la vapeur d'eau favorise sa dissolution et ensuite sa lixiviation (autrement dit un lessivage filtrant qui dissout) dans les eaux de percolation. La grande solubilité de la chalcanthite dans l'eau signifie qu'elle a tendance à se dissoudre et à se recristalliser comme croûte à la surface de toute mine de sulfure de cuivre en région humide. Les prénéandertaliens, qui buvaient de l'eau, ont peut-être reconnu les effets de l'eau d'Alekhta !

Tahül ignore tout des impressions de son ami et lui adresse un immense sourire. Les Graüls savent faire la différence entre la terreur et le sourire, les lèvres remontent et les dents apparaissent, quand les animaux font cela, c'est qu'ils vont attaquer. Chez les Graüls, on sait que la peur s'est transformée en union dans le groupe et de l'union est né le sourire. Tahül ajoute un geste de la main, au cas où Ékorss aurait mal compris. Ékorss sourit à son tour. Il pense à la pierre dressée vers le ciel, sans doute une vieille question de Dikt, peut-être une mince réponse. Dikt est devenu frêle en vieillissant. Pour sa santé, il se soignait à la poudre des pierres molles et vertes… Il n'en a plus. Ékorss voudrait voir les lieux que le vieux Dikt a décrits, et lui rapporter la poudre qui l'empêche de souffrir. Il devra y aller avec Tahül. Ne sont-ils pas index et pouce réunis ?

Bancs de schistes, torrents, métaux : la nature garde ses secrets – le secret le plus grand est qu'il faut donner un son aux choses. Le son est un être fragile. Ékorss décide de partager les sons nouveaux avec Tahül. Il espère ne pas avoir à le regretter.

— Alekhta, Alekhta soigne par le métal qui verdit ! Alekhta !

— Alekhtaaaa, répète Ékorss.

Gohr serre les mâchoires, il entend Ékorss dire :

— Répète bien, Tahül : Alekhta…

— Alekhtahül, Alekhta, tatata !

— Rigole, c'est ça le secret.

Gohr serre les mâchoires, il ne veut pas que son fils connaisse ce lieu et sa puissance ! Jamais ! Alekhta n'appartient à aucun animal, à aucun troupeau, à aucun clan… À lui seul. L'eau a coulé dans sa gorge. Si Tahül voit le lieu, il demandera pourquoi l'eau sort tiède ou chaude de la source. Gohr ne sait pas. Même le pauvre Ékorss ne saurait expliquer ce que Dikt ne sait pas… Gohr veut garder le secret du non su pour lui seul. Il émane d'Alekhta un parfum de futur. Le futur se boit dans la chaleur du secret… Le futur ne peut concilier le haut et le bas, la force et la faiblesse, pense Gohr. La force ne se disperse pas comme un vulgaire os à ronger… Il a vu des lichens bleus ou verts sur des roches qui étaient de la pierre ! Il a vu des images dessinées sur les pierres et les formes étaient parfaites, il a eu peur. Aucun Graül ne saurait tracer des ronds de toutes les tailles et aussi magnifiques, aucun Graül ne peut tailler des cubes si beaux. Le Graül doit juste survivre.

Seul Ékorss devine qu'il s'agit de l'œuvre du « *métahül* » sans jamais avoir pris le chemin vers ces fleurs de pierre et d'eau ! Ékorss sait la nature et il ne sait pas de qui il est vraiment le fils. Il sait que dans des montagnes qu'il ne connaît pas, il y a des trous, des surplombs rocheux, des fossés, des falaises, des masses d'éboulis où attendent des trésors minéraux.

Gohr voudrait y retourner seul. Les couleurs sont fabuleuses… Il prend le bras de Dikt, mais le vieux Graül refuse de lui dire comment on retrouve les eaux qui soignent.

— Les loutres ont des mains et ne s'en servent pas pour tailler des outils ! Je retrouverai la mémoire pour ton fils, uniquement…

— Dikt, tu viens de me traiter de loutre ?

— Il y en a qui aiment l'eau chaude !

— Tu dis n'importe quoi.

Ékorss observe les deux anciens, Tahül ne se doute de rien. Le secret, sans l'endroit où il existe, c'est comme vouloir boire du vent, vouloir faire couler du feu, changer un cristal en poussière…

6
La grande décision

C'est la théorie qui décide de ce que nous pouvons observer.
Albert Einstein

À l'instant où l'esclave décide qu'il ne sera plus esclave,
ses chaînes tombent.
Gandhi

Tahül commence à être intrigué par l'histoire d'Alekhta. Ékorss explique à son ami qu'il y a l'eau qui vient du ciel et ressort par la terre, et qu'il existe aussi des eaux qui viennent de la terre sans passer par le ciel. Tahül découvre qu'Ékorss n'est pas un Graül comme les autres, il comprend des choses sans les voir ! Ékorss n'a pas le temps de chasser car il marche dans le futur ! Il peut le changer s'il comprend le passé !

Tahül prend une grande décision, il veut être Ékorss à l'intérieur, et Gohr à l'extérieur. Personne n'en saura rien. Il ne veut pas opposer les questions d'un paresseux qui veut expliquer le pourquoi des choses aux réponses des chasseurs. Il ne faut rien opposer, mais joindre. D'ailleurs, qui a conçu la première pierre à chasser, le premier épieu ? Quelqu'un comme son ami, c'est clair, qui avait aussi des mains, une bouche, des yeux, des pieds, mais surtout envie de faire mieux qu'avant. Il y eut sûrement, dans la nuit du temps, un fou qui tapa des galets les uns contre les autres, pour voir comment ils explosaient ! Il cassa deux galets. Dedans la pierre était dure, parfaite pour faire quelque chose. Il fit une pointe taillée. Était-ce un Troms ? un Ogrr ? un Snèks ? un Graül ? un bipède venu d'ailleurs, d'encore plus loin ?...

Chacun copie le plus ancien, mais quel est le plus ancien ? Pourtant Ékorss ne copie personne ! En tout cas, il faut être malin, et être malin ce n'est pas au bout des bras que cela se passe. Tahül se demande si un arbre sait qu'il est un arbre. Lui est un Graül, car il a des yeux pour voir ! Il a tout d'un coup très mal sous son crâne. Pour se calmer, il va à la recherche de Loul. Il sait qu'elle se cache dans un tronc creux, une sorte de caverne en bois. Elle au moins sait qui sont ses petits...

Tahül n'a pas prévenu le clan. Les fleurs palpitent au vent qui ne portera pas son odeur. Il veut se prouver qu'il décide tout seul de dessous son crâne, car c'est bien là qu'il sent sa volonté pousser comme une pierre taillée vivante. C'est là d'où viennent ses décisions à lui... Ses mains ne font qu'obéir. C'est encore Ékorss qui lui a donné l'idée de se poser la question de « quoi ou qui décide ». Qui décide, c'est son père.

Tahül avance. Il savoure sa décision de s'aventurer seul. C'est Tahül qui décide d'aller voir Loul.

Loul n'est pas là, mais deux petits lynx à la fourrure de jeunesse roulent ensemble au-dehors comme il le fait encore avec Ékorss. Loul revient furieuse de voir ses petits sortis du tronc. Elle leur apporte un très beau lapin. Tahül regarde comment les enfants du lynx s'y prennent. Ces goinfres, une fois repus, leur Kira les lèche avec application. Elle décide pour eux. Encore... Il ne veut parler de cela à personne, même pas à Ékorss. C'est un moment qu'il ne connaît pas, une émotion contraire à l'esprit des chasseurs. Et s'il devenait comme Ékorss ? Maintenant qu'il a grandi en taille, il veut grandir face aux énigmes. Tahül se lève pour se prouver qu'il peut aller plus loin encore : lutter contre une sensation interdite – l'émotion. Mais au moment de lancer une énorme pierre sur Loul, il voit ses yeux, des yeux qui soudain le voient et le transpercent plus vite que son arme.

— Comment ça va, petite mère lynx ? dit Tahül.

Le mensonge, c'est faire semblant. Tahül oublie qu'il a voulu tuer cette mère lynx. En la regardant de trop près, il se dit qu'il ne faut plus... enlever un tel regard.

Loul et ses petits rentrent précipitamment dans l'arbre creux et attendent. Tahül s'accroupit, mais ne voit rien. Il entend des crachements. « *On ne peut pas parler avec des animaux* », se dit-il, et s'en retourne.

Il entend un grognement facile à reconnaître, celui de Gohr. Tahül est parti sans dire où, et tout seul!... Il ne doit jamais recommencer! Il reçoit un coup qui efface les instants passés à observer les lynx, un coup des poings de son père pour terminer ce bref dialogue.

Le ventre de Tahül lui fait mal et il se sauve pour se libérer de morceaux mous et puants. D'autres excréments entourent le lieu des Graüls. Le sien sent le plus mauvais... Kira expulse un petit ricanement, elle sait que les colères de Gohr peuvent donner de terribles maux de ventre, elle a déjà avalé bien des réprimandes et les colères de Gohr sont terribles comme le galop du tonnerre!

La journée sera une chasse aux galets à casser et à tailler.

Ékorss refuse d'entendre les cris de ceux qui ont une famille et s'étripent par gestes, sons et grondements. Il décide de suivre Prok, le vieux marcheur. Bien que partis premiers, ils se retrouvent à l'arrière. Il sent que Tahül est contrarié, qu'il ne faut pas l'approcher. Prok est autoritaire mais gentil. Il montre l'eau furieuse comme Gohr, la seule barrière que les Graüls ne peuvent jamais franchir. Prok lui demande de faire un tas de beaux galets, ce qu'Ékorss fait avec joie. Il les empile au fur et à mesure qu'il en sort de l'eau ou des rives pierreuses et mouillées.

— Toi vieux jeune, moi jeune vieux! On s'entend bien. Continue.

Ékorss et Prok s'aventurent loin de la fin des falaises et Tahül les rejoint. Ce déplacement se révèle agréable pour Ékorss parce qu'il se sent protégé...

Mais quand vient la saison qui engourdit les doigts et endort le sol, marcher devient une difficulté énorme que tous appréhendent.

À la période de glace, Gohr décide d'organiser une chasse aux rennes :

— On est tous encore vaillants! Il faut tout le troupeau. Aujourd'hui et demain, finir le troupeau!

Gohr songe soudain à faire provision d'eau qui rend invincible. Quand elle devient glace, on peut la transporter, mais pour la mettre où ? Et que faire quand elle fond ?... Cette idée le rend fou. Cette idée ne sert à rien car Dikt a oublié la direction pour retrouver l'endroit. Gohr va devoir vivre sans la force qui le protège des douleurs et des fièvres, l'eau qui permet de digérer même la viande attendrie par les mouches... Il ne fallait pas reparler d'Alekhta, il ne faut pas en reparler. Il doit s'occuper de la chasse.

Tout le clan se dirige sans se tromper où les rennes reviennent toujours, quand ils grignotent sous la neige les herbes qui résistent. Dans l'immensité, il y a cette tentation de végétation cachée pour les broutants de tout poil. Or, on ne peut plus entrer dans la caverne proche du troupeau pour les espionner ; tout s'est éboulé, écroulé ! Il faut trouver un autre lieu de repli avant d'attaquer... Gohr donne ses armes à porter à son fils, et ils partent tous les deux en avant. Ils croisent un vieil ours amaigri, efflanqué :

— Il n'a pas assez de graisse pour survivre au froid... Il n'attaquera même pas.

— Pourquoi on fait comme eux, on change de grotte ?

— Idiot ! Même une souris-volante comprend ça ! Même un petit bison qui boite est plus futé que toi ! N'importe quelle loutre quitte un terrier pour un autre ! La raison en est la tranquillité. Au combat avec un ours plus vif que ce vieux-là, on risque sa vie et pendant qu'on dort, il faut être sûr qu'on ne sera pas dérangé par plus fort que soi. On change de grotte, pour une plus sûre.

Les gesticulations de Gohr miment les situations et le visage leur résultat. Tahül cesse alors ses propres pantomimes et ne fait que suivre son père. Ils marchent difficilement dans la toison blanche de la montagne. Soudain, son père pousse de toutes ses forces une paroi glacée, elle craque, il entre alors dans une belle grotte et vérifie qu'elle n'abrite aucun ours.

— Reste là, je vais chercher les autres. Garde les pierres attachées à ton poignet et le petit épieu dans ta main. Je reviens !

Tahül attend le retour de Gohr, il s'assied et ramasse un petit os par terre et le frotte sur un bras, et s'arrête quand ça lui fait mal.

Le vent est glacial dehors et les Graüls se précipitent soudain à l'intérieur de la grotte. De la buée sort des bouches et des nez. Ékorss grelotte.

— Ékorss, c'est chaud là-dedans ! T'expliques ça comment ? demande Tahül.

— Les ventres de la terre n'ont pas de vents froids qui dérangent… Il ne fait pas chaud, c'est dehors qu'il fait très très froid, répond Ékorss en se frottant les bras vigoureusement.

— C'est tout ce que tu trouves ? demande Prok.

— Non.

— Dis, alors !

— Vous ne remarquez pas qu'on se sent toujours pareils dans une grotte ?

— Et alors ?

— Alors, ça veut dire que dedans la terre, y a un peu de chaleur, la terre a sa chaleur, nous la nôtre. Le reste doit être trop compliqué à comprendre.

— Et t'es déjà entré dans un mammouth pour voir si tu te sens pareil dedans ? demande Rar, en haussant les épaules.

— Non. Je suis jamais entré dans un monstre. Tu sais que je fuis la chasse.

— Pas les bons morceaux qu'on te rapporte, réplique Rar. Tu te régales !

— Arrêt des pia-pia-pia pareils ! Sinon je me fâche ! clame Gohr en lançant une pierre contre la paroi.

Tahül saisit que son père arrête toujours le début d'un conflit avant qu'il ne devienne violent. Il sert à ça le chef, à décider au mieux et à éviter les affrontements qu'on doit de toutes les façons aplanir comme un cuir de bison. Rar contraint ses muscles et serre les dents. Il ne recommencera pas ses « piques » inutiles.

Les rennes broutent au loin et les estomacs pleurent.

Le soir, Tahül ronge un os de lapin et ne regarde plus personne. Il fixe le sol. Il se sent pourtant attaché à tous, mieux qu'avec un lien arraché à un animal ou issu d'une plante. Tahül n'est pas content et il ne sait pas pourquoi ! Il repousse Ékorss et sa mère qui porte Goum, son nouveau petit frère. Il sent tout et de loin, il voit tout et de très loin, il est fort et ne devrait pas s'en faire. Mais voilà, ce soir, une jeune Graüle affamée a trébuché et elle a été à demi dévorée. Son corps si rond et blessé fait écarquiller bien des yeux et des bouches.

Certains vont vouloir manger sa langue ou ses fesses. Son fondement rond est une gourmandise pour certains. Tahül voudrait mettre de vrais mots sur les choses, mais rien ne s'articule aussi bien qu'un os à un autre et les sons peuvent dire n'importe quoi ! Les genoux sont parfaits, ils s'articulent. Les mouvements du visage de Tahül indiquent sa peine, qu'il partage avec Ékorss…

Pov était la petite sœur de Prok, et c'est à Prok de la goûter en premier pour garder un peu d'elle en lui. Tahül ne regarde pas Goum. Les Graülots nés dans le froid meurent souvent jeunes… Il ne veut pas s'attacher, toute liaison invisible laisse des traces et ensuite le combat contre les féroces est amoindri…

Tahül est en colère. Il veut chasser et manger des langues de bison ! Il y a bien plus de chair dans une langue de bison que dans une petite fesse. Celle de Pov reste une partie de Pov, puis une fois avalée, Pov devient une proie pour les hyènes ou les cuons aventureux, elle n'est plus rien… Rar n'a aucun attachement, il se régale d'une fesse ronde et assez grasse à son goût de la pauvre Pov. On ne sait jamais si Rar reluque une paire de fesses pour leurs formes ou parce qu'il espère mordre dedans…

Les pierres sont moins douces que dans l'autre grotte, et la colère plus dure. Tahül serre les poings et grogne comme un lynx apeuré.

Gohr se plaint à Dikt :

— Tu ne te souviens pas si ta pierre levée est au-dessus de la rivière des Ogrrs ou en dessous, ou autre part ?

— Ah, cela te casse l'esprit ?

— Dikt, oui, cela fragmente ma volonté. Essaie de te rappeler…

— La pierre repère…

— La *repierre*, elle, tu l'as fichée où ?

— Très loin… On a marché jusqu'après la nuit. Je l'ai plantée à l'opposé des Ogrrs. J'ai plus la force d'y retourner, et je ne me rappelle même plus le son qu'on avait trouvé pour se rappeler de l'endroit…

— Sans l'eau d'Alekhta, Kira et moi on va décliner.

— Sans l'eau d'Alekhta, Tahül n'aura pas la force. Il faut que ça me revienne… Haut, bas, eau… Je ne sais plus où est l'endroit qui surplombe Alekhta.

Dikt fait semblant de ne se souvenir de rien, mais il se souvient de tout. Il veut que Tahül connaisse le lieu, car il vivra plus longtemps que son père. Le secret le poussera à faire des exploits et les exploits seront sa première force, ensuite viendront les fleurs vertes de la pierre pour l'épauler… Un seul Graül doit connaître le lieu où les animaux sont les plus beaux et les plus forts. Aucun animal ne reste. Le lieu est trop dangereux… Le secret d'Alekhta c'est que le secret protège ou tue. L'eau peut être méchante comme le feu ou douce comme le lait.

Dikt ferme les yeux, pris par un faux sommeil.

Gohr grogne :

— Je sais à tes paupières que tu ne dors pas, Dikt !

— Gohr ?

— Tu es sûr de ne pas savoir ?

— Peut-être que ça va me revenir…

7
Dessine-moi un mammouth

Le langage est source de malentendus.
Antoine de Saint-Exupéry

Voir clair dans les événements passés et dans ceux qui, à l'avenir, du fait qu'ils mettront en jeu eux aussi des hommes, présenteront des similitudes ou des analogies.
Thucydide

Ékorss sait maintenant par Dikt que si l'on se baigne dans l'eau qui soigne, tout là-haut où aucun Graül ne va, car tout le clan s'y perdrait, cela ne suffit pas, il faut la boire. Tahül se détache de ce qu'il prend pour une légende car il veut devenir un vrai Graül et presse Gohr de l'initier à la chasse. Son père ne supporte pas son impatience – il a connu la même, alors il brûle de donner une bonne leçon à son fils. Tahül doit pouvoir surprendre n'importe quel animal et ses réactions, sinon, il mourra. Gohr invite donc le clan à se réunir avec armes et pieux au milieu d'une étendue de boue. Il prend par une main son fils et de l'autre Ékorss!

Enfoncé dans la tourbe, chacun peut voir qu'il n'y a aucun monstre à l'horizon. Gohr éructe et grogne, mouline des bras. En clair, il demande au paresseux Ékorss de se bouger et de faire le mammouth devant tout le monde.

Les Graüls ricanent comme des hyènes. Ékorss imagine le mastodonte et piétine le sol en chargeant chacun. À force, ses pas gravent dans la terre molle la forme d'un colosse musculeux que personne n'a jamais vu. Il prend le bâton de Rof, le chasseur qui se moque de lui en permanence, puis il accapare quelques pointes de silex aux autres chasseurs. Il se gratte la tête, écrase quelques poux, ferme les yeux… Il a peur que la forme se réveille et ne le piétine. Il se met à hurler.

— Sers à quelque chose, nom d'un cuon ! lui lance le chef des Graüls. Montre-nous au moins comment c'est fait un mammouth !

Ékorss se calme, puis répond par un très large sourire et s'exécute. Quelque chose de mystérieux émerge de son visage. Tahül regarde, émerveillé, une forme de tête, sortie de terre. Ékorss, tourne autour et ses pas créent le bruit effrayant des pattes d'un mammouth dans la glaise. Il possède quelque chose que les autres n'ont pas : il fuit sans bouger, alors qu'eux tous, figés, ne sont que dans le moment présent. C'est alors qu'Ékorss bondit dans la boue, une branche dans chaque main et les porte aux deux coins de sa bouche…

Gohr hurle, jaloux d'Ékorss. Frustré, il lui lance :

— C'est pas des vraies défenses ! Je veux la vraie taille du mammouth, nom d'un cuon !

Ékorss, fâché, lance les branches en l'air et piétine son mammouth, comme s'il écrasait la coquille d'un escargot. Le chef du clan ne dit rien. La forme piétinée s'agrandit.

— Arrête de courir pour rien ! éructe Gohr.

Tous frappent dans leurs mains. Ékorss épuisé s'effondre dans la boue et voit que son mammouth ne ressemble à rien. Les fesses en terre, il ironise :

— Il manquait la hauteur !

— La quoi ? demande Gohr.

— Je suis trop petit pour faire le mammouth.

— Et trop paresseux pour racler sa graisse !

Gohr aussitôt demande à Desk de prendre la place d'Ékorss :

— Desk, fais-nous vraiment peur, comme si tu étais le plus gros des mammouths ! Desk ! Sois méchant !

Desk ronchonne et extirpe de ses poumons un souffle pas effrayant du tout, car tout le monde sait que le cri du mammouth est effrayant – un barrissement insoutenable –, et la voix suraiguë d'un Graül n'effraie personne. Desk tente à nouveau de sortir un son : « Ouaouiiiih… » Tout le clan fait semblant de s'attaquer aux yeux, au ventre, à la gorge du monstre invisible, pour blesser ses fortes pattes. Gohr attrape son fils comme un mouflon et le place sur son dos en grondant. Juste après, il le jette dans la glaise, comme pour lui faire comprendre une bonne fois pour toutes, la différence entre la taille d'un petit de Graül et le père d'un « mammouthon » : un Graül sans défense est perdu face à lui.

La démonstration est terminée. Rof ricane de ce qui reste du mammouth de glaise et fait une grimace à Ékorss qui ne réplique pas. Le rêveur de jour passe juste ses mains devant ses yeux, puis se gratte les jambes. Aucun Graül n'a vu comme il rendait beau le monstre dans la glaise. Rof est ravi de voir la copie piétinée. Rof est le seul Graül qui ne s'occupe pas de la taille de sa barbe. Ékorss le regarde bien en face et son visage exprime qu'il y a quelque chose qui « ne va pas du tout » dans celui de Rof. Il lui propose avec un grand sourire de diminuer la longueur de sa barbe embroussaillée, à l'aide d'une pierre à poil. C'est alors qu'un vieux rhinocéros pénètre l'enclos de terre molle pour se plonger dedans avec délectation. Rof prévient Gohr d'un geste. La nouvelle circule immédiatement, sans un son émis, juste avec le haussement des sourcils, et quelques mouvements de doigts. Gohr regrette d'avoir entraîné son groupe dans ce lieu qu'il croyait sûr. Le danger soudain s'installe. Les Graüls ne peuvent faire marche arrière et il faut inventer immédiatement une ruse. De bonnes cuisses de rhinocéros seraient appréciées par tous, sauf par Kira qui a perdu deux dents récemment. Mordre dans une viande trop dure quand on est vieux, il fallait s'y attendre, devient pénible. Les vieux finissent toujours en dernier leur manger. Le rhinocéros imprévu s'avance lentement. C'est peut-être ça le futur dont parle Ékorss ; le présent c'est ce monstre des marécages ! Gohr saute vers un piton de terre sèche et dirige le combat : il faut surprendre l'animal qui se défait de ses parasites. La bête à peau épaisse se roulera dans la terre molle, disparaîtra dedans, et il se régalera d'être embourbé. C'est à ce moment qu'il faudra l'attaquer avec les bonnes armes et aux bons endroits. Tous ensemble, montre-t-il de ses mains. Paniqué, Ékorss monte dans un arbre et se met à trembler. Gohr oblige son fils à serrer les cuisses autour de son cou.

L'ami peureux à califourchon sur une branche craint de perdre son compagnon et aussi Gohr l'intrépide. Le clan en serait retourné et meurtri ; ce genre de blessures laisse des traces qu'on ne voit pas. On connaît des clans qui ont perdu la tête en perdant un bon chef…

— Pourquoi je passe mon temps à réfléchir, alors que les autres agissent ? se lamente Ékorss. Des idées s'entrechoquent sans arrêt. À quoi bon ? Qu'est-ce quoi ? Et comment savoir si quoi est mauvais ou pas.

L'observateur masqué par des bras d'arbre rugueux n'a pas de termes parfaits, ni des sonorités pour les remplacer, mais il a l'idée effrayante qu'il peut perdre son ami Tahül et que ce serait terrifiant pour lui. Il serait alors seul, tout seul, sans personne pour le comprendre à part le vieux Dikt qui ne pense qu'à gagner un peu de vie… Et il n'y aurait pas de remplaçant intrépide et calme comme Gohr. Ékorss ferme les yeux.

Tahül est ravi. Il assiste au combat comme s'il était la tête d'une bête féroce, son propre père Gohr. Les Graüls sont aussi des bêtes féroces ! Sauf qu'ils marchent lourdement et ne peuvent courir comme des chevaux ou des lynx ! Il entrevoit Ékorss qui rouvre les paupières et suit des yeux la marche de Gohr tremblotant, coincé entre deux branches d'un arbre à résine avec lui sur son dos.

La terre gluante ralentit leur marche en avant. Tahül s'agrippe à son père et serre les cuisses.

Le rhinocéros s'est longuement trempé dans la boue et il en ressort vert. Il doit aimer la glaise car il se trémousse et s'y replonge. Tout à son affaire, il ne sent pas la présence de ses attaquants. Rof ralentit la bête en lui bloquant une patte arrière à l'aide d'une branche épaisse qu'il maintient difficilement à bout de bras. Rar fiche un pieu dans l'autre patte et s'enfonce dans la boue. Desk se risque à enfoncer une pointe sous le ventre, les autres enchaînent en même temps. Preu, le plus jeune, jette des pierres pour percuter la tête de l'animal. La pirouette de la pierre est habile : le bloc frappe au bon endroit, au bon moment. Le rhinocéros ne comprend pas ce qui lui arrive et exprime une colère terrible. Du sang rouge marbre la vase glauque. Les cris de la bête emplissent les oreilles de Gohr qui se rapproche d'elle, Tahül toujours sur son dos. Tahül sait que si son père loupe son coup, tous deux seront les proies désignées pour être écrabouillées ! Cela va très vite, l'animal blessé charge de toutes ses forces. Gohr ne bouge pas, ajuste son geste et enfonce une pointe qui se loge au milieu du crâne. L'immense rhinocéros gémit, s'écroule, mais se relève et charge à nouveau. Gohr s'écarte et Tahül reçoit une giclée de boue en plein visage. Il ignore ce qui va se passer, quand il entend le cri strident de son ami Ékorss qui assiste à tout.

Il ne se passe plus rien d'autre que la peur d'Ékorss.

Desk et Rof achèvent l'animal agenouillé. Ékorss reste dans son arbre et grelotte. La découpe du bouseux est longue et fatigante. Les moins vifs dans l'attaque devront traîner les cuisses, les autres sont trop épuisés et visqueux pour faire quoi que ce soit. Une odeur particulière s'échappe du lieu. Le sang et la boue remués composent une sorte d'émanation qui ressemble à l'expression même de la peur et de la brutalité. C'est une odeur qu'Ékorss déteste : en lui circule l'idée que le sang attire le sang, les combats un autre combat, qu'il est arrivé ici avec cette odeur dans les narines. Il a peur de tout ce qui dérange son calme. Il admire les Graüls : lui serait déjà mort en tentant d'attraper le moindre chamois ou en affrontant un seul vieux loup aux poils blanchis ! Un bon chef est tout simplement le plus courageux et le plus malin. Les Graüls sont fiers de Gohr, à part peut-être Dikt qui aurait voulu sa place.

Gohr tire le reste de la tête massacrée et garde en trophée sa plus belle corne. Les Graüls n'emportent que les cuisses et laissent aux charognards ailés de quoi se rassasier. Leurs voilà d'ailleurs qui tournoient avec des cris de satisfaction. Les ailes font des ombres affreuses, mais qui n'effraient personne. Leurs becs courbes sont parfaits, tranchants et profonds, ils permettent d'attaquer la chair en travers des os. Les oiseaux sont bientôt rouges du sang de la bête et leurs pattes vertes de la vase. Ils restent indifférents à la présence des Graüls et ne pensent qu'à s'empiffrer.

— Ils pourraient au moins dire merci, se risque à commenter Prok par quelques gestes et sons qui amusent le groupe.

— Ventres affamés paresseux ! répond mollement Gohr.

— Ventre affamé n'a plus de tête, rétorque Ékorss.

— Tu t'es planqué comme un lézard qui a vu un gros hérisson, dit Tahül. Tu as toujours peur comme ça ?

— Toujours. Je tremble à l'odeur du sang… J'ai peur…

— Allez, on rentre, lance Gohr qui déteste qu'on fasse autre chose que de se congratuler après une chasse. Et toi, descends, le « chef de branches » !

Tahül saute à terre, se saisit d'une pierre à bord tranchant et fonce au milieu des oiseaux. Les oiseaux prennent peur et quittent un instant la dépouille du rhinocéros. Tahül sait qu'il pourra affronter une telle bête avec l'appui des autres. Il découpe une forme très belle dans le cuir de la bête capturée par la mort. L'épiderme du rhinocéros est épais comme un doigt ! La peau découpée sera pour Ékorss une façon de le faire participer à ce combat...

Bloqué entre deux branches, le trouillard descend comme il peut et observe les pustules, poils et plis de la bête que lui offre Tahül. La panse éventrée commence déjà à puer.

— Tu as dû avoir du mal pour découper sa peau. C'est épais comme la main ! Tu devrais garder la queue pour chasser les mouches.

— Pas idiot. T'as toujours une idée.

— Pour une fois, une bonne idée. Tu nous fatigues avec ton futur ! ronchonne Gohr.

Entre les deux cuisses disparues, reste le chasse-mouches parfait de l'animal. Tahül le découpe et le tend à Ékorss qui tremble encore. Un petit rhinocéros appelle : *Hii, hi aon. Hi aahon...*

Personne ne se soucie de lui, il y a assez à manger avec la mère. Le petit erre et pleurniche. L'animal a une minuscule corne sur le front, et il ne pourra plus lécher le museau de sa mère. Ékorss le regarde, impuissant. Il devait être dans cet état quand Gohr l'a déposé au milieu du clan, enlevé à d'autres... *« Il faut bien manger, se battre contre tout quand on est un faible bipède et oublier cet animal particulièrement raté par ses formes trop épaisses »*, se dit soudain le rêveur du groupe.

La remontée est pénible, mais joyeuse.

Ékorss prend le chasse-mouches, c'est-à-dire la queue du rhinocéros, et sourit. Il n'est plus triste pour le petit rhinocéros, car il a un ami qui lui a offert un fragment de la prise du clan ! Ékorss a gagné un brin de fierté et se mêle aux Graüls. Il racle l'épiderme d'une cuisse du monstre avec les autres. Il en garde un grand morceau pour dormir dessus, comme s'il l'avait chassé lui-même et dépecé !... Ékorss aime se prendre pour Tahül quelquefois.

Les chevaux, même s'ils ont perdu un des leurs par la force des Graüls, reviennent toujours au même point d'eau.

« Qu'est-ce qu'on mange aujourd'hui ? » est souvent la première question des Graülots, les petits des Graüls. Sur le plateau touffu de graminées et d'arbres trapus, Ékorss guette en permanence et trouve une grande joie à annoncer le plat du jour :

— Bœuf musqué ! Beau bœuf musqué !

Comme il mastique moins que d'autres, ses muscles temporaux sont moins saillants, mais ses mandibules sont identiques aux autres Graüls. Son visage épanoui annonce un formidable repas à venir ! Dikt voit en lui une capacité à graver dans sa tête les différentes tailles de silex, Dikt voit en Ékorss un chef d'apprentissage, mais Gohr serait vexé qu'un incapable soit capable d'expliquer mieux que lui et que personne. Le vieux Graül blessé fait l'effort de s'approcher du « jeune chef en creux » et lui explique en grand secret où trouver exactement les meilleures fleurs de cuivre. Pour le faire rêver, il lui montre une pierre entièrement bleue faite d'aiguilles cristallines :

— Poison. Belle mais poison. Pose-moi la question.

— Elle existe vraiment ? La question ?

— Oui. Non. Il ne faut pas confondre le vert et le bleu. Dangereux…

— Elle existe cette pierre que personne ne connaît ou pas ?

— Cette pierre a des têtes vertes sur le dos. Elle est née dans l'eau qui brûle…

— Dans de l'eau chaude ? Je ne te crois plus. Tu radotes.

— Il y a une poudre[1] qui soigne et une qui tue. Tu retiens bien tout, et tu dis que tu ne sais rien. Tu verras, ces eaux

1. Cette substance est une poudre blanche qui, lorsqu'elle est en contact avec de l'eau, prend une coloration bleue. Le sulfate de cuivre anhydre s'hydrate. C'est une expérience bien connue des collégiens. Mais attention, le sulfate de cuivre anhydre est nocif, irritant et dangereux pour l'environnement. Il faut le manipuler avec précaution et porter des lunettes de protection ! Ce qu'on a appris depuis l'ère des prénéandertaliens : il y a sept systèmes cristallins basés sur la forme extérieure des cristaux et qui correspondent à la disposition interne des atomes. À l'âge du bronze ancien, les archéologues ont constaté que le bronze est souvent composé d'un alliage à base de cuivre et d'arsenic. L'arsenic est une impureté naturelle contaminant le minerai de cuivre. Il existe aussi du minerai d'arsenic légèrement bleuté, celui du cuivre est presque turquoise par endroits. Et, pour finir, le cuivre n'est présent dans l'écorce terrestre qu'à la concentration moyenne

permettent d'être nu à la saison des glaçons ! Ces cristaux bleus que je te montre et qui tuent, eux, naissent d'une poudre blanche qui tombe dans l'eau qui brûle. N'oublie pas : l'eau des fleurs à tête verte oui, les cristaux bleus, la poudre bleue, non. Il ne faut pas confondre un bleu avec un autre bleu, voilà pourquoi ton père et moi, nous refusons de partager avec tous le savoir de l'eau qui guérit et rend fort. Il faut être sûr que tous comprennent le danger de la bleue, elle fait mourir !

— Comment tu sais tout cela, Dikt ? Tu m'en donnes un bout de cette pierre ?...

— Si tu ne le mets jamais dans ta bouche. Petit, je regardais comme toi : tout, dedans, autour, partout. Gohr ne sait pas regarder. Il sait juste réclamer son eau qui rend fort. Sans mes yeux, il ne sait pas.

— Je dis que c'est du métal qui donne à l'eau son pouvoir, pas de la terre, pas de la pierre.

— Tu m'embrouilles... Tu es déjà trop loin.

— Dans le futur... Il y a le métal pour Tahül.

— Qu'est-ce que c'est encore ?

— Autre chose... Sur la roche friable, il y a du « *métahül* » pour Tahül.

— C'est pas le bon son pour que je saisisse ce que tu veux dire... Enseigne ce que tu sais vraiment à Tahül, il est né sous une pluie de pierres de foudre, il est jeune, il te posera des questions et il devra comprendre tes réponses.

— Quoi ? Il comprendra quoi ? Il ne pense qu'à chasser, comme Gohr.

— Chasse ta peur, toi ! Et ensuite fais-lui boire l'eau d'en haut. Alekhta ! Toi seul sauras lui apprendre le pouvoir du lieu où l'on ne fait que passer.

— On ne fait que passer, Dikt.

— À Alekhta, on ne reste pas !

— À la maman-grotte, on reste, parce que c'est utile à tous.

---

de 55 parties par million ! Il n'existe plus dans la nature à l'état natif, comme c'était encore le cas à l'Antiquité. Il se présente sous forme de sels contenant entre 30 et 90 % de cuivre, eux-mêmes mélangés quelquefois à d'autres métaux, dont certains peuvent être plus rares que le cuivre, comme l'or et l'argent.

Le bœuf musqué du jour ressemble sous la dent à un mélange de mammouth, de bison et de thar. Ékorss et Tahül adorent sa viande et se faire des faux cheveux avec sa laine sombre.

— Il a eu l'air *cuon* quand la moitié seulement du clan l'a attrapé ! Tu as bien bossé sur ce coup, dit Ékorss à son ami. Je t'ai vu suivre comme un futur chef.

— Au fond, cet animal est un peu bête, on l'attrape presque à tous les coups. C'est une barbe géante sur pattes, tu vois ! Tu devrais pas avoir peur de lui.

— Je n'ai pas peur de lui.

— De qui as-tu peur ?

— De moi. J'ai peur de ce que je fais mal, et de ce que je n'ai pas envie de faire. Je préfère comprendre pourquoi il y a des pierres d'un bleu incroyable et qui font crever les souris. J'ai trop de questions de ce genre…

— Tu ne risques rien à te faire des cheveux de notre repas !

Une partie de la toison du bœuf musqué sur la tête, les deux amis font les fous. Prok se rappelle son jeune temps, il faisait pareil avec Gaga, l'autre sœur de Kira. Il explique aux plus jeunes qu'à la saison des amours, le mâle émet un mugissement sourd, qu'il est incapable d'imiter. Que deux mâles se combattent et que celui qui se fatigue le premier trouvera une compagne en dernier ! Alors que chez les Graüls, pas trop la peine de s'affoler, c'est les femelles qui choisissent…

— Les musqués s'accouplent à la fin de la saison chaude, et le petit met presque le même temps qu'un petit de Graüls à venir. Il n'y en a qu'un.

— Parfois deux, tempère Gohr. La mère rhinocéros est lente à vouloir un nouveau petit.

— Surtout quand on l'a mangée ! souligne Tahül.

Pour avoir le dernier mot, Prok insiste sur le fait que le veau vient au monde couvert d'un épais « pardessus » très laineux et met peu de temps pour se tenir debout. Ses cornes poussent bien après, si on ne l'a pas mangé avant.

— Qui peut me dire pourquoi un bœuf musqué est fort ? Il ne mange que des herbes ! demande Prok.

Même Ékorss est dans l'incapacité de répondre. Le silence se rompt enfin. Ékorss répond que les brouteurs grattent la neige avec leurs sabots et leur museau pour pouvoir atteindre leurs plantes favorites et qu'ils bouffent tout le temps.

— Un gros mangeur est forcément gros, non ? Une bête à cornes qui mange sans arrêt fait du gras… J'ai vu un bœuf musqué avaler de la neige qui fondait sous sa grosse langue. Les thars ne sont pas faits pareils. Mais toutes les bêtes font de la viande autour de l'os ! Voilà ! C'est tout ce qu'on sait, dit Rar.

— C'est peut-être le contraire, rétorque Prok. C'est la viande qui fait l'os !

— Tu ne sais pas. Tu n'as pas la réponse à ta question. Personne ne sait comment grandit un os, ni un cheveu. J'en ai une bien bonne de question ! ajoute Tahül. Vous savez pourquoi quand il fait chaud à dormir dehors, la glace qui tombe du ciel est froide comme à la saison où tout meurt ?

Personne ne sait et aucun Graül ne veut savoir… Ékorss envie le thar qui n'a jamais froid. Au soleil, ses longues franges de laine se mêlent aux hautes herbes et quand le blanc étale sa neige, il n'a pas l'air de souffrir de rester debout sans bouger. Ékorss songe aux cristaux bleus que les souris viennent croquer par curiosité. Mais elles meurent après par sa faute, et ce n'est pas beau à voir. Dikt sait des choses qu'il ne faut pas savoir…

Ékorss et Tahül savent maintenant que les mouvements des troupeaux préviennent des changements, ceux du ciel, de la terre, de l'eau et parfois du feu qui dévaste. Le dominant se fait entourer de femelles adultes. Les conflits entre les plus forts sont faits d'assauts, de coups de force et de feintes. Les beuglements sourds et menaçants effraient toujours Ékorss, et il est triste quand les petits thars appellent leur mère pour ne pas se perdre et se situer entre eux. Ce son lui rappelle le déchirement qu'il a connu en perdant sa mère.

Des rennes passent leur chemin car les hommes ne courent pas après eux, mais après un renard pour sa fourrure ! Le renard saute sur un oiseau qu'il a guetté. *« Tout n'est que "boufferie" »*, songe Ékorss, le seul à ne pas aimer chasser, à part les pierres…

Tout se brouille aussi dans la tête de Tahül : des images escaladent ses questions et deviennent des interprétations des mondes vivants. Il commence à envier Dikt, Ékorss et son père. Ils ont un pouvoir sur l'extérieur, l'intérieur étant la grotte où tous se calfeutrent, lorsqu'ils n'ont pas à se battre contre un gros ours qui la veut également.

Au retour à la grotte, Tahül s'isole et aiguise un épieu. Il veut avoir sa propre défense à portée de main. Il n'y a pas de violence entre Graüls, et pour préserver son corps en entier, il faut des aides pointues, des prolongements aux bras. Les ruses de Tahül naissent de l'accumulation de ses observations, les ruses du groupe permettent de s'attaquer à un mammouth par des astuces collectives ! Les constats de tous les autres le font grandir du dedans. Les Graüls courent mieux qu'ils ne marchent, et c'est tant mieux ! Leur défense face aux défenses de monstres repose sur la tactique. Leurs exploits peuvent pourtant tourner au chamboulement. Tahül craint de voir son père disparaître, le ventre défoncé par une corne méchante. Il a peur d'avoir le visage mordu par un ours. « Crrr, Crrr, Crr », fait-il pour chasser cette sale idée. Au même moment, en contrebas, à quelques pas de la grotte, il entend des hurlements féroces, affreux et nouveaux. Quel est cet animal qui pousse des *criiii*, et des *crooo* ?

C'est Rof qui refuse de se faire tailler la barbe par Ékorss et qui trépigne et crie comme une hyène affamée. Kira fait alors le signe qui dit l'entraide. Les hurlements s'arrêtent. Chaque conflit est toujours tué dans l'œuf, comme le petit d'un lézard ! La coquille fine est fragile, et le petit monstre qui en sort n'a pas le temps de grandir. Mais on n'écrase pas un conflit sous la pierre. Les Graüls ont l'habitude de s'amuser des conflits en les faisant mourir sur place. Ils bougent, ils sautent, ils grimacent, ils bondissent. Kira veut donner raison à Ékorss et à Rof. Les Graüls sont minoritaires au milieu des troupeaux, ils sont obligés de s'accorder. Cela prend du temps, mais pour éviter les tensions, il faut se concerter par l'union des rires. Kira reste les mains sur les hanches et surveille que tout se passe bien.

Rof aux longs cheveux gris comme la pierre qui s'effrite n'a plus vraiment de tête, sa barbe et sa chevelure sont unies dans un seul nid à poux. Tout le monde craint de l'approcher de trop près à cause de cette prolifération inhabituelle : ils grouillent, bien noirs, bien gras entre les herbes claires de son crâne, jusqu'à venir s'installer au contour de ses yeux… Finalement, Rof accepte de se faire détacher des poignées de cheveux et de se faire enlever une bonne partie de sa barbe. Ékorss montre sa satisfaction : il est utile au clan. Rof consent d'un signe de tête qui imite le petit qui veut encore téter. Ékorss aiguise la pierre plate pour trancher dans les longues touffes de poils. Ékorss se gratte soudain la tête. On dirait qu'il a pris sur lui tous les parasites de Rof. Le clan ricane gentiment !

— Il les a bien cherchés, les poux, insiste Kira, en se moquant d'Ékorss.

Rof secoue sa tête allégée, alors qu'Ékorss plonge la sienne dans une flaque ! Les cheveux du vieux Rof s'envolent avec des feuilles sèches, de celles que le feu aime dévaster quand l'air est lourd de chaleur.

Gohr montre sa satisfaction et donne le départ d'une sorte de fête improvisée. Un conflit qui se termine chez les Graüls doit se finir par les trépignements du lien. S'il fait beau, on trépigne en tournant sous le soleil, avant de manger une bonne viande sur le plateau au milieu des insectes qui font *cri-cri, cri-cri*. S'il pleut, on mange une bonne viande à l'abri.

Gohr est fier de son clan. Ce qui l'inquiète, c'est que Desk tousse d'une façon caverneuse. Le froid agit parfois comme une bestiole, il pénètre le corps, et le soleil a beau chauffer, le corps garde le froid d'avant et se met ensuite à brûler de l'intérieur. Quand un Graül tousse, souvent il maigrit, puis s'éteint dans sa toux. Gohr maudit le froid qui entre dans le souffle de Desk. Il n'y a rien pour lutter contre ce mal.

Ékorss suit le regard du chef de clan. Il lui est reconnaissant et craint seulement qu'un jour le jeune Tahül, devenu chef, ne s'écarte de lui. Il se dirige vers Dikt, les sourcils interrogatifs. Non, Dikt n'a plus la poudre bonne qui se dissout dans l'eau et dégage la force. Le vieux sage ajoute même :

— N'insiste pas. Gohr ne veut pas nous emmener face aux Ogrrs pour trouver la poudre des têtes vertes.

— Là où la lumière ronde et chaude se lève dans le grand froid ?

— Oui. Il ne veut pas. Et voilà qu'on perd nos fiers chasseurs pour un rien… Ils toussent, crachent et périssent. Il faudra que tu sois capable d'indiquer à Tahül la pierre debout, le ruisseau, le lac, les eaux qui ont le pouvoir de dissoudre. Sinon, sans passé des têtes vertes…

— Pas de futur.

— Garde bien le secret.

Ékorss n'a rien vu, mais comprend, Dikt a vu sans comprendre. Les eaux minéralisées peuvent d'un seul coup ne plus faire partie de l'histoire des Graüls, uniquement parce que Gohr ne veut pas partager avec le clan l'origine de sa force et de sa longévité…

Desk ne bouge plus, il quitte le monde après des crachements rouges, un monstre invisible l'a griffé de l'intérieur, a pris son sang qui dégouline de sa bouche. Par affection pour Desk, Gohr l'offre aux charognards. Il avait de si mauvaises dents, peut-être qu'il deviendra l'un d'eux avec un bec ? Desk devenu oiseau viendra le rejoindre après une chasse, avec un beau gros bec qui fouraille. Sans dents, enfin, il pourra être rassasié. Gohr trouve cette idée pour retenir en lui le trouble qui change l'expression de son visage. La perte de Desk annonce sûrement la sienne. Ils étaient amis comme Tahül et Ékorss.

Desk termine dans les airs, et ses lambeaux finissent dans le ventre d'oisillons fort laids.

Tahül grandit encore, et ses yeux se portent sur la montée des mouflons et la descente des eaux. Il cherche à imiter le rhinocéros qui n'a pas peur de tremper dans la boue dont on ne voit pas le fond.

Kira presse Tahül d'agrandir le cercle. La tribu a été décimée. La fille de Luah est comme sa sœur, mais c'est Bar, le frère de Kira, qui dans la nuit moite suit ses pulsions et la rend femme. Trop jeune, Bo va gonfler et sans doute disparaître avec son petit. Tahül observe les femmes. Ce sont des charogneuses, elles découvrent les animaux morts et aident au transport des moins lourds puis au dépeçage, et souvent à la confection de peaux odorantes. Sans elles, pas de petits Graüls. Ékorss a raison, personne n'est jamais inutile. Mais pourquoi les hommes ne donnent jamais un petit ou une petite ?

— Tu vois un Graül chasser avec un Graülot dans les bras ? lui répond Ékorss. Il tombe et se fait bouffer ! Les enfants ne sortent pas du ventre de Graüls chasseurs, c'est tout.

— Ce n'est pas une vraie réponse...
— Non. C'est une amorce.
— Une quoi ?
— Un début de réponse.
— Et toi, Ékorss, tu n'es pas trop triste de ne pas avoir une porteuse de petits à des côtés ?
— Non.
— Tu as pourtant dépassé l'âge ?
— Sans doute. Je ne veux pas chasser ni le bison ni la femelle. J'attends. Tout est affaire de troc. Tu donnes, tu reçois.
— Aucune ne t'envoie ses odeurs, ne te fait de l'œil, bouge sa tête dans ta direction en remuant des fesses ?
— Aucune. Je donne pas envie...
— Tu réfléchis trop. Elles n'aiment pas. Elles préfèrent...
— Elles préfèrent le Graül musclé qui attaque le mammouth, qui a des cicatrices sur les bras.
— Tu as raison. Kira apprécie la force de Gohr. Et toi, c'est quoi ton genre de femelle ?
— Une qui n'a pas honte de moi.
— Alors là ! Tu veux dire quoi par ton geste œil-cœur-tête et montagne-bouche.
— Pas honte de moi, pas de hauteur de ses yeux à mon cœur. Elle me voit pas tout en bas, ni de haut, juste à sa hauteur.
— Ah, je crois comprendre, tu veux une femelle qui préfère que tu ne meures pas bêtement...
— C'est ça, Tahül. Peut-être qu'un jour, elle sera là.
— Tu nous fatigues avec ton futur.
— Ne copie pas Gohr ton père, sinon, tu ne sauras pas où les fleurs des têtes vertes donnent la force à l'eau du haut.
— Je copie mon père, moi !
— « Tu nous fatigues avec ton futur », il dit ça pour se moquer de moi.
— C'est quoi le futur ?
— C'est... ne pas oublier un endroit, une pierre taillée, pour s'en servir un jour.
— Un jour. On vit un jour, pas tous en même temps !
— C'est pas faux et pas entièrement vrai.
— Tu compliques tout.
— Toi pas assez...

Ékorss va s'enduire d'ocre et trace des traits noirs sur ses bras peu poilus. Décidément, il n'est pas comme les autres. Il attend devant des joncs troués que le vent souffle dedans. Huuuuu... Tahül craint qu'il ne s'affale d'un coup ou ne soit mangé tout entier par un féroce. La glace revenue peut aussi en faire un arbre mort ; un ours avant de dormir le faire mourir pour s'en rassasier. Cela doit être ça le futur, la possibilité qu'une chose déjà arrivée se reproduise... Ékorss n'est ni gros ni fort, il n'a pas les dents usées comme ceux qui mastiquent de la viande épaisse ou qui attendrissent le cuir des bêtes en les mâchouillant sans cesse.

Ékorss est son frère-ami, et personne ne doit faire un rictus devant lui et ricaner à son sujet. Et quand Tahül se fâche, même les serpents s'enfuient ! Tahül n'envie pas Ékorss, pourtant personne ne doit le menacer devant lui : c'est ça le lien qui les relie... Il ne voudrait pas vivre comme lui et pourtant il l'estime. Ékorss taille des questions qui découpent à la façon des silex.

C'est dans le silence que Tahül fait siennes les belles questions de son ami-frère : pourquoi le froid empêche la viande de pourrir, par quoi l'oiseau plane, pour qui prend-on des risques, pour quoi prend-on des risques.

8

Genou blessé, prudence renforcée

Tu n'es pas bon à rien, tu es mauvais à tout.
Marcel Pagnol

La source de tout art réside dans le besoin pré-linguistique primordial de la psyché humaine de résoudre le stress et les dissensions, grâce à la beauté et à l'harmonie.
Robert McKee

Tahül s'enhardit. Sans s'en rendre compte, il reprend les mouvements et postures, là où il s'est fait avoir lors d'une attaque ou d'une course, pour améliorer ses trajectoires, ses façons de se déplacer. Quand il casse un beau galet, il tente de comprendre ce qui a fait dévier son geste. Quand il glisse en courant, il regarde si c'est une feuille, un caillou, la terre, ou tout ensemble qui l'a fait chuter… Il n'attend rien de la force magique que lui promet Ékorss, les fleurs vertes dont les têtes fondent dans l'eau, c'est juste pour le faire marcher très loin et se moquer ensuite de sa naïveté, pense-t-il. Il veut obtenir du ciel la force et l'agilité des pierres de foudre, sans qu'on le « fasse marcher » vers un ailleurs qui n'existe pas !

Le vent souffle contre sa propre odeur ; comme un loup, Tahül se risque à approcher un enfant de cheval femelle qui s'est égaré près de lui. Tahül est tenté de sauter dessus, maintenant qu'il se sent grand et fort, qu'il a évité toutes les morts… Les chevaux n'attaquent pas, ils se dressent parfois… S'il rate son saut, ce jeune coureur ne lui mordra que les fesses. Tahül enjambe facilement le poulain, mais l'animal se cabre et l'envoie buter contre un rocher. *Crac*, un os a fait *croc* et *crac*, comme lorsque son père casse un os de cheval. Desk le cheval au museau gris, au crin noir et au pelage roux, semble ricaner. Personne n'approche les galopeurs ! Tahül retient un cri, mais celui-ci sort tout seul. Il reste à genoux. Kira court vers lui et le traîne par les cheveux en direction d'une butte herbeuse. Tahül retient ses hurlements devant sa mère. À hauteur d'yeux, au sol, il voit défiler des insectes, des brindilles, des crottes d'animaux, des cailloux et enfin le sol meuble où Kira l'allonge. En cet endroit, aucun fauve affamé n'osera venir.

Ékorss voit son ami à terre, appelle le courage à lui et se faufile vers lui à quatre pattes, car il n'a jamais réellement acquis le sens de l'équilibre. Il constate que le plus audacieux est bien plus fou que lui. Il tourne autour de Tahül et passe sa main sur la jambe pleine de sang et de cailloux incrustés. Il sent une bosse et aplatit sa main d'un coup sec, ce qui fait hurler Tahül et sa mère.

— Tahül, c'est là que tu as mal ?

— … J'ai très mal au milieu de la jambe, oui, crie-t-il en montrant son genou droit.

— C'est ce que je pensais…

— Je peux plus bouger, plus me lever…

Tahül reste là, sans pouvoir plier cette jointure. Il va devoir renoncer à accompagner son père.

Un jour suit un autre, une saison suit l'autre. Tahül croit qu'il ne pourra plus jamais chasser et courir, qu'il deviendra un nouvel Ékorss, veule, indolent. Mais peu à peu, il met à profit ce temps mort pour être plus vivant qu'un torrent à l'intérieur de son corps ! Il contourne ce fameux futur dont parle Ékorss et en grignote un morceau : il échafaude son avenir, témoin de ses propres rêves.

Ékorss lui apporte des tendons d'un cheval et lui montre ce qu'on peut en faire. C'est Ékorss encore qui l'encourage à courir derrière lui. Tahül a l'impression de reprendre des forces, celles de l'animal, et il se met à courir jusqu'au lac. L'eau est gelée. Ékorss arrive essoufflé derrière lui :

— Tu cours, tu casses. Moi, je marche comme un oiseau d'eau, j'avance comme un caillou et je me casse rien. Tu as vu le fils de Kira?

— Déjà?

— Goum-Goum, il s'appelle comme celui qui vient de geler sur pied.

— On a de la veine tous les deux: on est toujours là.

Ils ont échappé à la mort, et ils savent que c'est rare. Les deux garçons rentrent se mettre à l'abri. Kira est belle comme une jeune lionne dans ses fourrures et elle donne le sein au petit Goum-Goum. Elle dépose le nouveau venu dans la peau d'un cheval: on dirait Desk le quadrupède, mais sans sa crinière drue. Gohr regarde son dernier fils vivant, un lambeau de chair fragile qui agite ses petites mains. Le clan va mal. Des hommes ont été terrassés, un autre rhinocéros plus lourd que le précédent les a férocement chargés.

Gohr part avec les plus vaillants des Graüls, non pour chasser le mammouth, mais pour demander au chef des Snèks quelques femelles en surnombre, en échange, ils apportent de bonnes côtes d'une bête qu'ils harponnent sur le chemin.

Des femmes snèks font maintenant partie du clan des Graüls. Gohr les a prises pour Grok le boiteux, Rof le bougon et ses frères bougons; capturées, elles refusaient de quitter le bord de l'eau qui respire et fonce sur le sable avant de reprendre son élan... Arrivées en hauteur comme une vague femelle, les Snèks femelles ont l'air de se plaire; ces bipèdes du plat qui ont l'habitude d'être face à l'immensité d'une eau qui ne coule pas ont juste peur des souris volantes qui s'accrochent par leurs petites mains au sommet de la Grotte-Mère et parfois dans leurs cheveux. Elles crient quand elles aperçoivent un vautour et se demandent pourquoi les gypaètes cassent des os à la façon des Graüls. Elles trouvent les mâles obsédés par les galets, obsédés par leur dedans et par leur dehors, leurs fesses et leurs formes, obsédés par les odeurs, par la chasse et les plus beaux silex. Mais elles préfèrent les Graüls aux Snèks qui ont peur de tout et qui disparaissent au cours de leur chasse en plus grand nombre.

Dans la nuit, Ékorss, à qui personne n'a proposé une Snèks et qu'aucune Snèks ne veut, s'approche de Gueul qui a repoussé

Grok de toutes ses forces. Gueul est farouche et peu démonstrative, et il apprécie ce genre d'attitude sans mimiques et gesticulations. Gueul l'introvertie ne baisse pas les yeux. Elle est espiègle et vive comme une souris. Ékorss souffle dans ses oreilles, il place une main douce sur sa bouche, et de l'autre, il la découvre des pieds à la tête. Elle ne court pas, mais le regarde au fond de ses yeux. Que voit-elle ? Elle voit qu'Ékorss a un pouvoir, un étrange pouvoir sur elle… Finalement, on ne chasse pas une femme, on la conquiert. Ékorss trouve qu'elle manque de poils mais qu'elle agit sur lui comme la grande étendue d'eau dont lui a parlé Tahül : il est grain de sable envahi, bousculé. Gueul n'a jamais senti une main aussi lisse sur elle. Elle a déjà perdu un petit que lui avait offert son frère. Avec ce Graül qu'elle ne voit pas, elle s'imagine que c'est un fils du chef pour être aussi parfait au toucher de son ventre et de ses pieds. Il l'attire et elle se sent à lui.

La nuit, Ékorss et Gueul se trouvent comme deux moitiés de silex et font les bruits des félins quand ils ne font plus qu'un, les jours de chaleur.

Lorsque le soleil paraît, Gueul est déçue : Ékorss a la force d'un roseau. Elle ne montre sa déconvenue que par des grognements particuliers. *Tsss, Tsss, Tsss… Ffffuuuu.*

La nuit suivante, Gueul gueule de douleur et d'un étrange plaisir interne à son corps. Ékorss en parle aussitôt à Tahül :

— Tu verras. Dans la nuit, tous les Graüls sont gris ou noirs et tu peux te faire passer pour un grand.

— Je veux vivre ce que tu dis et en plein jour, moi !

— Quoi ? Tu es plus fou que moi ! C'est pour ne pas confondre une femelle graüle d'une snèks ? Impossible, elles ont toutes la peau dépoilée. La nuit, c'est à l'odeur que tu reconnais celle qui te mange du regard le jour.

— Moi je veux le jour, parce que je veux voir ce qui se passe de si lion-lionne entre Graüls, Troms, ou Snèks tiens ! Toi, tu peux rien me dire, tu vois que tu n'as rien vu !

— Pas la peine. Tu sens, c'est mieux que voir ! Renifler et toucher, c'est comme si tu planais et fonçais. Tu deviens un autre animal ! Gueul est à moi, c'est mon terrain de chasse et j'habite chez elle, en elle. Je n'ai plus peur de rien. Je suis à elle, elle est à moi.

— Et comment tu la protégeras?
— Je dois apprendre…
— Tu ne sais rien, à part que des pierres fleurissent en vert et que leur poudre donne la force de vaincre!
— Elles existent!
— Elles n'existent pas.
— Tu les verras!
— Dans ton futur, pas dans le mien. Dans ton futur, il y a des groles, des eaux qui chauffent, et pourquoi pas un bison prétranché!
— Dans le futur, il y a des chasses, il y a…
— Du présent qui se répète.
— Oui, et des racines d'arbres qui vont les faire grandir.
— Ah, c'est ça pré-voir!
— Prévoir… Voir que la neige devient épaisse et glissante avec le froid… Le futur, c'est ce qu'on va en faire!
— On ne peut arrêter une pierre de foudre, la pluie et le vent.
— On peut empêcher une mouche de se poser dans l'œil, on peut trouver la force de l'eau.
— Arrête avec ça, s'énerve Tahül. Je n'ai pas besoin de tes histoires… Je préfère le monde tel que je le vois.

La montagne a des dents blanches sur toute sa longueur. En bas, la glace fait la guerre aux rongeurs, aux loups, et à la belle Loul, le lynx.

Tahül l'a aperçue, planquée dans le bras blanc d'un arbre bossu. Elle fait semblant de dormir. C'est triste de finir en fourrure tout de même! Tahül a du respect pour Desk le cheval et Loul le lynx, ce sont des animaux fiers, malins et robustes. Il préférera tuer les mous, il en est sûr. Comment enlever du paysage un lynx si souriant? Vraiment, elle sourit. Son ventre n'est plus rond, elle a maigri. Sa barbe blanche repose sur la neige.

— Hé! Ékorss, tu ne veux pas couper la barbe de Loul? dit Tahül avec des gestes et des sons très précis et plein d'ironie nichée dans le mouvement de ses sourcils.
— Si elle accepte d'être ma mère. J'ai pas eu de mère, ni de père.
— Tu as Kira, ma mère.
— Il paraît que je suis né d'une Troms et d'un étranger venu du soleil qui se lève. Je vis chez les Graüls, et j'aurai un petit avec une Snèk. Curieux le…

— Le quoi ? Le futur ?

— Non. Y a pas de nom pour ça. Le… sens de la vie.

— Le sang ?

— Non ! Le chemin…

— Ah ! Les traits de la vie. Faut bien se lancer, et savoir où, quoi, comment… Hein ?

L'échange nourrit les pensées d'Ékorss. Il envie Tahül, car Tahül apprend à survivre. Sans lui, sans Gohr et Kira, il aurait fini tout seul dans l'immensité hostile. Maintenant, il ne veut pas décevoir Gueul. Il sait qu'il n'osera jamais se mêler aux chasseurs. Il faudra qu'il invente quelque chose pour qu'elle s'attache à lui comme l'oiseau à son nid. Quoi ? Une pierre transparente et taillée par magie… Ékorss regarde Loul au ventre blanc comme la neige, puis Tahül qui agite un morceau de viande de thar. Loul hésite, renifle et finalement s'approche. Les animaux sont tous craintifs, certains attaquent. Ils sont tous plus ou moins curieux. Loul s'approche d'une côte de thar. Tahül se jette sur elle, l'attrape et sent sa chaleur, sa peur. Elle le griffe au visage. Il l'attrape aussitôt par la peau du cou et la regarde, mais le lynx se débat et lui lance des *chhh, chhhhh, haaon…* Il relâche Loul après un dernier coup de griffe bien envoyé. Elle file et va griffer un vieil arbre de rage avant de disparaître. Elle s'enfonce dans la fourrure faite de neige ; sa queue courte et noire forme un point noir qui s'efface dans le brouillard de flocons portés par le vent. Tahül voudrait voir ses nouveaux petits, quand elle en aura au temps-fleurs. Il sait qu'elle se cache toujours dans un tronc creux ou parfois dans une grotte à sa taille.

Pour voir ce qu'il a aux joues, Tahül regarde son reflet dans une flaque d'eau. Ce sont des griffures, pas des morsures. Il se trouve hirsute, mais assez beau. Les Graüls apprécient tous la symétrie… Dans la flaque, c'est bien lui qui se gratte, c'est encore lui qui se passe la main sur le nez, et c'est bien le même nez et la même main dans le reflet. Sa fourrure rousse et blanche lui donne un visage de rabatteur. Sa tête tremble, et sa peau se craquelle, c'est quoi ? C'est l'eau qui gèle.

— Quoi, quoi, quoi, arrive à sortir de sa gorge Tahül qui a vu un lynx d'aussi près qu'une mouche peut voir une bouse de mammouth… Quoi ? Qui ! C'est moi, bredouille Tahül face à son reflet fugitif.

Gohr épouille Kira qui épouille Gohr. Ils sont tristes.

La nuit, des loups hurlent de faim et Kira jette dans le précipice les restes d'un bœuf musqué, pour ne pas être dérangée par ces fouineurs nocturnes. Goum-Goum à son tour s'en va. Son corps devient bleu comme la pierre qui tue, celle que Dikt cache à l'abri des regards…

Kira se blottit sous des fourrures et se cache. Gohr la rejoint.

Tahül se sent à l'abri malgré les pertes qui surviennent chez les Graüls. Grands et petits quittent le paysage pour y terminer en morceaux. On geint, on réagit, on continue le présent.

Ékorss aime les fleurs qui résistent et qui sont d'un bleu très vif, comme cette plante velue aux racines noires. Quand il les coupe en deux, un liquide rouge en sort, comme du sang frais. Le bleu pâle des joues de Goum-Goum signifie qu'il ne verra pas son grand frère. Ses yeux sont glacés. La plante aux pétales d'un bleu puissant pousse dans les cailloux et fait le dos rond, fuyant les naseaux des brouteurs. Les os de Goum-Goum vont retrouver les pierres où la fleur bleue revient aux jours-fleurs et oiseaux… Parfois dans ses racines, tout est bleu aussi… Ékorss n'ose pas y goûter, comme à la plante jaune et verte qui donne un suc laiteux. Il dit qu'il faut se méfier du bleu et d'une plante dont le jus est bizarre.

— T'as peur d'une plante, toi ? demande Tahül.

— Y en a qui sont pas bonnes. Y a des bois qui flottent sur l'eau, y a des bois qui tombent au fond, y a des plantes qui te font tomber.

— Tu dis que tu as peur des plantes ? Tu es fou ! Tu es un vrai couard !

— Non. Je n'ai pas peur des plantes. J'ai peur d'une plante. Gueul m'a fait boire le sang blanc de celle à fleurs jaunes. Horriblement amer, la sève.

— Et ensuite ?

— J'ai été un vrai lion toute la nuit. Ensuite, j'ai eu des images en tête qui n'étaient pas à moi !

— Elle est comment la plante qui t'a attaqué ?

— Comme les autres, avec des piquants autour des feuilles.

— Ah… Pour qu'on vienne pas y toucher !

— Peut-être bien. Elle fait aussi dormir comme une pierre, c'est dangereux. Tu tombes de sommeil d'un coup !
— Tu me la montres ?
— Elle attaque comme une panthère !
— Je la vaincrai !
— Quand elle sera en fleur, le jus tu n'y toucheras pas.

Aux beaux jours, Tahül insiste tant qu'Ékorss lui montre la plante :
— Je goûte la plante laiteuse et je te crois pour les têtes vertes.
— Tu goûtes pas dehors le jour ! Juste dedans la nuit. C'est trop risqué.
— Tout est caché avec toi !
— C'est que je veux pas que tu tombes de sommeil dehors.
— Je vais bien voir…
La forêt absorbe Tahül. Sa curiosité de marcheur est aux aguets. Quatre lynx aux yeux bleus font *miu, miu*, ils ont peur de l'orage de la même façon qu'Ékorss qui le suit d'un pas hésitant. Loul s'épuise à lécher ses petits. Ils sont tous les quatre en train d'aspirer sa force.
— Tahül, ça c'est l'aptitude des femelles. Une maman ours lèche ses petits. Une maman panthère aussi. De loin, je les observe. On reviendra les voir ces petits miauleurs ?
— Fais-moi goûter ta drôle de plante.
— Il faut redescendre au sec en cueillir, et seulement vers la nuit en goûter.
— Tu décides pour moi !
— Tu verras que c'est elle qui dirige ta force et ton sommeil…
Le moment attendu arrive, Tahül aspire le jus sorti grâce à la friction des pierres et fait une grimace.
— C'est pas bon !
— Je te l'avais dit.
— Je m'habitue. Et ça fait un drôle d'effet. C'est vrai. On reviendra voir Loul. Je me sens grand. La plante me domine…
— Tu as besoin de la poudre des têtes vertes, c'est tout. Tu finiras par me croire…
Tahül entre dans un espace qu'il ne connaît pas, il se sent soulevé, puis lourd et s'écroule dans la caverne. On se moque de lui, car il ronfle. Ékorss écoute les grognements de rire. C'est sa petite victoire, il a réussi à étonner le grand Tahül.

À peine ses enfants grands, Loul file loin de son tronc creux et revient avec un lapereau entre les dents, repart et revient avec une souris. La nuit, elle monte dans les arbres, gratte la terre pour retrouver de quoi manger. Les hyènes déchirent un mouflon jusqu'au tréfonds. Les lapereaux dorment dans des duvets, et eux aussi tètent, avant d'être confrontés au lynx capable de sauter de sa branche sur un oiseau qui s'envole.

— Ékorss, tu vois, l'aptitude des mâles, c'est de se barrer à la chasse.

— Tu parles à personne du sang blanc de la plante piquante !

— On verra. Regarde Loul… Ça c'est le présent ! Que dit le futur ?…

Le suc de la plante qui enlève le présent a intoxiqué Tahül, il titube.

— Tu reprendras du suc quand tu seras plus costaud.

— T'as pas tort.

— Tu me crois maintenant ?

— On voit pas tout avec cette plante ! Ah ! Attention, regarde !

Le plus beau des oiseaux du ciel est venu voler un petit lynx. L'aigle le tient et le lâchera dans sa grotte extérieure. Loul déchire le silence, saute en vain vers le ciel et retombe.

— Tu vois, Ékorss, même si l'on sait, on n'est pas préparé. Loul a perdu un petit.

— Moi, je vais en avoir un.

— Ah ? Comment tu sais ?

— Gueul fait la tête plus son ventre devient rond.

Les deux amis décident de monter là où l'aigle s'est posé. Ils ne risquent de croiser que des mouflons.

Plus ils montent, plus il fait froid.

Ils s'arrachent la peau des bras en grimpant quand soudain des *kiup*, *kiup*, indiquent que les aiglons réclament à manger. La maman aigle attend le retour de l'oiseau père qui est capable de tuer un renard ! Tahül se hisse, il voit des oisillons blancs au bec noir. La mère brille, des éclats du soleil dans l'œil et sur les plumes.

— Viens voir, Ékorss !

De près, l'aigle est géant, il dépose le petit lynx ensanglanté et regarde les Graüls comme quand Prok se fâche. Il s'envole subitement et agrippe les cheveux de Tahül. Il pique vers le plateau et attrape par le dos un petit mouflon qu'il balance dans le vide. Bientôt, il revient avec l'animal fracassé, de quoi nourrir toute la nichée, pendant un moment. De frayeur, Ékorss se laisse glisser plus bas.

— Quelle violence ! se borne à dire Ékorss. Tahül, viens, on redescend ! Nom d'un cuon, ça file la trouille un aigle de près !

— Non. Je reste, je veux apprendre de l'aigle.

— Il est capable de te bouffer !...

— Sans moi tu ne sauras pas redescendre. Je suis armé. Une pierre dans le nid, et l'aigle décampe ! Tu vas voir. On est les plus malins !

Tahül jette une grosse pierre qui frôle l'aigle, puis rebondit de la falaise à un rocher et dévale jusqu'en bas. Toc, toc, toc... Les aiglons se battent entre eux.

Dans le ciel, un autre aigle pique entre les arbres pour attraper un tout jeune mouflon, la mouflonne, de ses cornes, force l'oiseau à partir ! L'aigle n'insiste pas. La mère est prête à protéger son petit, alors que l'aigle qui a apporté le petit lynx laisse son aiglon le plus robuste dévorer le plus faible.

Tout fascine Ékorss sur les talons de Tahül, il s'habitue aux risques. Les deux amis se retrouvent sous les branches basses de la forêt. Le vent souffle comme s'il voulait conquérir le monde de l'aigle. Tahül et Ékorss aiment leur univers, leur clan ! Avant que les troupeaux ne viennent boire, ils marchent sans crainte sur leurs anciennes empreintes qu'ils reconnaissent et ils décident d'entrer dans l'eau. Tahül frotte sa peau pour se défaire de brindilles et se gratte la tête. Les poux n'aimeront pas s'il la plonge entièrement. Il retient son souffle, avale de l'eau par le nez et la recrache. Ékorss se moque pour la première fois de lui. Tahül entre à nouveau dans l'eau et s'étouffe. Ékorss plonge sa tête et des bulles remontent à la surface.

— Ékorss ! Fais pas le cuon ! Ékooooors ! hurle Tahül.

— ... Voilà ! Suffit de faire hups en soi.

Ékorss sort de l'eau comme une loutre. Ékorss aime cet animal qui peut se mettre sur le dos et flotter, insouciant... Il n'a pas peur de l'eau contrairement à Tahül. Il reviendra avec Gueul, pour lui montrer l'endroit et il lui offrira un beau poisson, pas pour le manger, car les Graüls n'en mangent jamais, mais pour lui montrer les écailles qui brillent… Les loutres mangent les poissons et n'ont pas de saison des amours. Les loutres laissent des crottes pour indiquer leur changement d'abri. Mais Tahül est encore trop jeune pour comprendre tout cela, pourtant il a l'âge, s'interroge Ékorss.

Les marches, la chasse aux pierres, aux bois et aux bêtes reprennent. Tahül reconnaît tous les lieux par leurs formes et leurs odeurs. Il se demande juste ce qu'Ékorss peut bien trouver d'extraordinaire à faire avec Gueul pour ne plus venir le retrouver.

Kira et Gohr attendent que Tahül soit bien préparé à la chasse pour lui trouver une jeune Graüle :

— Il faut être prêt pour attaquer sans risquer sa vie. Même les aiglons ne quittent pas le nid sans savoir voler ! Tu comprends ?

— Quand je serai de taille, je serai de taille.

— Tu y es presque.

Il y a maintenant Orr et Brri, de jolies Snèks, mais elles s'intéressent à Rar et se chamaillent pour l'avoir la nuit auprès d'elles. Il y a aussi Rout, une maligne qui se déhanche en enfilant sa pelisse. Tous les Graüls la désirent, les jeunes nerveux comme Preu, et les vieux peureux aussi.

Rout choisit également Rar, son visage est symétrique comme un silex bien taillé.

— Cela suffit, dit Rar, c'est moi qui décide !

— Et tu décides quoi ? demande Rout.

— J'ai une femelle.

— Elle est pas en forme. Moi si !

Brri et Orr ricanent si fort qu'on dirait des oiseaux des marécages.

Rar trouve une sorte de niche dans le fond de la grotte pour y installer des peaux de bêtes qu'il destine à Rout.

— J'ai déniché un meilleur coin pour toi, annonce Rar à Rout pour que Luah, Kira et les autres ne le devinent même pas dans le noir.

— C'est plus sombre qu'à l'entrée ! Affreux !

— Il y a moins de souris volantes, juste parfois un gros oiseau qui rentre au petit jour. Fais pas attention à lui, mais à moi, lui fait comprendre Rar.

— Si tu me fais palpiter.

— Palpiter ?

— C'est une expression de Snèks. Cela ne veut pas dire trembloter, mais frissonner chaudement.

— Tu grognes la nuit ?

— Tout dépend…

Rar et Rout passent des nuits si sonores que Gohr manque de sommeil :

— Eh ! Rout et Rar, vous pouvez faire moins de bruit !

Dikt n'est pas très content, ce qui se déroule dans une caverne, même en pleine nuit, finit par se savoir. Il a vu un clan se dissoudre pour une affaire de fesses, pas de fesses à manger, mais de fesses qui n'étaient pas les bonnes… Ah ! Ces jeunes Graüls, toujours à vouloir de belles fesses sous leurs yeux, sous leurs mains ou dans leur bouche… Et quand ça s'apprend, les pia-pia reprennent, et cela n'est pas bon pour les chasseurs, ils ne sont pas à leur affaire…

Ainsi vont les jours, entrecoupés de chasses et de répits, de bonne viande, de ricanements et de tracas. Tant que le clan est au complet et s'agrandit, tout va bien. Un cerf piégé dans le marais, une chasse à l'ours méchant, trois beaux mouflons, c'est signe que les Graüls ont un bon chef et qu'ils s'entendent très bien. Enfin, Tahül assiste à des chasses périlleuses !

Le genou de Tahül roule maintenant et ne lui fait plus mal. Souple comme un sauteur-rongeur, il songe à son corps fort, mais cassable. S'il était mulot, il serait pris dans les serres d'un aigle. L'aigle a des yeux noirs et mobiles, il plane, pique, décolle, vole, plane, aucun animal ne va si haut que lui. Il domine. Décidément, les Graüls doivent être très malins pour s'en sortir… Et lui ? Maintenant qu'Ékorss s'occupe de Gueul et Rar de Rout, il n'a plus qu'à s'attacher aux plus petits et à leur apprendre à tailler sans se faire mal aux doigts… C'est ça la vie d'un Graül, être un morceau du paysage, faire son chemin au présent, faire refaire aux plus forts des plus jeunes ce qu'on sait, montrer ce qu'on accomplit de mieux. Tahül prouve qu'il fait vraiment partie du clan quand le mimétisme est réussi. Les vieux ont les mains qui se déforment et la vue qui s'en va avant la vie. Ils boitent, ils souffrent, souffrent de voir leurs dents tomber. Des jeunes sont prêts à les remplacer, alors le clan change et demeure, il transmet ce qu'il sait. Tahül se dit qu'il prépare l'avenir des Graülots.

Le futur n'existe plus pour Ékorss, fasciné par Gueul.

« *Le futur existe peut-être* », se demande Tahül qui n'a toujours pas de femelle avec lui.

9

L'enclume de pierre

Qui trop combat le dragon devient dragon lui-même.
Friedrich NIETZSCHE

Le soleil brûle au-dessus de deux gros cerfs musclés qui s'entrechoquent, leurs cornes-branches s'affrontent. Qui sera le plus fort ? Qui perdra un bout de ses bois ? Les plus vieux Graüls se placent du côté du supposé vainqueur. C'est un jeu chez les Graüls que de cogiter sur les forces en présence. Ils se trompent tous sur la fin du combat qui leur apprend beaucoup sur le courage. Le plus vieux cerf impose sa vigueur, le plus jeune son habileté, les assauts peuvent durer jusqu'à l'épuisement, mais finalement, le plus âgé des cerfs voit passer une biche et la suit, elle accepte, laissant le plus jeune sur sa faim. Ainsi agissent beaucoup d'animaux velus ou poilus. Personne ne sait rien sur les sans pattes qaui nagent, ni sur les profondeurs du lac ou de la mer. C'est un monde de ténèbres…

Au bord du lac, Tahül frappe des pierres de toutes les couleurs et de toutes les résistances les unes contre les autres. Il est capable de faire ses outils très précisément, pas comme Dikt qui a perdu la main et surtout la vue… Tahül sait maintenant tout des percuteurs qui frappent, des éclats affûtés, et même des outils pour retoucher ses propres pierres ! Il est fier de frapper sur le plat d'un long galet et d'effrayer les oiseaux de passage par le bruit provoqué. Il découpe et frotte des peaux avant de se joindre au groupe. Ils vont tous se rendre près des Troms et contempler l'eau qui fait des sauts, vient, part, revient, fait des sauts d'eau qui retombent parfois sur les pieds. Les deux clans ne sont pas ennemis, mais les Graüls ont toujours préféré les Snèks qu'ils vont voir en amis. *« Leur marche doit être récompensée par un surplus de viande »*, se dit Ékorss. La chasse peut être magnifique, mais lui chasse dans la jungle des plantes et des formes, et il se trouve toujours en queue de cet étrange animal que forme un clan en déplacement. On dirait un serpent à pattes, le dernier est toujours une proie possible pour un fauve. Gueul se demande ce qui lui a pris de tomber sous le pouvoir du plus lent des Graüls... Il y a si peu de bipèdes chasseurs, et elle vit avec le seul non-chasseur...

La descente vers la mer commence avec tout le groupe, sauf les blessés, restés dans la caverne. Les femelles snèks vont revoir leur groupe et trépignent.

Méfiants au début, les Snèks sont vite apaisés en reniflant les bons morceaux de viande que les Graüls leur donnent. Au loin, on entend la respiration de la grande étendue d'eau.

C'est surprenant, c'est beau, nouveau.

Tahül aime autant le ciel que le ciel dans l'eau. Mais il n'est pas à l'aise comme Ékorss qui gigote en riant dans les vagues.

— Tu vois, cela ressemble à chez nous. Ce n'est pas chez nous et tu n'as pas eu peur ! Ékorss, on va pouvoir aller voir ensemble tes têtes vertes qui se gâtent dans l'eau.

— Alors tu es prêt ? Là-bas l'eau réchauffe, ici elle fouette ! Je suis un insecte sur le dos d'un gros bison, je n'ai rien à craindre. Toi, tu crains l'eau. Comment on va faire... si tu veux la force de l'eau ?

— Je ne nage pas, je ne vole pas, mais je chasse. On ne peut pas tout faire, réplique Tahül. C'est profond là-bas ?

— Je ne sais pas. Pour aimer l'eau qui anime et déride, il faut aimer l'eau, c'est tout ce que je sais.

— Pour l'instant, on n'est pas dans ton foutu futur et je n'aime pas l'eau...

— J'irai avec Gueul si ça continue !

Gueul mime une chauve-souris. Dans le clan des Snèks, elle fait rire un petit Snèks qui se tortille de joie quand ses mains viennent se poser sur sa tête. Une autre Snèks imite Gohr. Le chef des Snèks s'en amuse. Bien imiter un terrible adoucit toujours les chefs.

Les Snèks sont invités par les Graüls à venir autour de leur lac en forme d'œil.

Ils pourront prendre des galets noirs qui se cassent très bien en deux et qui coupent mieux que les autres. Ainsi, leur entente est affermie.

Le pourtour du lac devient très sonore car tous frappent et cognent les cailloux entre eux. Les deux camps s'activent. Des éclats de pierres giclent et Ékorss tente d'imiter le rythme qu'elles font, en claquant sa langue contre le palais. Il sait qu'il y a autant d'outils que de situations. Il aime les belles formes et montre à Gueul une pierre presque bleue aux contours lisses. Au loin, il entend les tac-tac-tac réguliers que provoque Tahül, assis non loin de là, là où la rivière devient lac et s'engouffre dans la terre sans être absorbée, puis coule à nouveau, fluide, cristalline. Les Snèks repartent avec de beaux galets bien taillés.

Le clan des Graüls est presque au complet pour préparer une grande chasse. Il faut des branches parfaitement droites et bien pointues. Les bruits deviennent cadences, et Gueul rajoute le son de sa voix au mouvement des sons stridents ou graves.

— Tu vas apprendre à chasser à nos petits ! lance-t-elle à Ékorss.

— À casser des cailloux, à les rendre pointus, ça, je peux...

— Toi, tu n'as pas appris à courir après une biche, tout le monde le sait. C'est qui, ici qui s'en occupera, des fils d'Ékorss ?

— Tous. Ma mère Troms a été chassée. Elle a fini mangée ! Je ne veux pas vivre ce genre de choses ni les provoquer. Nos petits doivent apprendre des grands, pas de moi. Je ne suis pas un vrai Graül. Je suis un Graül qui se planque... Tahül prendra notre petit sous son bras. Défâchée ?

— Moi, je préfère les Graüls tailleurs-chasseurs que les marcheurs-chasseurs. Fils de Troms, tu fais partie de quel groupe ?

— Des tailleurs-marcheurs !

Gueul gueule, puis sourit. Finalement, ils sont bien tranquilles tous les deux et décident de surveiller la caverne et les plus petits. Gueul comprend qu'Ékorss a perdu tout courage quand il ne pouvait défendre sa mère. Gohr l'a pris aux Troms. Elle sourit au plus lent, car c'est le plus attentif. Elle se sent à l'abri dans ses bras, et calme quand tout le groupe est réuni.

— Gueul, t'as une belle tête, tu sais, bêle Ékorss. Et il n'y a pas que ça de beau chez toi. Ta petite caverne, je la veux rien qu'à moi.

Le couple attend la nuit comme il se doit, et Ékorss se demande pourquoi Tahül veut conquérir une femelle uniquement de jour. Il prendra de grands risques car c'est le pire moment, n'importe qui à découvert, même un chef, peut se faire dévorer par un fauve affamé d'autre chose que d'une belle paire de fesses…

Au même moment, Tahül observe le galbe des Snèks qui sont restées ; aucune ne lui semble être faite pour lui. Rout est trop vive et va trop loin avec tous, les autres sont trop molles. Il décide qu'il trouvera sa Kira à lui. Quand ? Quand il n'y pensera plus. Ah, ce sacré futur qui le contamine… Il faudra qu'elle ait la puissance du cheval Desk, les yeux de Loul le lynx et la douceur de cette pierre étrange : un quartz comme fumé de l'intérieur et qu'il a détaché avec son socle, une pierre noire comme la nuit criblée d'étoiles. Il garde ce quartz. C'est sans doute ça le futur ?… Un cristal en attente de soleil pour mieux briller ?

Les arbres ont de la sève, les Graüls ont du sang. Pourquoi ? À cela, Ékorss ne saura quoi répondre, il est plein de folie depuis qu'il trouve en Gueul la réponse à toutes ses questions. On l'entend grogner la nuit. Le jour, il est absorbé par la découpe d'écailles de cuir. Tahül redouble d'attention. Des mouflons luttent les uns contre les autres. Le paysage s'anime partout par ses bruits, ses mouvements, ses couleurs, ses odeurs ; Tahül ne tient pas en place car il ne trouve pas sa place…

Tahül, en bataille contre lui-même, ignore Ékorss et le laisse loin du groupe avec sa jolie petite Gueul dont les cheveux bouclent sous la pluie. Son ami ne sait pas se battre, se défendre, attaquer. Il sait rêver, il sait imaginer ce qu'il appelle futur, et poser son oreille avec douceur sur le ventre de Gueul. D'une certaine manière, il devient déraciné du clan. Tahül, lui, veut combattre le grand bison, l'avoir face à lui, sentir son haleine, affronter sa masse au milieu des autres attaquants. L'organisation d'assauts et de replis se fait instinctivement en fonction de la taille de la bête et de son âge. Les Graüls se répartissent sur le terrain, communiquent entre eux par des signes et font croire qu'ils vont là pour se regrouper autour du monstre ; ils sont très forts à ce jeu et arrivent à leurs fins, malgré quelques blessés. Ils trouvent leur force et leur cohésion dans leur volonté de ne pas souffrir de la faim.

La faim est un trouble inexplicable, un genre de monstre invisible qui aspire la force, rend la bouche sèche et les muscles flageolants… La faim s'arrête une fois que le ventre est rempli de cette viande presque vivante encore, qui redonne vigueur et puissance. Des jours sans manger et tout le clan s'écroule. C'est plus qu'une sensation, c'est un état qui rend faible et triste. La faim qui dure à cause du froid est la pire, elle provoque des douleurs, des contractions dans le ventre qui semble crier. On entend le bide se plaindre ! Ékoss appelle ça « faire un bide ». Quand les Graüls ont froid, ils mangent beaucoup plus et ils se sentent mieux.

On l'entend à sa respiration, tellement il est lourd. Lourd mais vieux… Les Graüls sortent de la grotte près de laquelle va passer le plus beau d'entre les bisons. Le bison des steppes, celui qui sert à tout, aux vêtements, à la nourriture, est si massif, si puissant et mauvais perdant qu'il peut écraser bien des Graüls, et même pas pour les manger, juste pour les extirper de sa vue ! Piéger un bison, c'est pourtant facile. Il suffit de le pousser dans un marais et d'attendre.

La bête assombrit la lumière en passant devant les Graüls, les petits vont se cacher. Gohr fait le signe des couards et des yeux grands ouverts : les petits doivent regarder ce qui va se passer.

Les grands Graüls vont pousser le bison dans le piège qui englue. Le bison est trop massif pour qu'ils s'y attaquent frontalement. Les Graüls ont découvert l'astuce : le bison, effondré dans la boue, se débat et s'enfonce. Il suffit alors de le cribler de pieux, et de l'assommer de pierres.

L'embûche fonctionne à merveille. L'énorme bête, poussée vers l'épaisseur de boue, n'a plus d'issue. Un piège pareil ne coûte aucun effort ! Ékorss ne peut s'empêcher de formuler ce qu'il vient de voir aux petits :

— Celui qui n'est guidé que par le ventre périra la langue pendante.

Il ajoute avec force gestes que parfois des Graüls présomptueux se cassent un os en sautant trop vite. Gueul, qui méconnaît ce système de chasse, redresse sa tête et mime l'interrogation.

— Le marais doit toujours être à la mesure des bisons et des chasseurs, explique Ékorss à Gueul, la jolie Snèks aux cheveux bouclés.

— Sans courage, pas de bison ! rétorque Tahül.

Il a ressenti quelque chose d'étonnant : son pieu a fait effondrer la bête. Cette fois, c'est lui qui a enfoncé la pointe qui a percé le bison et l'a fait s'écrouler.

Le bison régale le clan pour un bon moment.

Tahül sait que pour être vaillant à la chasse, il doit reconnaître tous les lieux, chaque crotte d'animal, chaque empreinte, car elles disent toutes qui, quand, et parfois pourquoi, et aussi si l'animal va bien ou se tord de vieillesse. Tahül racle des peaux, sinon elles pourrissent. Certains Graüls plus fainéants qu'Ékorss sont ravis de le voir donner un coup de main. Il n'aime guère les grottes trop empierrées, et il a toujours avec lui un tapis de peaux qui lui permet de mieux dormir.

Ékorss a compris l'essentiel : pour survivre à tout, il faut vivre caché. Il faut savoir l'épaisseur d'une peau, la longueur d'un épieu, la lourdeur des pierres ou celle d'un mammouth. Faibles ou robustes, les arbres, les animaux et les Graüls ne peuvent compter que sur eux-mêmes.

Ékorss, friand des choses inutiles, a récupéré des branches-cornes d'un cerf pour entourer son sommeil… Tout le monde le regarde faire et s'étonne de le voir transpirer à ficher les bois dans la roche. Le clan s'étouffe de rire ! Cette bonne humeur est la dernière pour un grand moment.

Lorsque Bo, la fille aînée de Luah, meurt, tous restent tête baissée. Rar se rapproche de Luah qui foudroie Rout du regard.

Il faut décharner la jeune Graüle. Le rituel commence. Luah gratte la terre de ses mains. Elle sait qu'on va se battre pour les fesses de sa fille :

— Affreux outils, qui ne servent qu'à dépecer. Comment on peut se délecter de fesses si petites…

Luah grogne comme les fauves qui défendent leurs petits.

Pour elle et sa sœur Kira, les hommes sont capables d'imaginer des outils pour découper, mais aucun pour rendre la vie. Ils fabriquent tout ce qui permet de manger, mais cela ne fera pas revenir Bo, celle dont les cheveux en torsades attiraient déjà tous les regards, car ils tombaient sur ses petites fesses. De la faiblesse des Graüls est née une force, et de leur force vient la faiblesse…

Luah meurt à son tour. Des rides se creusent sur le visage de Kira.

Tahül ne trouve rien de cruel, seulement il craint la colère et les moqueries de certains. Il ne peut lutter contre les finauds, les haussements d'épaules et certaines mimiques qui peuvent devenir venimeuses. Pour survivre, il faut être fort et futé et ne pas être choqué par le groupe qui trouve plaisir à ricaner. Il observe Ékorss qui change sa façon de vivre sa vie déjà bien peureuse, parce qu'il est avec une jolie Snèks.

Ékorss semble planer comme un oiseau dans ses pensées, en réalité, il ne cherche que le meilleur abri pour Gueul et lui. Il se sépare du monde des Graüls pour le sien. Ékorss sait trouver toutes les couleurs et connaît chaque ruisseau, chaque nid. Son futur sortira du ventre de Gueul.

Inversement, le fils de Gohr possède en lui l'image des refuges des Graüls, jusqu'à ceux des Troms et des Snèks, et s'ouvre à l'inconnu. Une seule chose l'intrigue : pourquoi son père ne veut-il pas partager Alekhta, le lieu d'où jaillit la force ? Il n'imagine pas qu'une jalousie paternelle l'empêche d'agir dans le futur.

Gohr se demande qui possède le souvenir de Luah qui aida à mettre bas le grand Tahül. Il n'est pas temps de lui donner le pouvoir de l'eau. Tahül se laisserait entraîner à le combattre. Gohr se sent encore puissant, il a juste mal aux bras et aux jambes, et crache une grimace qui dit le contraire parce que Kira l'observe du coin de l'œil, comme font toutes les Graüles qui comptent sur la force des mâles pour les protéger des fauves, des bisons, du froid et de la faim… Les Graüles ne savent que ramasser des charognes… Les Graüls ne doivent pas se plaindre comme elles le font.

Il paraît que beaucoup plus haut, d'autres clans chassent et risquent de venir leur prendre du bois pour leurs épieux. Kira goûte au cerveau de sa sœur et passe son crâne à Tahül :

— Mange ! Que cela reste en famille. Luah t'a vu naître enfin !

Tahül trouve le goût fade, mais obéit. Il lui faudra une belle Graüle, forte et solide. Ce ne sera pas possible avant longtemps car il n'y a pas assez de Graüles femelles en âge d'avoir des enfants et toutes les Snèks ont leurs Graüles. Les liens sont forts et permettent à tous de survivre. Il est le seul, seul. Il est le seul à dormir n'importe où, et à affronter la nuit dans le froid. Face au cil de lune perdu au milieu des étoiles, il pense à ce que deviendra sa vie, c'est sans doute cela le futur, quand la nuit sera douce, qu'il connaîtra la chasse sans fatigue, les raccourcis qui mènent au mammouth. L'attendu est bénéfique, peut-être que lui-même saura braver l'inattendu ? Son odorat est puissant, il saura reconnaître une autre Gueul, bien à lui !

Ékorss et Gueul tentent d'oublier Luah, chaque fois qu'ils s'asseyent devant ses ossements qui se mêlent à d'autres anciens vivants, chevaux et Graüls…

Un soir, Ékorss a besoin de retrouver son ami, et devant l'immensité, il pense tout haut…

— Qu'est-ce que tu dis, Ékorss ?

— Rien. Une trouvaille qui me dépasse.

— Grogne-la toujours ?…

— C'est rien et c'est fort. Je viens de comprendre. Le lion des cavernes par exemple…

— Quoi ? Quoi le lion des cavernes ?

— Quand il fait froid, il s'adapte et se trouve un trou où dormir pour ne pas peler de froid.

— Les fauves ont besoin de trouver des trous dans les parois quand il neige et que tout gèle. Et alors ?

— Et alors ? Les Graüls et les Snèks, eux, ils ont l'idée de s'arranger avec tout. Tu as déjà vu un genre de panthère avec des pierres taillées aux pattes ? Un abri en branches pour ours ? On n'est pas des animaux, nous. Voilà.

— On marche debout, et alors, ça prouve rien. Les hyènes vont en groupe, comme nous…

— Nous, on partage pas que la viande et même, on se réfugie dans des grottes et mieux, on en construit avec des branches. On pré-voit, on pré-entend ; on est des prédateurs, pas des animaux…

— J'ai pas compris, soupire Tahül. On a moins de poils. Tu parles d'une chance ! On a froid plus vite.

— Rrrrr… On prend les poils au lion, lion qui court après un mouflon parce qu'il a faim. Nous, on sait d'avance qu'on va avoir faim ! Nuance ! On n'est pas fait pareil. Nous, on a le futur, déjà ! On fabrique des instruments en avance de la faim !

— Des quoi, on fabrique ?

— Des intrus pour nos mains. Des instruments pour se bouffer un bon gros mammouth, quoi ! En plus, nous on répartit, pas comme les charognards qui se volent dans les plumes ! Chaque animal volant mange à faire taire sa faim, pique à son voisin…

— Au cas où, eux aussi, ils forment une famille, eux aussi mangent ce qu'ils veulent… L'oiseau casse les os de haut. Chacun se débrouille. Comme eux. Je vois pas une grande différence.

— C'est quoi pour toi une différence ?

— Une chose qui saute aux yeux la nuit, le jour ! Le loup a des poils, la hyène a des poils, et ils sont pas pareils : « ouh ou hi hi hi ».

— Pas faux. Quand même, pour des deux pattes, on se débrouille bien, soupire Ékorss… On cause !

— Comment va Gueul ?

— Elle ne s'habitue toujours pas aux souris-volantes. Heureusement, elle est comme l'eau de la rivière qui va où elle peut. Elle devient une vraie Graüle. On va venir ensemble à la prochaine source de pierres, et je suivrai la chasse !

— C'est qu'on va à Alekhta ?

— Pas encore.

— Alors pour… quoi tu veux venir casser du caillou ?

— On viendra car c'est pas un temps où l'on risque de croiser une panthère. Moi, je cherche des pierres de couleur et Gueul veut retrouver des plantes à suc…

— Tous les deux vous allez venir ? Tu fais plus bande à part ? Ou c'est pour vous ensuquer ensemble ?

— Non. Déjà, je suis pas tout seul et je t'ai comme meilleur défenseur ! Et si je veux découvrir le champ des têtes vertes, je dois affronter au moins une longue marche !

— Ne t'éloigne pas. Jamais.

— Pourquoi ?

— Parce que le loup saute sur l'oiseau et le dévore même s'il bat des ailes, et que la panthère est plus coriace que le lynx !

— Je sais et je me méfie très bien : je sais bondir vite, hors d'atteinte. La force des lâches, c'est ça, pas vrai ? S'accrocher aux branches...

— Si tu veux.

— Si je veux quoi ?

— Que tu surveilles tout. Attention, il y a des moments où l'on s'endort de fatigue, on ricane, on mange. Les grosses bêtes, tu les vois pas venir dans ces moments, surtout quand t'es ensuqué...

— Je me prépare à Alekhta, tu comprends ?

— Au fait, elles sont comment tes pierres qui donnent la force à l'eau et aux Graüls ?

— Vertes comme les feuilles, friables comme la peau desséchée, et à l'intérieur, il y a quelque chose de plus dur que la pierre et qui va dans l'eau quand même.

— Tu les as jamais vues.

— Si...

— Et dedans, on trouve la force ?

— Si tu veux...

Chacun va dormir. Les visages prennent un teint blafard.

Des nuits pareilles sont rares, sans doute parce que la boule jaune qui change de forme nuit après nuit empêche le noir total, trop inquiétant. Ce qui change, ce sont les liens qui se détendent ou se retendent. Ce qui change, ce sont les dents de lait qui tombent et qui font rire les Graülots, ce qui change, c'est le futur qui avance quand tout le monde dort...

10

Pierres, silence, sexe et silex

Nulle pierre ne peut être polie sans friction, nul homme ne peut parfaire son expérience sans épreuve.
Confucius

Tahül entend gémir presque tout le clan. La peur disparaît quand les Graüls gémissent et grognent en pleine nuit. Des enfants sortiront ensuite du ventre des femelles. Ékorss lui a dit que ce serait bientôt son tour, à lui, le fils de Gohr, de renifler de près ce trouble répété ! Dans le silence griffé de cris d'animaux nocturnes, les Graüls se réchauffent et goûtent à l'autre. Quelques rires fusent.

Les chasses ont été bonnes, il faut retrouver ces pierres qui font fureur, et qui fracassent bien. Il faut les sculpter en imaginant la forme qu'elles auront, leur taille et leur force de frappe. Kira dépèce un petit cerf puis tanne des peaux avec vigueur.

Tahül se défoule. Il tient une pierre de la main gauche qu'il pose sur la grande plate, et de la droite, il frappe, frappe, frappe, et *crac-crac-crac*, il peaufine un demi-morceau. Ses bifaces sont symétriques, parfaits et faits pour sa main. Pour continuer sur sa lancée, il en taille des petits. Soudain, une image le percute. Ce qu'il craint, c'est de croiser seul une meute de loups. Il pose la question au plus ridé des Graüls. Prok lui affirme que ces coureurs sombres, contrairement aux cuons clairs, peuvent vaincre un Graül, même un très grand et bien armé :

— Ouuuuh... Ils attaquent le bas de tes jambes et ils mordent à fond. Regarde, je garde une belle marque, dit-il en lui montrant ses mollets. Ils ne lâchent jamais. Ta branche taillée ne sert à rien ! Ils s'y mettent à plusieurs, comme nous. Ils étripent n'importe qui. Leur faim est plus féroce que la nôtre et surtout ils n'ont pas peur, pas comme les cuons qui rusent de loin... Moi, j'appelle ça le clan des loups. C'est du courage sur pattes : la mort au bout des crocs si tu les croises tout seul...

— Prok a raison, ajoute son père. Tu n'as jamais vu de loups en bande, parce que nous sommes les seuls à leur faire peur. La neige les rend fous ! Nous, on fait comme eux : on reste unis. Toi seul, tu ne peux pas t'en sortir, debout face à eux, même avec des bolas.

Tahül décide qu'il ira vers les loups malgré tout, et qu'il rapportera une bête, ce sera le signe qu'il est plus qu'un chasseur. Il gardera le loup autour du cou. C'est ça son futur ! D'ailleurs, quelques poils poussent sur sa face, et de sa langue, il les sent déjà longs. Il sera bientôt barbu comme les grands, il doit le faire savoir ! La peur des loups est plus forte que celle du mammouth car les loups sont très liés entre eux et tous aussi braves que Gohr. On voit des loups méchants, des solitaires, des jaloux. Les joutes inscrivent les vainqueurs qui font preuve malgré tout d'une certaine affection. Les louves perdent beaucoup de poils avant de donner naissance à des louveteaux. Elles décident de la saison de l'accouplement. Les loups exclus du sexe semblent ne pas trop en souffrir, à la manière de Tahül qui n'a pas encore le pouvoir de l'engendrement...

Le chemin se rapproche des loups, les *ouuuh* aussi... Tahül lance quelques morceaux de viande, et soudain il doit affronter une meute. Il voit les babines du meneur. C'est celui-là qu'il veut porter à son cou. Il l'embroche et ses yeux jaunes avec. Il embroche ses peurs et la meute sans chef hurle. Trop tard pour encercler Tahül, il est dans une petite grotte, dont il ferme l'entrée par une pierre plate. Il sent le loup mort contre lui. La nuit passe. Au petit jour, Tahül repart.

On admire le courage de Tahül, Gohr s'énerve : s'il fait bien partie de la meute des Graüls, sa maturité semble ralentie !

— Tahül, personne n'attaque jamais une meute tout seul, pas même Gohr !

— La fourrure du loup est belle et tient chaud.

— Le dégrossissage de ton âge, ce n'est pas ça ! C'est pouvoir partir seul dans un lieu inconnu, trouver de quoi manger et revenir !

Ékorss comprend qu'il aurait pu perdre son ami. Ékorss aime les loups. Il a observé une louve régurgiter des morceaux de viande pour ses petits. Les mères à plume ou à poil le fascinent aussi. *« Ils ont la belle vie, les louveteaux, jusqu'au temps des glaces où beaucoup périssent comme les petits des Graüls »*, se dit-il. Les oiseaux, eux, tombent du nid, très souvent.

Ékorss n'est plus vraiment un Graül comme les autres, d'ailleurs, selon Gohr c'est un mutant, il n'y a qu'à voir son front haut, ses mains longues et sa démarche moins chaloupée. Gohr fait état de sa constatation à Dikt :

— Ékorss s'adapte au soleil et ne crève pas au froid : il n'est pas comme nous !

— Il est comme un loup blanc sans dents, mais c'est un loup. Enfin, lui, c'est plutôt un souriceau. Tu ne devais pas ramener ce Troms dont le père est peut-être un Mench.

— Tu dis quoi ? Si c'est un Mench, il est fait comme nous.

— De toute façon, maintenant c'est un Graül. Il vit avec nous !

— Un Graül qui ne chasse pas, bougonne Gohr.

— Il ne chasse pas, il est « ailleurs », c'est un fou.

— Qui m'embête avec son futur…

— C'est un *« foutur »*… Il donnera naissance au clan des « fouturs » à mon avis, s'amuse à dire Dikt.

— Un clan de paresseux ne peut pas survivre, souffle Gohr.

— Tous les Graüls ne sont pas courageux. Certains meurent, et lui ne meurt pas. C'est une force.

— Dikt, Ékorss ne possède aucune force. Tahül est fort.

— Il lui manque les têtes vertes.

— Pas maintenant. Pas question ! Donc pas de réponse…

— Je commence à croire au « foutur » d'Ékorss. Tu dois décider ici et maintenant !

— Non.

— Tu vieillis de partout, Gohr.

Les gestes sont clairs, Gohr refuse que des fous s'occupent des lendemains et boivent l'eau qui se nourrit des têtes vertes. Ses mouvements de bras indiquent qu'il ne faut pas traîner. Une chasse s'établit. Tous marchent sans peur, ils sont chez eux, sur leur territoire. Gohr reconnaît la source de pierres dures à tailler, mais d'autres ont pris ce qui restait, il faut marcher plus loin encore, en direction de la grande montagne, celle qui a les dents blanches et qui mord le ciel. La marche reprend, on fabrique une grotte de peau de bêtes pour se reposer. Alekhta est proche, mais là ne sont pas les pierres qu'on taille si bien… Et il faut absolument que les Graüls ignorent Alekhta.

La montagne se rapproche plus on s'éloigne de la Grotte-Mère. À ses pieds touffus, Gohr trouve des pierres de toutes les couleurs. Rouges ! Jaunes ! Bleus ! Les pierres grises cassées contiennent des tranches qui ont l'aspect du sang ou de l'eau, parfois la couleur de la boule éblouissante du jour quand on la regarde bien en face, ou de celle du ciel quand les mouflons blancs légers font une incursion pour annoncer qu'ils vont pleurer. Il y a parfois d'autres formes qui suivent les mouflons : des bœufs blancs, des aigles gris, un vieillard baveux, un gros champignon, des petits, une loutre sans tête, des cuons rapides…

« Les pierres sont plus belles que des yeux et feront de bons racloirs ou des pointes », se dit Tahül. Ékorss questionne Dikt sur les pierres qui donnent leur force à l'eau. Dikt lève les yeux au ciel et fait « Non » de la tête, tel un gros nourrisson qui ne veut plus téter. Il aime la chasse aux pierres et il éprouve un plaisir à ramasser les plus belles, à passer ses doigts sur leur peau indéchirable, irrésistible, leur peau si dure qu'il faut les faire se battre entre elles pour leur donner une autre forme. *« Comment a-t-on appris que certaines eaux étaient bonnes ? »* se demande Dikt, un cristal minuscule dans les mains. Il songe aux pierres qui se dissolvent sans savoir qu'elles changent l'eau et qu'il existe des eaux aussi différentes que le jour et la nuit. Dikt veut que Tahül soit plus fort que son père : invincible. Verra-t-il le lieu magique, ou bien Gohr a-t-il décidé de ne jamais y conduire personne ? Dans son mouvement de tête, Ékorss comprend qu'il ne croit plus au futur. Dikt serre les dents et fait semblant de s'endormir.

Ékorss place son poing sous le menton et se dit qu'on n'apprend rien de nouveau, les choses nouvelles sont, c'est tout. Le plus dur, c'est de les débusquer. Avant, ce sont les plus vieux qui donnent à refaire aux plus jeunes. On ne fait que répéter, alors on ne lui donnera pas la possibilité de faire des groles qui montent des pieds aux genoux, de répliquer son écrase-poux : trop tôt... Lui, s'écarte des répétitions, il espère apprendre quelque chose de nouveau par lui-même. Mais rien, rien n'apparaît...

— Ékorss, t'es fou ! dit-il, en s'apostrophant. Tu voudrais apprendre quelque chose tout seul ? T'es qu'un cuon qui ne chasse pas, Ékorss, tu peux pas apprendre aux autres ce que tu ignores...

La plus belle et la plus effrayante des nuits revient, c'est celle des pierres de foudre. Sous l'abri, Tahül les a guettées, mais ne les a pas vues tomber. Soudain, il est réveillé par les impacts des gros galets tombés du ciel. Des lumières bondissent devant ses yeux, et un immense caillou s'écrase dans une flaque d'eau ! Tahül s'avance vers l'impact. La pierre semble noire et faite pour ses mains. Sous la lune pleine, il écoute une nouvelle pluie de pierres qui chute du ciel ! Le gros caillou chaud serré dans ses mains est déjà son secret. Quelques traits de feu continuent à écorcher le ciel. Tahül se dresse :

— J'ai la pierre de foudre ! Elle a fait bang, bing, bingo ! Elle est à moi ! Plus besoin des pauvres têtes vertes d'Ékorss. Je me sens fort...

Gohr sort de la hutte et s'agite :

— Qu'est-ce que tu fous dehors, Tahül ? On veut tous dormir ! À qui tu parles ?

— Je regarde les pierres tomber.

— C'est dangereux, ça fracasse les crânes comme des œufs ! Ne va pas t'en prendre une sur la tête ! Quand tu es né, ta mère a eu la bonne idée de se mettre à l'abri au moins. Rentre !

— J'arrive.

Tahül renifle la pierre. Elle a une odeur de brûlé, comme lorsque la foudre brûle tout autour d'elle.

Être un Graül, c'est prendre le risque de tomber comme une pierre de foudre. Il faut toujours marcher, courir, dormir, manger, chasser, fabriquer, se méfier, manger, courir, marcher, et trouver quelque chose… Et surtout tenir, tenir debout, pas comme les quatre pattes de tout poil…

Le jour se lève sur une pierre tordue, lisse et striée. Elle est très lourde, trop lourde pour une pierre de terre. Tahül pose la pierre refroidie venue du ciel contre son cœur. Il court la montrer à Ékorss.

Ékorss la soupèse.

— C'est pas une pierre commune. D'où tu la tiens ?

— Cette nuit, le ciel en a lancé plein. Tu n'as pas entendu ?

— Clac-clac bing ! Si, j'ai entendu. Sûrement qu'il a mangé trop vite. C'est comme avec les os des volatiles, je les crache et ça fait peur aux fourmis.

— C'est pas ça !

— Comment, c'est pas ça ?

— C'est pas ça, je te dis. Un os, c'est jamais brillant. Et c'est pas chaud. Avant d'être sombre, je te dis que cette pierre avait la couleur de la foudre et qu'elle était chaude.

— C'est juste, et on les appelle « pierres de foudre ». Tout le monde sait ça. Ne sois pas ridicule. Ce qui me pose un problème énorme, c'est ce que j'appelle « *métahül* ».

— C'est quoi ?

— Le métal qui fait des têtes vertes, celui qui t'est destiné. Je pense, moi !… T'as bien fait de me la montrer ta pierre de foudre, c'est vraiment une belle question qui n'a pas de réponse. Bonjour, mon vieux.

— T'as pas de réponse, tu vois.

— Je peux la montrer à Gueul ? À Dikt ?

— Non. Non. Jamais !

— Pourquoi ?

— Je veux la garder rien que pour moi.

— Comme ton père… Or, la pierre, si elle est au ciel, elle n'est pas à toi. À personne. Elle est à la terre, maintenant !

— Elle est à la terre des Graüls, et je suis un Graül. Donc elle est à moi, je l'ai ramassée. Quand je mange un bout de gros cornu laineux, c'est pas toi qui mâchonnes à ma place. Tu me fatigues.

Tahül s'en retourne, la pierre contre sa peau. Il ne doit pas la perdre, c'est comme une partie de lui-même maintenant. *« S'il la perd, il mourra »*, se dit-il. Fier et fâché. Fâché, mais fier !

Il ne lui manque qu'une belle femelle aux fesses bien rebondies et aux yeux vifs. Il sent que sexe et silex vont de pair... Il lui montrera à elle : la pierre de foudre, sa force. Il ne pensera plus à Ékorss et à ses « têtes vertes » ! Sa vie tranchera. On le reconnaît déjà à cause du loup sur ses épaules.

11

La chasse aux fleurs de cuivre

Souvent, il n'y a rien dessus,
tout est dessous, cherchez.
Paracelse

Ékorss et Tahül se sont opposés, ce qui les rapproche, c'est la marche. Les Graüls adorent recommencer, marcher, fabriquer une grotte de peau de bêtes pour se reposer, tailler une branche, une pierre, tanner une peau.

Dikt prend peur en regardant la sienne; et s'il mourait? Soudain, il reconnaît un endroit qui ressemble à la source avec sa pierre levée qui indique la direction. Il prend le risque:

— Tahül, Ékorss! Suivez-moi…

Gohr et les fauves dorment. Le soleil est fort et l'on peut profiter de ce moment pour voir quelque chose de fascinant. Dans le silence, les trois Graüls aux trois âges s'agenouillent. Les pierres sont des petits arbres verts, des fleurs parfois bleues qui fondent dans l'eau. Le cuivre qui s'épluche en poudre fascine Tahül.

— Le pouvoir vient par les têtes vertes et il faut boire l'eau qui est passée par-dessus. Par-dedans, tu prends le pouvoir. Tu peux repasser par là. Sache que la vraie source est bien trop haute. Ici, c'est là-haut en tout petit. Un jour Ékorss te conduira, je suis trop faible, soupire Dikt avant de boire comme un cuon.

— Je vais goûter, je goûterai toutes les eaux ! s'exclame Tahül en tressautant et en grognant de joie.

— Bois. L'effet ne durera pas. Tu le sentiras juste un peu..., reprend Dikt.

— T'inquiète pas, je sais où se trouve la même, chaude. Alekhta, ponctue Ékorss. Dikt m'a tout dit. On la retrouvera.

Un étang déchiqueté frise sous le vent entre des roches velues de verdure. Il forme une boucle d'eau. Une rivière a le même goût :

— Elle allaite le monde, elle aide les faibles, dit Ékorss en buvant l'eau de la source.

— Moi, je la nomme « Ah ! Ah ! qui allaite ! », ajoute Tahül.

— Bien vu ! répond Dikt. Le lieu vrai de la source de l'eau est bien Alekhta qui donne son lait transparent ! Un jour une étoile régnera, à Alekhta naîtra un homme qui rendra hommage à nos mères. Ékorss, ton suc de plantes me fait tourner la tête... Serrons-nous la main en signe de début de quelque chose. Je reprends... Une eau passe sur une pierre verdie, et de l'eau entre et sort de nous, elle nous rend plus fort. Ne dis rien encore, pas même à Gohr, ton père. Il deviendra furieux, s'il l'apprend. Tahül, tu comprends ou tu ne comprends pas ? Tu sens ou tu ne sens pas que cette eau est différente ?

— Tout ce que je sens, c'est que je peux manger n'importe quoi, sans avoir mal au ventre avec ton eau verte... J'ai plus mal au ventre. Où on peut en trouver près de nous ?

— N'oublie jamais son goût ! Elle donne tant... L'eau est hors d'atteinte. Il n'y a pas la même chez les Graüls. Le rare, c'est pas comme une peau de lapin. Y a plein de lapins. Trouver un lapin rouge, c'est rare. Pour l'eau qui guérit, il faut habiter à côté, et nous n'habitons pas à côté... Et si l'on habite toujours près de l'eau qui guérit, on peut aller très très mal... C'est comme ça. Buvons...

— Buvons, soupire Tahül. C'est une drôle d'histoire...

Dikt boit à s'en éclater la panse. Ékorss boit à la manière des loups et ferme les yeux et croit voir venir le futur à lui, comme un aigle. Lui aussi, il a mangé du suc de la plante aux piquants. C'est effrayant : il y aura vraiment un lieu de l'allaitement. Il s'appellera Alet[1] ! Des descendants des descendants des descendants des bipèdes trouveront refuge là où l'eau est bonne pour le corps. *Issakhar*. Le son revient et s'évanouit. Isss… Car… Il fait place à une image, une boue qui guérit. Puis un homme barbu qui voit l'avenir après, après, après… Cela donne le tournis, après que les Graüls auront trouvé le moyen de faire des groles ! Ah… Ceux qui ont voulu partager l'eau d'Alekhta voient la source bouchée. Un gros ours est devant l'eau, il est énorme. À côté, un aigle colossal. Eux seuls ont le droit de boire. Ékorss trépigne, comme fou… Il n'aurait pas dû mélanger le suc à l'eau.

« Pauvre Ékorss », se dit Tahül, il semble épuisé d'avoir trop pensé ! Son foutu futur doit lui ronger les os ! En revanche, Tahül est maintenant convaincu que l'eau d'Alekhta doit être merveilleuse, il le sent, car sa « fille », sa résurgence est bonne dans son corps, il n'a jamais bu avec autant de plaisir. D'habitude, il ne boit que parce qu'il a soif… Le changement d'habitude participe au futur, sans doute. Ékorss cherche à donner du sens à tout, lui, Tahül, veut uniquement garder une force à sa vie. Quand il aura, à son tour, un petit mâle, il partira chercher l'eau des têtes vertes avec lui. Il saura les retrouver. Il ne reconnaît plus les traits d'Ékorss qui se réveille de ses visions et tremble :

— Tahül, Alekhta, je sais où la source commence sa route, promets de ne jamais rien dire au sujet de l'eau qui rend fort et qui guérit…

— Toi qui cherches la force dans l'eau, tu ne sais toujours pas me dire d'où viennent les pierres de foudre ?

— Non. Mais il y a du métal dedans.

— Du quoi ?

---

1. À Alet-les-Bains sont nés Thomas Goulard et Émile Bourgès, le funambule, « le Diable rouge » ; Roger Peyrefitte et Nostradamus y auraient vécu. Les visiteurs qui découvrent Alet-les-Bains remarquent de très belles maisons à colombages. Une maison se distingue par ses corbeaux gravés, neuf signes suggérant un message ésotérique ; elle est communément désignée comme « la maison du juif » ou plus souvent « maison de Nostradamus », avec ce double sens « Nous donnons du nôtre », *nostra damus*. Le blason du village est aujourd'hui surmonté de deux étoiles à cinq branches qui protègent une poignée de main. L'eau minérale d'Alet-les-Bains est l'une des plus anciennes exploitées de France. Il y a 2 000 ans, les Romains avaient déjà découvert cette eau et en connaissaient les vertus. La société des eaux d'Alet n'existe hélas plus depuis 2011…

— Pas de la pierre, autre chose, et qui rouille. Un métal qui rougit sous la pluie, comme devant une femelle.

— Tu es trop mystérieux. Tu me fatigues.

— Les pierres tombées du ciel vont revenir, on en recausera... Montre-moi ta pierre.

— Elle n'est pas à la terre, elle est à moi ! Je la garde sur moi.

— Tu crois que cela te donne un pouvoir ?

Dikt et Ékorss sont tristes.

Dikt a fini de boire et fait de grands signes d'impatience. Tahül devra mener le troupeau des Graüls un jour, et il est, comment dire, possessif. Alors, il aura des problèmes ; un Graül partage, sinon, il devient une proie. Rien n'est aux Graüls que le plaisir d'une bonne chasse et de fulgurantes mastications qui suivent...

Dikt nettoie son visage et se lave avec cette eau. Il a vu la terre cracher du feu, des veines courir dans le ciel, il vient du pays où l'on a peur. Il se sent bien avec les Graüls. Chez les Graüls, le vent ne hurle pas, l'eau ne dévaste pas, le feu ne détruit pas quand ils sont réunis. Dikt fronce front bas et sourcils, sa bouche exprime sa peine. Tahül est trop accroché aux pierres du ciel pour aimer celles de la terre. Dommage que le maigre Ékorss n'ait pas le corps de Tahül ou Tahül l'esprit d'Ékorss. Tahül ne comprend pas qu'un bain soit curatif, qu'une eau puisse être chaude ou empoisonner. Dikt sait que son père Élef est mort à Alekhta car il est resté trop longtemps près de la source qui rend la force perdue, le groupe n'a pas voulu l'attendre. Élef est donc resté seul, ce qui est impossible même pour les loups. Élef était fasciné par l'eau bouillonnante...

Ékorss voit dans le visage de Dikt une tristesse qui fait tomber les traits et tisse de nouvelles rides. Un souhait peut donc devenir trop lourd à porter... Ékorss renifle l'air, il sent l'orage monter dans l'air et qui se déversera ; il voit Gohr décider du futur pour son fils...

« Tahül, ton père est jaloux et tu ne le vois pas. Tahül, si tu n'affrontais pas le mammouth sans trembler, Gohr se sentirait plus fort encore... », marmonne-t-il dans ses pensées...

Le trio retrouve le clan qui se réunit avant la nuit. Gohr interroge Dikt du regard : où était-il ? Dikt ment. Tahül avait mal au ventre, ils l'ont accompagné. Gohr sait que Dikt ment. Et il ment à son tour :

— Moi, j'étais à Alekhta ! Ne fais rien derrière mon dos, Dikt, ou cela finira mal.

Ékorss et Tahül baissent la tête. Peu importe la taille, le chef d'un clan a toujours raison en dernier.

Tahül marche. Tous marchent.

12

Douze ans, l'âge d'être père

Il y a toujours quelque chose en nous que l'âge ne mûrit pas.
Bossuet

Les piqûres de bestioles volantes annoncent l'orage. Chacun se précipite vers l'abri. Les raisons de la colère du ciel, aucun Graül ne les connaît. Tous craignent qu'une caverne ne les avale définitivement dans ses éboulis et ses ruissellements intimes. Gohr s'approche de son fils et tape son front contre le sien en signe de non-renoncement. Chez les Graüls, il faut affronter l'extérieur et l'intérieur ! Beaucoup d'animaux solitaires y recherchent aussi un abri. Leurs pattes sont savantes, elles écartent le moindre bruit qui peut alerter… Ils ne s'annoncent que par leurs crocs et un énorme rugissement. Gohr regarde son fils, il est beau et en âge d'avoir des Graülots.

— Nous retournons à la grotte. Pas toi. Toi, Tahül, marche et ne reviens qu'après des nuits, le petit Graül en toi est fini, il est grand. Il est grand temps que tu connaisses le territoire de nos non-amis sans te faire voir. Tu n'as qu'à descendre…

— Nos non-amis ?

— Les Troms.

— Pourquoi ?

— Dikt a affronté l'un d'eux qui a pris sa sœur. Ils se sont battus. Dikt a blessé le Troms à la face.

— Et je dois aller chez les Troms ?

— Oui. Pour effacer leur vol de femelle. Prends les raccourcis sans bêtes à part les petites à cornes qui sautent. Tu deviendras un vrai debout, guerrier fort, deviens ma suite, trouve une femelle troms et alors, reviens. Trouve sans prendre de force ! Nous avons trop perdu de sources d'enfants, tu dois apprendre à survivre seul et ramener une future Graüle. Les Troms sont très belles. Bonne chasse ! Tu rencontreras peut-être la sœur d'Ékorss...

— L'orage approche... Ékorss a une sœur ?

— Plein, de belles Troms. L'orage en toi, il te faut le conduire.

— Quel orage ?

— L'orage qui afflue, laisse-le vivre et ne reviens pas seul.

Le père et le fils se séparent. Kira craint que son unique survivant de fils ne rencontre le danger. Kira n'a pas eu d'autre enfant grandi. Tahül incarne le futur dont parle Ékorss.

Tahül tourne le dos à son passé. Il est seul face à une partie inconnue du paysage, de lui-même et de la totalité de la femelle qu'il doit trouver ; cela doit être ça le futur dont l'abreuve son ami malhabile. Il ne se retourne pas, ne revient pas en arrière. Il marche.

Ce sont les choses à venir, qui ne sont pas encore parties, ce sont les efforts à prévoir, les moments prochains pour une femelle prochaine qui activent ses jambes. Tahül se gratte la tête et descend vers l'étendue qui scintille comme un serpent aussi large que le ciel. Son père aurait dû l'accompagner. A-t-il peur des Troms ?

Gohr a faim et soif, il dirige son clan vers le sommet de la montagne à la fourrure d'arbres. Il faudra se contenter de charognes... Il a oublié Tahül qui dégringole des éboulis de pierres.

Épuisé, Tahül arrive au-dessus d'un marais. Seul face au ciel et aux rochers, il renifle l'odeur qui annonce la pluie qui vient. Une autre odeur s'infiltre, sans doute la grande étendue d'eau que tous craignent d'en haut... Il n'est pas loin du rivage des Troms. Quelques gouttes de pluie glissent sur sa peau, puis la voilà qui se déverse, cette eau qui tombe du ciel, crachée par des nuages aux allures dominatrices... Il voit un volant attrapeur de poisson foudroyé non loin de là, puis un arbre qui perd ses bras dans le feu de la foudre. Pourtant Tahül dépose ses peaux dans un arbre creux, calées avec sa pierre du ciel, puis il s'enfonce à travers les herbes, agréablement nu sous la pluie. Sa peau répond aux petits chocs de l'eau. Même si les coups de tonnerre qui suivent lui font craindre pour sa vie, Tahül continue à marcher nu et se rue sous le vent de gouttelettes. Tel Desk le cheval, il secoue sa tignasse, tournoie, pivote, une vapeur émane de sa peau. Arrivé exténué face à cette eau incroyablement vaste qui respire, la mer, il songe à la demande de son père, le chef des Graüls. Il devra ramener une Troms. C'est ça l'avenir, mais est-ce son futur ? Peu importe quelle Troms, il devra braver le danger et en trouver une. Il s'allonge dans le sable, goûte à l'eau salée qui s'approche peu à peu de lui. Elle aura des jambes de cabri et des fesses rondes, des yeux couleur de nuit, et de belles dents... La pluie redouble. Tahül se dresse face au ciel. Les deux eaux bienfaitrices forment un nuage sur sa peau. Il n'a plus peur de l'eau douce ou salée. Il devient arbre et oiseau et songe à se percher en hauteur dès que l'astre du jour gagnera sa grotte pour dormir. L'eau salée de la terre et l'eau sucrée du ciel le font pour l'instant tournoyer comme un enfant. Le mouvement qu'il impulse à ses jambes lui donne des ailes, mais son regard vole... La pluie l'habille d'une seconde peau légère et amicale.

— Boooon ! Ah ! c'est bon ! crie-t-il au vent.

La nuit vient. Tahül ne retrouve pas l'arbre creux, grimpe en haut d'un rocher pour le retrouver et imite le lynx pour distinguer l'arbre qui abrite ses peaux. L'eau qui frémit s'étend loin, loin, loin... Les ombres grandissent et se fondent dans une douce pénombre. Soudain, une crinière s'ébroue sous ses yeux, elle a la couleur de la terre. Les sens de Tahül sont en alerte. Ce n'est pas une femelle de lion, c'est une enfant presque femelle. Le soleil rougeoie dans ses cheveux et sur ses jambes. Elle ne le voit pas, ne le sent pas. Il la respire ! Bassin large et longues jambes, cheveux qu'elle cache par de la glaise étalée, cette solitaire s'enduit de terres molles pour le visage et les pieds, brunes pour les bras, jaunes pour les jambes, puis elle se plonge dans l'eau, regarde le ciel, s'allonge et se tourne, se frotte la peau avec du sable avant de rentrer dans l'eau salée, couleur d'arbre. Elle ne craint rien ! Tahül la trouve plus belle que sa mère, plus belle que toutes les Graüles. Il saute sur un autre arbre et attend que l'apparition ruisselle en marchant. L'apparition s'en va en terre inconnue. Elle s'agenouille pour prendre sa pelisse de lapins blancs. Le soleil rase les herbes et Tahül saute en imitant le cri de l'aigle. Elle se détourne. Il bondit sur elle. Il veut la conquérir sur-le-champ comme font les chevaux, les mouflons, les lions. Elle se débat. Son odeur l'attire et il sait : c'est elle. Mais l'enfant-femelle se retourne et lui plante son regard dans le sien. Elle dit, en grognant :

— Moi, Jald. Troms pas loin. Toi, faire attention, moi bientôt à Tank. Il y aura des mâles armés d'épieux pour me défendre, moi !

Tahül comprend qu'elle a eu peur, mais qu'elle n'a pas peur de lui. Il pose ses mains sur son corps en faisant le bruit de la pluie avec sa langue. Elle rit. Jald fascine Tahül : elle a des yeux couleur d'eau bleue, avec quelques algues vertes au fond.

— Moi, je suis fort déjà et je ne crains rien. Ni Tank, ni personne.

— Toi ?

— Tahül.

— Ta-ül ?

— Ta Hhhhul ! Comme « *métahül* ».

— Méta ?...

— Tes yeux sont...

— À moi. Tu peux les regarder ! Je les garde !

— Ils ont toujours été comme ça ?

— Comment ?...

Jald est attirée par l'odeur de Tahül et son visage qui lui fait face. Leurs odeurs s'harmonisent et les insectes applaudissent.

La nuit vient et Tahül ne peut pas retourner sans lune à la caverne des Graüls. Il entend des chevaux s'approcher d'un étang pour boire.

Jald chuchote à l'oreille de l'inconnu :

— Tank !... Toi, tu te tais. Tank est terrible, il frappe tout, les chevaux et moi, et Tahül s'il le voit.

Il ouvre la bouche. Jald, attirée par Tahül, plaque sa poitrine contre son poitrail. Elle aussi ouvre la bouche. L'air entre dans la gorge de Jald qui crache une mouche ! Jald sourit et ses yeux se plissent. Tahül sourit.

Un long moment se fige en eux dans le silence et l'immobilité. Ils sont happés par leur rencontre, peau contre peau.

Tahül retrouve l'arbre creux, attrape ses fourrures et sa pierre tombée du ciel. Jald le guide vers une grotte insoupçonnée. Ils entendent les chevaux se désaltérer et renâcler. Les chevaux les ignorent, tout à leur affaire : l'eau est abondante, ils en profitent. Ils attirent des chasseurs crépusculaires. Frénétiquement, les Troms s'abattent sur eux et tuent le plus faible qui boite. Tank a perdu un œil, et des cicatrices montrent que c'est un chasseur courageux et hargneux. Une fois la bête en morceaux, chacun porte une jambe, la tête, sauf Tank. Il appelle Jald. Elle ne répond pas et pose sa main droite sur la bouche de Tahül. Il lui lèche les doigts, y goûte le sel déposé par l'écume… Ils restent ainsi jusqu'à la nuit noire. La respiration de la mer toute proche fait des bruits de bouche. Les yeux fermés, Jald épouille la tête de Tahül, comme si elle voyait. Un cuon rôde à l'affût de rongeurs à ronger… Et voilà, la nuit sans sommeil se déploie. Tahül et Jald se reniflent et leurs respirations s'accélèrent. Ces fragiles bipèdes perdus au milieu d'une myriade d'animaux plus forts, plus nombreux qu'eux, oublient le danger. Ils se sentent, ils aiment se sentir. Puis Tahül devient fauve, cheval, rapace, il devient mâle en femelle. Jald lui mordille les oreilles et goûte au sel qui s'y est déposé. Les deux à peine grandis ne se parlent pas. Ils sont animés des mêmes turbulences. *« C'était ça le futur, cela aurait pu être autre chose »*, songe Tahül avec une forme de reconnaissance, en glissant son regard vers le ciel. Il se demande si Ékorss dort. S'il ne dort pas, que voit-il dans le ciel des Graüls, quels nuages, quels yeux brillants ?… Ici, les nuages semblent plus beaux au-dessus de la grande étendue d'eau qui reflète enfin la lune.

Au matin, le soleil réveille férocement Tahül. Les yeux bleus de Jald brillent à la façon des cristaux extraits de la roche. Il comprend qu'elle le regardait dormir. Jald est différente et c'est ce qui plaît à Tahül. C'est alors que Tank qui revient sur ses pas de la veille voit celle qu'il veut pour lui seul, qu'il voulait sauvagement quand il avait encore deux yeux : Jald est blottie contre le ventre d'un ennemi ! Tank s'apprête à frapper pour tuer. Il tire sur sa barbe couverte de poils couleur du renard, c'est une habitude qu'il a prise pour se donner du courage. Il se sait différent, il voulait Jald aux yeux différents ! Il s'arrête pour prendre sa haine en main, il court, vire et bondit sur Tahül qui surprend son regard unique et esquive le coup. Cet œil rougi par la volonté de tuer galvanise Tahül. Il décompose la situation : il n'a aucune peau de bête sur lui pour se protéger, ni pointes, ni épieu pour se défendre, il est nu comme un ver, nu comme le présent... Il sait qu'il n'aura pas le dessus et que Jald risque de lui être enlevée ou qu'elle sera également blessée ! Alors il risque tout, pour lui-même et pour elle, Jald ! Tahül et Jald. Le futur. Il tient le futur dans sa tête et s'y accroche comme une mouche dans l'œil d'un bœuf... Il a appris d'Ékorss le futur, alors il en prépare un, minuscule : l'anticipation. Tank, et son visage de borgne satisfait de sa force, lui passe sur le corps. Tank le terrasse et le frappe d'un grand coup, comme font les ours. Tahül griffé aux épaules et au thorax patiente à la façon dont réagirait son ami Ékorss le faible, le doux... Il bouge comme un idiot, lentement. Puis, passe un bras à la surface du sol avant de sentir au bout de ses doigts un biface abîmé qu'il avait jeté la veille... Il s'en saisit et l'enfonce où il peut dans la chair de Tank qui grince des dents, puis, il lui envoie de la terre sablonneuse dans son œil unique. Qu'il devienne rouge sang son œil de fou, et il sera content ! Le Troms ne crie pas, de honte de s'être fait avoir. Tahül prend Jald par le bras et l'entraîne de force vers les hauteurs, loin des étangs et des vagues, loin de la tribu des Troms.

— Courons. Marchons tout le jour.

— Peur ! J'ai peur de Tank. Il se venge toujours...

— Avec Tahül, tu ne risques rien ! Je te conduis au territoire des Graüls.

Tahül enfile ses peaux tannées, les serre à la taille, prend sa pierre qu'il embrasse et la glisse contre son thorax. Il commence à se réchauffer.

Tank pleure de son œil et se cogne contre des rochers et des troncs d'arbre. Il chute. Alors Tahül regarde Jald encore nue. Elle éveille tous ses sens.

— Viens, fuyons, il va retrouver sa vue !

En chemin, Tahül voit le monde autrement, il ferme les yeux pour renouveler l'accouplement, l'accomplissement. Jald ne brame pas comme il a entendu les non-chasseuses du clan le faire. Jald sourit, salive, goûte sa peau. Jald fronce les sourcils et décide d'une chose : il ne doit plus la tirer par le bras. Elle marchera avec lui. Elle est belle dans ses lapins blancs reliés entre eux. Elle se moque de sa peau de bête :

— Qu'est-ce que c'est, un ramassis de rats ? C'est moche…

— Non. C'est la peau d'un gros ours. Chacun en a pris un morceau. Et par-dessus, un lion des cavernes qui nous a bien fait peur. Nous, les Graüls on l'a eu.

— Toi aussi, tu m'as eue !

— Non-non ! Pas découpée, ni mangée, dit Tahül, en faisant semblant de lui dévorer l'épaule. Dévorée des yeux !

Tahül se repaît de découvertes aussi magiques que la réapparition du soleil. Il découvre Jald, et lui à travers elle. Il avale, croque ces moments avec une faim nouvelle. Son corps griffé cicatrise bien. Tant qu'il ne fera pas vraiment jour, ils resteront au même endroit.

Le jour se lève. Les brumes bleuissent, le ciel rosit. C'est la fin des beaux jours. Petites taches noires et lointaines, des bisons grognent gentiment.

— Brrrri, Brrri…

Le passage des bisons amuse Jald. Elle les regarde passer sans s'effrayer. Les bisons chassent les premières mouches du jour de leur très longue queue qui frappe leur dos. Un couple de bisons marche au même pas. Jald incite Tahül à faire de même.

— Jald, c'est de la folie. On ne doit pas aller vers eux ! On va se faire piétiner !

— Jald n'a pas peur des gros poilus ! Viens…

Tahül ne peut avoir l'air lâche devant sa conquête… Il s'avance comme Ékorss le ferait devant une panthère. Les voilà qui s'avancent à travers un petit nuage de brume. Une partie du troupeau reste allongée sous des arbres dégoulinants de rosée.

— Tu vois, il ne se passe rien.

— Tu sais qu'un bison est aussi lourd que… mon clan de ton clan réuni ? C'est très dangereux. Il faut bifurquer, ne pas aller vers eux !

— Les Trauls sont plus gros que les Troms, alors ?

— Les Graüls, pas les Trrols !

— Avec ces bisons-là, on peut passer. Ils restent entre eux.

— Tu n'as vraiment pas peur d'eux ?

— Moi, peur d'eux ? dit Jald les yeux écarquillés, qui finit son expression par un geste très compréhensible. C'est que des gros brouteurs! C'est les bisonnes en danger. Elles, elles surveillent chacune leur petit et là, ça craint…

— Donc, tu n'as peur que des femelles?

— Oui, car elles protègent leur petit. Brrri, brrri, brrri. Faut pas les déranger ! Ce sont de grandes brouteuses d'herbes qui restent très douces si on ne les dérange pas! Vilain chasseur trouillard. Avoir peur des bisons, tu rigoles! Des bisonnes oui!

Au loin, un cerf appelle. Tahül subit un choc. Comment une femelle peut-elle être plus courageuse qu'un mâle? Sa surprise ne s'arrête pas là. Jald s'y connaît aussi en insectes.

— Les petites bêtes qui volent rentrent pour la saison du froid, se lamente Jald.

— Tu sais les choses.

— Bien sûr, on vit tous avec toutes les choses. Un jour, la foudre a tué un arbre. Dessus était la grotte des abeilles. C'est bon, et ça colle aux doigts ce qu'elles préparent. Et les abeilles piquent et repiquent. On s'en remet, pas de Tank, mais des piqûres, oui. Je n'ai peur que de Tank… Tank est imprévisible et brutal.

— J'ai compris. Heureusement qu'il n'a qu'un œil. Il vise mal…

— Tahül, tu vises quoi, là, en ce moment?…

Tahül ressent le même besoin que cette nuit, toucher Jald, debout cette fois. Voilà ce qu'il vise, toutes les parties du corps de Jald. Il est en plein jour, comme il l'a souhaité, et il passe ses mains sur les longs cheveux de Jald, ses épaules, sa poitrine, son ventre, l'intérieur de ses mains.

— Jald?

— Tahül?

— Ton Tahül te mange… des yeux.

— Jald t'a déjà dévoré. Viens. Remangeons-nous!

La jeune Troms et le grand Tahül se rapprochent l'un de l'autre et marchent dans une bouse de bison. Ils rient! Ils se nettoient les pieds dans une flaque d'eau et s'allongent face au ciel dans une herbe drue. Des nuages forment un troupeau de thars laineux sans tête.

— Il va pleuvoir. Viens! dit Jald qui se relève et torsade ses cheveux avec une branche fine et odorante.

Tahül tape dans ses mains et admire Jald. Ce moment est simple. C'est souvent dans les jours sans peur qu'on risque de rencontrer un chasseur à quatre pattes prêt à dévorer des deux pattes. Tahül et Jald ont faim.

Ils mangent des baies, grignotent des champignons. Ils se cachent dans un trou de rocher fait à leur taille. Ils vivent le temps-boucle, qui pousse avec la lenteur des cheveux et reste uni à la vie qui grandit. Ils se torsadent et se dégustent, ils font partie du monde !

Ils passent la nuit, affamés. Les baies et les champignons n'ont pas le même effet que la viande et Tahül n'a rien pu chasser, pas même un petit lapin. Il ramasse des feuilles sèches et les place sur le corps de Jald. Ses fesses sont parfaitement rondes et larges. Quoi qu'il arrive, jamais plus il ne mangera de fesses de femelle graüle ou troms ou snèks. Jamais, c'est trop beau frais et vivant. Jald a les plus belles fesses de la terre des Graüls, des Troms, des Snèks et même des Ogrrs réunis.

Pour tout partager avec Jald, Tahül lui fait goûter le suc laiteux de la plante à piquants.

— Quelquefois, quand toi et moi sommes seuls. Uniquement…

— Je connais. Tank en raffole. Quelquefois j'aime, pas toujours !

L'effet du suc laiteux ne tarde pas : excitations, sommeil plein de rêves. Tahül et Jald s'en extirpent et reprennent leur chemin.

Pendant ce temps, Tank, furieux, raconte Tahül à son clan, de la feinte de son ennemi, il ne dit rien. Tank ne grogne qu'une chose, qu'il s'est battu, quitte à perdre son œil sauf, pour sauver Jald, la plus belle.

— Homme du haut a volé fille de Ponk. C'est mon ennemi, à partir de maintenant : votre ennemi à tous ! Il a enlevé Jald sous mes yeux.

— Sous ton œil, précise, Gra, la sœur de Tank.

Le clan des Troms se trémousse de rire.

Tank tire Gra par les cheveux :

— Toi, tu vas te taire, hyène, ou mon œil, il va te parler !

— Jald ne veut pas de toi. Trop sauvage et toi tu es trop terrible. Oublie ! Ton œil voit pas tout ! Un Troms ne laisse pas faire un Graül sous son nez !

— Garde-le bien, ton nez, dit Krah, le chef du clan. C'est tout ce qui te reste de bon… Quand tu es ridiculisé, tu te planques. Planque-toi.

Tank tire la langue et envoie un coup de pied en l'air. Krah le foudroie du regard. Krah sait qu'aucun Troms n'est ridicule, que tous sont ricaneurs. Seul Tank est dangereux, il provoque la pitié et la haine… Malgré tout, les Troms guetteront l'approche des Graüls s'ils viennent chercher certaines pierres dans les parages. Gohr a déjà volé un Tromsot, un certain Ékorss. Pour calmer la fureur qui couve, Tank saura venger les Troms. Tank décoince sa mâchoire et regarde Krah avec haine. Il n'a qu'une idée, retrouver Jald…

L'image de Jald avec un sale Graül s'incruste en Tank, chasseur vicieux qui ne s'arrête jamais d'être en état d'attaque. Tahül, bien que loin, agit sur lui, comme si un éléphant lui crevait son deuxième œil ! Tahül est plus qu'une menace, il l'a privé de sa proie, la plus belle des Troms. Les blessures infligées à son bon œil sont des affronts, et celles infligées à son image, une monstruosité plus grande ! Tank, énervé comme une mouche avant l'orage, se met à chasser n'importe quoi. Il s'en prend à une peau de lynx et lui donne des coups de poing, il chasse ses sœurs à coups de pied dans les fesses. Il prend une posture menaçante et devient agressif. On dirait un cerf en rut face au chef du clan. Krah, à la stature imposante et à la barbe longue, soulève un épieu contre lui pour affirmer que s'il continue à agir en animal, il va le frapper méchamment de la pointe. Tank répond par une grimace, celle du chasseur qui ne chasse pas pour manger, mais pour se défaire d'une colère qui le tient depuis qu'il vit. Hargneux face à l'autorité de Krah, il est prêt à débusquer n'importe quel animal pour se calmer ! Krah, le seul Troms aux cheveux clairs, le foudroie du regard. Krah songe au père de Tank qui était déjà un grand prédateur de Troms et qui se sentait parfois menacé par un simple cuon ! Kak était capable de l'étrangler d'une main, alors que personne ne mange de cuons, c'est bien connu ! Kak, le père de Tank, prenait cet avorton de loup pour un ennemi. Il fit ricaner plus d'un Troms avec ça ! En réalité, chaque cuon lui rappelait son frère Rikt qui lui avait volé Grue, la mère de Tank. Tank était sans doute le fils de Rikt…

— La chasse se prépare avec tout le clan ! Tank, taille tes outils, nom d'un bison ! lance Krah. Les Graüls sont plus nombreux que nous.

— Mes outils sont prêts !

— Alors va chasser du cuon, ça te calmera. Ne m'oblige pas à grogner plus que ça devant tout le monde !

Krah inspecte le ciel, les hauteurs, et crache soudain :

— Tous à l'abri !

Le ciel grimace et une tempête se lève. Le ciel gronde. Tank gronde avec lui. La pluie éteint un peu sa colère et Tank se mêle aux autres. Son œil unique, rougi par la poignée de sable jetée par Tahül, bouge dans tous les sens. Tank se vengera, même s'il doit perdre l'autre œil. Il prendra le temps. Il reprendra Jald. Il prendra le pouvoir !... Tank ne comprend pas que tous partagent la pluie, la viande, le froid, le vent, les galets. Tank veut, et en silence, des choses uniquement pour sa jouissance, il veut Jald, il veut la plus belle peau de panthère, il veut faire mal à sa sœur Gra. Il veut !

Tank transgresse l'habitude d'harmonie qui protège le groupe. Il piégera Jald, il fera de Jald son piège, elle sera ce qu'il n'est pas, la couleur de l'eau, la douceur de l'eau. Il sera le sang !

— Tank ! Ta colère ne doit pas rester en toi ! Tous à l'abri ! gronde Krah.

Krah donne l'impulsion trop vite. Il se tord la cheville et sa jambe saigne. Tank ricane. Les Troms ricanent toujours lorsqu'un des leurs se tord la cheville sans se tuer au fond d'un ravin. Cela fait du bien après la peur. Ce soir, les Troms se terrent dans le silence.

Tank entend la pluie et à travers les gouttes, il espère les cris de Jald, sa peur, sa sueur, sa soumission... Tank accumule des strates de haine au fond de lui.

13
Escapade escarpée

L'amour, c'est d'abord aimer follement l'odeur de l'autre.
Pascal Quignard

Escalader, c'est accepter le déséquilibre permanent, parfois dans un risque de chute… Il ne faut jamais s'arrêter de gravir une montagne – s'arrêter, et c'est elle qui pénètre et fatigue les corps. Les têtes vertes et leur puissance dissoute manquent à Tahül. Il comprend que lorsque la force manque, le courage peut se dissoudre dans la sueur… Il veut vivre avec Jald. Quelles choses nouvelles vivra-t-il avec elle ? Saura-t-il l'imposer au milieu des Graüls des montagnes ? « *Il faut préparer l'arrivée de Jald auprès des siens* », pense-t-il, sourcils froncés. Quelles mimiques fera Gohr ? Et Ékorss, que pensera-t-il des yeux de Jald, de ce bleu étincelant ?… Tahül n'en sait rien. Pour l'instant, il est le seul à regarder Jald, ses yeux vont et viennent, presque jaloux des animaux qui la verraient mieux que lui. Les yeux de Jald donnent à Tahül une étrange résistance aux embûches. Le retour à la Grotte-Mère se fait dans une odeur de feuilles, de poussières de fleurs et d'herbes écrasées.

« *Tank nous retrouvera* », songe Jald. Elle marche vers un lieu inconnu et que les Troms redoutent. Tank sait des choses que beaucoup ignorent car son odorat est le plus fin, il est comme l'oiseau qui détecte le ver, le charognard la charogne, le cuon un reste de pourriture, Tank sent où d'autres voient, la nuit, son nez remplace ses yeux…

Jald tremble d'épuisement et de peur. Qui est Tahül, est-il courageux ? Doit-elle le suivre ou retourner vers les siens ? Elle renifle la peau de Tahül, apaisée par son odeur, une odeur reconnaissable que, hélas, Tank peut suivre à la trace. Tank renifle comme le rhinocéros et il sait suivre sa proie à distance... Jald n'est pas tranquille. Elle regarde les yeux sombres de Tahül, il la protégera si Tank les retrouve...

Plus ils grimpent, plus les plantes, au froid, perdent de leur parfum et ont des couleurs plus fortes. Jald grelotte, Tahül ne le remarque pas.

Arrivés au bord d'une mare boueuse, Jald se trempe dedans jusqu'au cou et change de couleur. Elle a peur de Tank, ainsi elle trompera son odorat. Tank est fruste, il sait à peine dire « Oui ». « Non », il sait dire ! Il aime donner des coups de pied à ses sœurs et leur tirer les cheveux jusqu'à ce qu'elles crient comme des hyènes. Gra est sa victime préférée. Jald a bien fait de quitter les Troms. Elle se frictionne de plantes sèches qu'elle a respirées comme bonnes.

Sous sa peau de lapins blancs, elle regarde maintenant la montagne : Tank n'osera jamais grimper seul sur ses rochers gris et se perdre loin du clan protecteur, il n'ira pas s'aventurer au grand froid. Les Troms ne le suivront pas, car les Troms sont unis. Jald respire un grand coup, soulagée d'avoir poussé sa pensée jusqu'au bout. Ce Tahül est si persuasif qu'elle le suivrait jusqu'aux dents blanches de la haute montagne. Jald souffle à nouveau un grand coup, bouche ouverte, et une buée entoure ses lèvres.

— Quelle chose te fait souffler si fort ?

— Mes pauvres pieds, ment Jald en les montrant.

Tahül regarde les jambes verdies de Jald, il passe ses doigts dessus avec précaution. La peau de Jald a la douceur des pierres transparentes, alliée à celle des fleurs. Les doigts de Tahül tracent des signes plus clairs sur les cuisses musclées de Jald. Il rit. Elle rit.

— Tahül, ne pas descendre chez les Troms, jamais. Ils te mangeraient jusqu'à l'os !

— Et toi, ne monte pas plus haut que les Graüls. Derrière la montagne habitent les Ogrrs. Je n'en ai pas encore vu. Mais un gros Ogrr a fait comme l'aigle, il a pris un petit Graül pour sa fille. Mon père Gohr lui a fait une entaille au bras, cela n'a pas suffi.

— Le petit Graül a été mangé?...

— Non, ils devaient manquer de nouveaux Ogrrs pour en voler un.

Petits bruits de gorge et grands gestes, Jald et Tahül entendent un bruit connu, c'est leur ventre qui fait le bruit des grenouilles. Tout, mais pas ça ! Jald roule sur le corps de Tahül. Leurs odeurs mêlées à la terre, Tank ne les reniflera pas. Les gargouillements reprennent. Jald et Tahül mangent des feuilles de chicorée et quelques racines, mais les grenouilles du ventre crient à nouveau. Jald dit qu'elle adore manger des grenouilles. Tahül rit:

— Tu les attrapes comment?

— Quand elles oublient de sauter sous mes doigts! Tu n'as jamais mangé de grenouilles?

— C'est bon pour les hérissons! C'est dégoûtant!

— Tes cheveux sont pires que des hérissons...

Jald épouille Tahül. Ses mains courent sur son crâne. Ses doigts sont une horde de chasseurs de poux. Elle malaxe les muscles de Tahül. Elle frictionne son corps d'argile.

— Les Graüls ne sont pas très au fait de la terre...

— Jald! Attends. Pas là! Non! Pas de glaise dans la tignasse!

— Il faut là et là. Après l'eau, toi, tu es bien mieux ensuite.

— Tu manges vraiment des grenouilles?

— Tu ne les as pas entendues?... Je viens d'avaler un élan entier.

Ils rient. Ils trouvent leurs corps jeunes pas trop abîmés. Ils ont maintenant en commun des murmures bien à eux. *Graou*: je te mangerais bien une oreille, autrement dit, ce soir, je te la mordillerai et, avec la langue, j'irai où se niche le sel. *Bouboum*, la main frappant sur le torse: je suis fort, et je te protège. *Acht*: danger. *Ppph!* Poux écrasés! Et pour finir *Bebeubeubeu*: je ne te crois pas.

Ils ne l'ont pas vu venir, ni senti s'approcher! Un bison immense obscurcit le paysage et fonce sur eux, il a été dérangé par leur présence et tout le troupeau est derrière lui! Tahül empoigne Jald par la taille et l'emporte sur un gros rocher.

De la poussière, des cailloux les aveuglent un instant. Le troupeau passe. Le paysage remué reprend son allure imperturbable. Ensuite, sans un bruit, Jald et Tahül continuent leur marche, une drôle de sueur en plus sur leur corps adouci...

Ils se touchent les bras, le visage lorsqu'ils reprennent souffle, étonnés de se trouver ensemble ni chez les uns, ni chez les autres. En eux-mêmes, ils sont.

Pendant ce temps-là, Tank devient fou dangereux. Un prédateur floué est pire que le tonnerre, et Tank frappe le sol, les herbes, tout ce qui bouge ! Il défait tout ce qui tient debout. Il marque son territoire comme un félin. Le borgne grogne. Tank n'a pas de questions, il n'a de réponses à rien. Frapper lui rend ses pieds, et ses pieds lui donnent le droit d'être un Troms ! Pour l'attendrir, sa sœur aînée lui donne un morceau de viande. Il lui fait signe qu'elle remplacera ce soir la belle Jald aux cheveux qui brillent qui a préféré fuir avec un Graül…

La lune ronde permet à son ennemi et à Jald de retrouver en pleine nuit la caverne des Graüls. Ils sont gluants de sueur et affamés. Ils se glissent à l'intérieur. Tahül décide qu'ils dormiront près d'Ékorss car Kira risque de réveiller tout le monde s'ils font le bruit le plus mince. En plus, sa mère ne sait pas tenir sa langue…

Jald sent les chauves-souris voler au-dessus de son nouveau clan, et se rapproche de Tahül.

— Ce ne sont que des souris ailées. Elles mangent tout ce que nous n'aimons pas. Il ne faut pas craindre une attaque de souris-volantes.

Leurs bruissements de bouche, leurs gémissements ont réveillé Ékorss. Tahül met sa main devant sa bouche, mais Ékorss ne le voit pas faire et dit :

— Alors, mon frère ! Tu es revenu ?

Aussitôt, tous les Graüls se réveillent en bougonnant. Au grand jour, Tahül salue son père :

— L'escalade a été bonne et je reviens avec Jald, dit Tahül presque penaud.

— Qu'est-ce qu'il y a ? demande Kira.

— Ton fils m'a obéi. Il revient avec une Troms, répond Gohr.

« J'aurais pu être n'importe laquelle ? » pense aussitôt Jald.

Personne ne peut voir à quel point elle est fâchée. Au moins, elle a échappé aux griffes de Tank.

Un rai de lumière sillonne à l'intérieur de la caverne. Un hibou vient nicher au fond de l'abri et Jald pousse un cri.

— Qu'est-ce qui se passe ? Jald ? demande Tahül, gêné.
— Un gros oiseau et puis…
— Et puis ?
— Au très grand jour, je te le dis.

Jald n'épouille plus Tahül. Elle le repousse. Elle a fui Tank, mais Tahül aurait pu revenir avec une autre Troms.

Ékorss s'inquiète de son attitude faciale et va vers elle.
— Tahül ne te plaît pas ?
— Plus !
— Plus comme la pluie, ou plus comme l'orage ?
— Plus comme les deux.
— Pourquoi ?
— Le chef des Graüls lui a dit de trouver une Troms, Tahül n'a pas choisi. Il ne m'a pas choisie, il a obéi.
— Ah ! Je comprends. Il faut choisir. Moi j'ai choisi. J'ai choisi Gueul qui m'a choisi. Elle a une belle tête comme toi ; c'est une Snèks.
— M'en fous.

Jald boude et Gohr questionne son fils :
— Pourquoi Jald ne sourit pas ? Elle est contractée de partout. Tu l'as chassée, elle a accepté, non ? Si la montagne ne lui plaît pas, reconduis-la à la Grande Bleue comme ses yeux.
— Je ne sais pas ce qu'elle a depuis qu'elle est avec nous.
— Le clan ne supporte pas les miauleuses.
— Elle ne dit rien !
— C'est pire. On l'entend quand même. Débroussaille ! Trouve ce qui ne va pas !

Jald marche en rond autour de la grotte, elle comprend que la falaise plonge vers une vaste steppe. Elle a hâte que le clan parte ailleurs pour ne pas craindre de glisser de ce lieu si haut perché et encore si proche de Tank.

Gueul l'observe.

Jald est plus grande qu'elle, et surtout elle est particulièrement jeune et belle.

Jald n'aime pas qu'on la regarde, alors elle s'avance vers Gueul.
— Tu te plais ici ?

— Cela pourrait être pire. Je vis avec Ékorss.

— Ékorss ?

— Lui, il fait rien de mal, rien de bien. La nuit, il est surprenant. Après la nuit, il cogite beaucoup.

— Il quoi ?

— Il cherche.

— Quoi ? Des poux dans les têtes ?

— Un moyen de marcher sans se faire mal aux pieds…

— Il est fou !

— Non. C'est le meilleur lion sous la fourrure ! Et Tahül ?

— Je ne sais pas. Si.

— Si quoi ?

— On verra.

— Et toi, tu aimes les Graüls ?

— J'sais pas. Je suis habituée à voir les vagues, à marcher dans le sable, à passer du temps au soleil. Ici, on dirait que vous chassez beaucoup au froid…

— On a moins de ventres qui gargouillent aussi. Le tien n'arrête pas de gargouiller. Tu manges pas assez ! J'y vais.

Gueul se précipite vers Ékorss et l'épouille avec des gestes très précis. Il y a fort à faire. À son tour, Ékorss cherche dans les mèches de Gueul les intrus sombres et gras. Il éprouve une satisfaction à les massacrer sous ses ongles ! Il faut toujours qu'Ékorss fasse des grimaces et s'occupe de ce qui n'intéresse pas les Graüls. Mais sa présence s'affirme. Tahül regrette leurs marches depuis que Jald lui tourne le dos, de jour comme de nuit. Ékorss ne l'accompagne plus, et sa jolie Troms ne lui gratte plus la tête. Elle craint les monstres des cavernes qui ont parfois réussi à les déloger… Elle serre les mâchoires. Jald n'est plus Jald, Tahül n'est plus Tahül. Ékorss s'inquiète…

C'est un mélange de gris, de blanc épais et laineux.

— Tiens, dit Gohr à Kira. Cette panthère voulait s'attaquer à un cerf, finalement elle a boulotté un lièvre, ce qui l'a perdue. Prends la puissance de cette chasseuse sur ton dos.

— C'est bien chaud surtout ?

— Bien chaud.

— Elle est très grande. Pourquoi elle est claire par grand froid ?

— Elle fait comme nous, elle se cache dans la neige et guette ses proies…

— Nous, on n'a pas sa queue, elle sert à quoi sa longue queue ?

— Tu m'embêtes avec tes questions ! Demande à Ékorss…

— Ékorss, pourquoi elle a une queue si longue, la panthère, c'est pas pour chasser les mouches ?

Ékorss ne bronche pas. Il n'a jamais vu de près une panthère. Ces fauves se cachent très haut aux beaux jours et quand il gèle, par peur, il ne sort jamais très loin.

— Ékorss, réponds à Kira ! exige Gohr.

— Je sais pas, moi… Pour s'accrocher aux branches ?

— Eh ! Tahül, t'en dis quoi de la panthère ? demande Gohr.

Cette question reste sans réponse et Kira renifle sa nouvelle fourrure. Elle ne risque rien, la bête n'a plus de tête, ni de crocs ! Kira fait la grimace du contentement en regardant Gohr. C'est le chef et c'est le père de Tahül, et elle a la plus belle peau de panthère du plateau…

14

Comment se comprendre

Comme la conscience, le langage naît du seul besoin,
de la nécessité du commerce avec d'autres hommes.
Karl Marx

Le mot ne note de la chose que sa fonction la plus commune
et son aspect banal.
Henri Bergson

Tank s'en prend à ses poux[1] et se griffe.

Tahül passe son temps à écraser ses propres poux, signe que Jald ne s'occupe pas de lui. Ékorss s'approche de lui, l'air interrogatif. Tahül lui dit les choses :

— Ékorss, Jald ne se sent pas bien ici, et je ne veux pas redescendre chez les Troms avec elle.

— Laisse-la arriver !

— Elle est là !

— Elle est montée, mais pas en entier, seules ses jambes sont arrivées.

— Comment tu sais ? Elle a plus de tête ?

1. Poux et parasites ont permis aux prénéandertaliens de fabriquer des défenses immunitaires. La paléoparasitologie cherche à connaître la vie des hommes préhistoriques au travers des parasites qu'ils ont hébergés, ce sont des sortes de marqueurs. Il en est de même pour des animaux comme le cerf élaphe, le cerf étant source de contagion pour l'homme.

— Elle dit que tu ne l'as pas choisie, que tu as obéi à Gohr, et c'est tout.

— J'ai obéi, mais je l'ai choisie.

— Fais-lui comprendre... Pour que sa tête rejoigne ses jambes...

Tahül ne comprend pas tout de suite ce que lui explique son compagnon. En réaction à ces images incompréhensibles, il part à la recherche de nouvelles pierres avec la moitié du groupe. Ses pieds avancent, mais pas sa tête, comme dirait Ékorss. Il reste ailleurs, lui aussi est à moitié là... Il veut bien traverser le froid, se couper les doigts en taillant les galets les plus durs, faire des outils pour les autres, mais pas se heurter à Jald, c'est pire que le froid des froids : son regard gèle tout.

Tahül amasse toutes sortes de pierres, des colorées, des grises, des cristaux et continue à faire la tête. Le groupe grogne pour l'obliger à un rictus et à décoller son menton du cou... Gohr croit que son fils veut le pousser à révéler le chemin vers les fleurs de pierre. Alekhta doit rester un lieu secret que les Graüls ne doivent pas connaître, un lieu qui ne devrait pas exister, mais qui existe... Gohr observe son fils. Il ignore que Dikt a révélé la moitié du mystère à ce pauvre Ékorss. Tahül sent des regards se poser sur lui, des odeurs qui indiquent une tension au sein du groupe. Il serre ses lourdes mâchoires.

Avant la tombée de la nuit, Tahül se blesse un pouce en voulant tailler la peau d'une petite panthère qu'il a tuée pour Jald.

Rar, qui a suivi Gohr, évide un thar au pelage clair.

Ékorss termine une suite d'incisives de cerf, le résultat est décevant, les dents sont très dures et sans symétrie, elles ne tiennent pas sur une fibre de bois.

Chacun est à son affaire, sauf Tahül. Tous enchaînent des actions pour chasser, manger ou dormir ; mais que faire pour se faire comprendre d'une sale petite Troms qu'on a dedans sa peau ? Une sale petite Troms qui se déhanche avec une branche dans les cheveux et que tous regardent, ébahis !

Le groupe sait se servir de beaucoup de choses, les nouveaux petits apprennent en regardant des anciens. Les chasseurs-tailleurs sont en harmonie et les bruits font boum-boum, toc-toc. Tahül est comme une carcasse vide, désuni du reste du groupe. Les chocs résonnent en lui.

— Il faut que tu lui parles, dit Ékorss en dessinant dans l'air les formes de Jald. Vous allez finir comme des mouflons qui s'entrechoquent et se blessent… Arrête de faire cette tête de crabe…

— Tu as déjà vu un crabe, toi ?

— Non. C'est Jald qui m'a décrit la bestiole. C'est une chose vivante qui avance en biais ! Au fait, ton père vient de lancer deux mouflons d'un coup, comme ça. Ils se battaient comme toi et Jald, et ils n'ont pas fait attention à lui. Je l'ai accompagné les récupérer en bas.

— Toi ?

— Tu es étonné ?

— Tu fais des progrès alors…

— Toi non. Je ne veux pas te récupérer en bas… Dans le futur, j'ai quelque chose à te montrer. Pour cela, je dois oublier mes peurs…

— Gueul, elle te fait la tête aussi, parfois ?…

— Non, non. Je la chasse pas, je t'ai dit. Elle a pas la frousse de moi. Je la déloge de mes mains de son monde de Snèks. Et puis je visite sa caverne avec une énergie que je ne me connaissais pas.

— Tu pourrais penser à un moyen pour que j'approche Jald, sans qu'elle me tourne le dos ?

— Simple. Tu vas de l'autre côté. Comme un biface, il y a deux côtés.

— Explique ?

— Comme une main… Côté ongles, côté sans ongles… Tu restes du côté griffes. Cherche pas la solution. Cherche la cause de ton problème. Tu te mets à la place de Jald et tu vas donc…

— De l'autre côté. Où elle est déjà, à sa place !

— Idiot ! Je te parle pas de sa place-endroit ! Je te parle de sa place pour toi !

— Moi, un idiot ? Je chasse, je sais être à la bonne place ! Sinon, comment je viserais ? À côté…

— …

— Et la place de Jald, c'est bien là où elle est ?

— Ton père s'est mis à la place de Kira, sinon, elle lui tournerait le dos.

— Je l'ai jamais vu la pousser pour s'asseoir à sa place.

— … Attardé, va ! Tu comprends rien !

— Explique !
— Quoi ?
— Rien…

Ékorss plaint le pauvre Tahül, il a beau être fort, il ne saisit rien aux images ! Il ne sait que pénétrer un ventre de cerf, percer un os, et il est incapable de saisir les sentiments des autres, de pénétrer une expression, cette pression qui vient à l'intérieur.

— Tahül, tu imagines les terres que tu connais, et tu n'es pas capable d'imaginer Jald. Tu te mets pas à sa place, et se placer, c'est pas être forcément à sa place !

— Je dois pas être fait pareil que toi…

— Dikt le pense. Il m'a parlé des vertus du *« métahül »*…

— Du cuivre[1], tu veux dire…

— Comment tu le sais ?…

— Tu crois à des pouvoirs invisibles. Une chose invisible n'existe pas. Tu l'as juste appelé cuivre, un jour.

— Et dans le ventre de Jald, il existera ou il n'existera pas l'invisible petit Graülot ?

— …

1. Ce que nous savons aujourd'hui des vertus du cuivre est qu'il intervient dans l'organisme en tant qu'oligoélément indispensable à de nombreuses enzymes et réactions chimiques. Parmi ses diverses fonctions, il joue un rôle primordial dans la communication entre les neurones. Il intervient dans l'attention, la mémoire, l'humeur, le sommeil. Il est également essentiel dans la formation du collagène, nécessaire à la souplesse de la peau et au bon fonctionnement des articulations. Les hommes des cavernes en avaient besoin, mais ont-ils fait la relation avec les bienfaits de l'eau ayant dissout du cuivre ?… Aujourd'hui, en savons-nous plus qu'eux ? Les oligoéléments servent aux sportifs, qui n'ignorent pas que certains claquages, fractures de fatigue mettent en évidence un déséquilibre en oligoéléments. Parmi eux, le cuivre joue ainsi un rôle essentiellement au niveau des articulations. Si les sportifs doivent éviter les carences pour la bonne santé de leurs os, cartilages, muscles, tendons, les prénéandertaliens étaient à leur façon des sportifs et comme les sportifs, ils éliminaient le cuivre en suant à grosses gouttes… Le cuivre est une prévention contre l'arthrose, mais ne la soigne pas. Il augmente la quantité d'antioxydants et favoriserait la réparation des cartilages. Si les hommes préhistoriques en trouvaient dans l'eau, ils n'en trouvaient pas ailleurs. Pour nos contemporains : les besoins quotidiens de cuivre chez l'adulte seraient de l'ordre de 1,5 à 2 milligrammes. L'accumulation de cuivre dans l'organisme s'observe dans la maladie de Wilson, une affection héréditaire qui se manifeste par des lésions du foie et du cerveau.

— L'eau, elle est aussi dans le ventre des femmes. Tu n'as pas vu Digr.

— Digr ?

— Le fils de Gueul. Il est de ce jour.

— J'espère qu'il vivra.

— Moi, que tu te mettras à la place de Jald.

Tahül sait imaginer le relief des montagnes, les perles des cascades, mais Jald, il ne peut imaginer ce qu'elle imagine et encore moins qu'une vie peut germer là, dans un ventre fermé. Une douleur transperce la tête de Tahül. Il quitte le groupe et se réfugie sur le tronc creux qui sert parfois d'abri à la maman lynx. Il ne veut pas la chasser, elle. La panthère, c'était pour faire comme Gohr avec Kira. On est mimétique ou on n'est pas membre des Graüls… Tahül ne voit aucune trace de Loul, mais des traces de sang et de poils. Soudain, son sang se glace ; il la reconnaît sur le dos de Gra, la sœur de Tank. *« Raaah ! »* Que fait cette Troms en terrain graül ! Elle ne peut être arrivée seule, si près d'eux ; une femelle ne sait pas se défendre et une étrangère n'est jamais venue renifler le plateau de près à cause des dangers en cascades !… La fourrure de Loul sur le dos de Gra lui fait mal au ventre. Tahül s'aplatit contre la terre et pleure. Il ne comprend pas ce qui lui arrive, un sentiment qui lui noue la gorge, un chagrin pour un simple félin déferle de sa gorge à ses yeux. Tahül voit passer un petit groupe de Troms, Tank est en tête. Pourquoi sont-ils là ? Pour Jald, sûrement. Le cœur de Tahül s'accélère, il transpire et se traîne sur l'herbe pour que Tank ne renifle pas sa trace. Tahül observe Gra. Et soudain, la voix de Tank se fait entendre. Il fait des gestes qui disent :

— Qu'est-ce que tu fous, Gra ! Tu es là pour aller voir Jald avant la nuit, pas pour glander.

— J'veux pas ! répond Gra avec une grimace qui dessine déjà les traits de la vieillesse.

— Si tu n'y vas pas, je te fais la peau comme à c'te bête. T'as cette salope de lynx qui m'a griffé sur le dos, alors t'y vas ou je te le fais comprendre autrement !

— Et qu'est-ce que tu lui fais à Jald ? risque Gra, menton en avant…

— Rien. Tu fais comprendre que si elle revient pas, je massacre sa mère.

— Elle est déjà vieille. Elle va crever toute seule.

— J'te demande pas de penser à ma place !

— Trouve autre chose, dit Ksiss, le complice de Tank. Gra est aussi butée que toi ! La braque pas…

— Gra dira ce que j'ai décidé. J'ai décidé. Gra ? Si Jald descend pas, je frappe fort les Troms, et surtout les femelles ! J'ai pas envie de m'attaquer aux Graüls mais à Tahül. C'est pas l'envie de désosser Tahül qui me manque.

— C'est Krah le chef! réplique Gra. T'as pas à dire quoi.

— Ici, c'est moi, face aux Graüls ! Krah a plus la force de crapahuter ! T'obéis, nom d'un cuon !

Pour la première fois, Tahül a peur de ne pas savoir quoi décider et comment agir. D'habitude l'instinct le guide. Face à ce Tank qui décide à la place du chef des Troms, que faire ? Que penser ? Que Tank est fou. On ne comprend pas les fous, car ils pensent un jour en serpent, l'autre en mollusque ! Qui peut s'adapter à de tels changements ?… Celui qui change de place, de point de vue, comme dirait Ékorss, c'est celui qui a déjà été mordu par un serpent et ne le craint plus, car il lui fait peur avant. « *Tank peut avoir dans l'idée de me jeter à terre pour être le plus fort, mais le plus fort c'est lui* », se dit Tahül, qui voit un brin de futur où s'accrocher : « *Jald !* » Voilà, il faut toujours rester le plus fort, d'une manière ou d'une autre. La force la plus forte l'emportera… L'idée des têtes vertes traverse un instant le besoin de futur de Tahül. Mais lorsque la forêt brûle, personne n'a le temps de songer à la beauté d'un quartz, alors une tête verte… Tahül attend que la troupe des Troms passe comme un troupeau et pense à Loul la lynx qu'il voit dans le dos de Gra comme une menace pour Jald. Ce ne sont que des poils maintenant, et une peau encore pleine de sang. Loul ne sera plus jamais une maman lynx. Il y en a d'autres, mais aucune n'a cet éclat dans l'œil. Un filet de sang ruisselle sur l'épaule de Gra et Tahül serre les poings.

« *Trop vite, tout passe*, pense Tahül. *Et Jald qui me fuit comme un chasseur de Troms… Je vais la prendre tout contre moi, et je lui dirai. Quoi ? Je lui dirai… Je ne sais pas, je lui passerai la main sur les paupières. Je lui dirai qu'elle est ma Loul, ma féline à deux pattes, que je ne crains pas Tank. On doit s'en méfier…* »

Tahül se rappelle le moment où il a serré tout contre lui Loul, le félin qui sourit et qui a une barbe. Il aurait pu la vaincre, mais il a préféré la laisser filer. Il a bien aimé la voir libre. Et si Jald voulait filer ?... Être comme Loul... Ah... Tahül ne veut pas de ce futur... Alekhta, maintenant, il désire y aller.

Tahül retourne en direction de la caverne et dessine dans l'air des traits qui ponctuent ses cris, il exprime ce qu'il vient de voir : cette nuit, on doit se garder des Troms ! Ses gestes tourbillonnent comme une feuille au milieu de deux vents contraires. Jamais son père Gohr ne l'a vu dans cet état et il ne parvient pas à le croire. Il lui demande d'ouvrir un œil pour défendre Jald et s'assied lourdement sur des pierres.

Gohr exige de garder Digr, le fils d'Ékorss, quand il sera capable de marcher. *« Si Tahül tremble devant quelques Troms, Digr ne peut apprendre d'Ékorss à être courageux »*, se dit le vieux chef. Digr, le jour, ira parfois dans les bras ou sur le dos de Kira.

Digr fait sourire la vieille Kira qui n'a plus d'autre enfant que Tahül.

Gueul se repose dans les bras d'Ékorss.

Tahül est attiré par Jald sans savoir quoi faire avec l'imprévisible. Il n'a pas l'habitude de dépendre de tant de choses en même temps... Le soleil surplombe les arbres et les êtres vivants, les rochers et les fleurs.

Ékorss, la main sur la bouche, fait signe à Tahül de ne pas broncher, puis il lui demande de se mettre nu sans bouger. Il traîne dans son dos des vessies de bœuf pleines d'argile. Il dessine sur le corps de Tahül les marques de Loul, le ventre blanc de Loul, le sourire du lynx, les yeux de Loul. Ce n'est pas très réussi, mais dans le reflet d'une flaque d'eau, Tahül se voit et imite le cri du lynx. Il prend le temps de ne pas tout comprendre. C'est sa façon de remercier Ékorss qui a vu la mort de Loul et l'œil de Tank. Jald ne comprend rien à ce qui se déroule sous ses yeux et jette un regard sombre à Tahül. Ékorss s'assied à côté de Dikt et chacun s'apprête à manger un bon morceau de viande.

Jald observe la force des Graüls, ils peuvent remonter une carcasse entière jusqu'en haut du plateau. Seul Ékorss se comporte en femelle, il ne fait rien de bien à part des bifaces peaufinés à l'obsession de la symétrie, mais il ne part pas chasser et offre ses pierres taillées à d'autres. Jald reste avec les Graüles et les Snèks au ventre qui pointe sous le poids d'un nouveau venu à venir. Jald est triste et pourtant elle se sent en sécurité. Quand elle entend des loups au loin et des hyènes beaucoup plus proches, elle se fige. Débarrassée de Tank, de Tahül, et de tous les regards posés sur elle, elle se calme. Elle entre en ses pensées comme font les félins qui ne dorment que d'un œil. Elle pense que les forts chassent et que les faibles gardent les lieux. Parfois tous marchent ensemble. Jald agit en ombre de son nouveau clan… Jald marche toujours à côté du groupe, elle essaie de nouveaux passages, d'autres pierres, d'autres raccourcis. Elle se laisse séduire par certains aspects de la montagne, constate-t-elle, étonnée.

Les charognards n'ont rien à se mettre dans le bec et Jald ne cesse de se répéter : il ne m'a pas choisie, il ne m'a pas choisie, Tahül ne m'a pas choisie. Elle tripote un petit os et le lance en l'air. Il est si léger que le vent le pousse en hauteur. L'os plat vole, tombe auprès des femmes graüles. Jald s'avance vers elles et ramasse l'omoplate d'un coureur des cimes. Elle regarde autour d'elle, anxieuse. Son regard s'adoucit : les liens entre les mères et les enfants lui font envie. Kira regarde Digr qui tète sa mère. Digr n'a peur de rien, il est protégé par tous. Jald craignait Tank plus que tout et, aujourd'hui, elle ne fait plus confiance à Tahül, plus confiance à personne, comme on se méfie de la pluie qui ravage les étendues de sable, plus, comme la foudre qui enlève les feuilles aux arbres et les brûle, plus, comme le froid qui s'installe dans les pierres et ronge ses pieds jusqu'à ses oreilles, quand tout devient blanc et terrifiant. Elle ne fait confiance qu'à ses sens en éveil permanent. Tahül s'approche d'elle :

— Tank s'est caché en bas avec une autre Troms !

Ce que lui raconte Tahül est impossible, une Troms ne peut marcher dans les parages, et Krah n'aurait jamais laissé Tank quitter le clan des Troms. Jald lève les yeux au ciel et les ferme pour les rouvrir en direction de la terre humide. Une odeur agréable vient de l'alerter…

Jald mange un champignon en forme de crâne. Elle a faim, et c'est sa manière d'attendre le moment de manger ensemble, tête baissée. Tahül enrage :

— Je les ai vus ! Ékorss les a vus. Méfie-toi !

— De qui ? de Tank ? De toi ? Tu n'es pas assez fort, Tahül ? Pour me protéger ?

— Si.

— Tu as peur ! Rentre à l'abri dans la grotte.

La nuit va mettre tout le monde d'accord, au même moment, au même endroit. Tous devront se calfeutrer. Jald plonge son regard en direction du vide. Une lueur, un mouvement… Gra l'a fait sursauter ! Jald voit d'abord ses mains et le haut de sa tête, le reste du corps repose sur un appui pierreux. Jald la renifle de loin.

— C'est toi ? Gra ? La sœur de Tank !

— J'suis pas dans tes rêves… Je suis pas Shad, ni Ram, mais Gra. Tank et les autres t'attendent en bas, là où tu vois, il y a un lapin blanc accroché à l'arbre.

— Je vois la fourrure de Ksiss, pas Tank.

— Si tu reviens pas, Tank va s'occuper de ta mère comme d'une côte de bison.

— Je ne sais plus… Vous êtes là pour quoi ?

— Demande à Tank. Il a dit que tu dois venir avec moi. Viens maintenant, on dort plus bas, y a une grotte pas mal. J'ai dormi dedans hier. Tu dors avec Tank et au jour qui naît, on repart tous. Et tu revois ta mère et Sard et ton Tromsot de frère.

— Attends.

— Quoi ?

— Non.

— Jald, c'est pas bien. Jamais personne n'a quitté le groupe sans l'avis du chef.

— M'en fous.

— Si tout le monde fait comme toi, on n'est plus des Troms.

— T'as qu'à faire comme moi. Reste et ne redescends pas.

— Tank est mon frère.

— C'est pas le chef. Il te bat et moi, je suis là. Personne ne me frappe.

— Les dauphins morts qu'apporte l'eau furieuse, ça te manquera pas ?

— Ici, c'est plus sûr.

— Et ta mère ? Elle va finir en morceaux si tu restes. Il a dit que si tu viens pas, il abîmera ta mère.

— Reste, toi.

— Tu connais Tank !

Jald connaît celui qui empoisonne la vie de tous, même des meilleurs Troms. Il a toujours une attitude de proie pour mieux attaquer ensuite en prédateur. Son corps est noueux et sa pilosité moyenne, sa peau se desquame[1] sur ses mains rêches et laisse apparaître une couleur rose. Jald sent son odeur sur la peau que porte Gra…

— Sans moi.

— Tank s'en prendra à ta mère.

— Krah ne le laissera pas faire. Parle à Krah, pas à moi ! Krah doit s'en prendre à lui.

— Jald, il fait très froid.

— Tank va s'en prendre au froid ? Tank ne peut pas tout. Il prend. Il partage pas… File ! J'entends des Graüls qui arrivent.

La nuit tombe avec l'arrivée d'un groupe de chasseurs graüls, alors Gra s'esquive dans le silence. Tank l'a envoyée en se disant que si l'on trouvait sa sœur Gra, lui ne risquait rien. Gra redescend par là où aucun animal ne va ! Jald la devine comme une fine femelle de thar, vulnérable mais furieusement audacieuse, sautant d'un rocher à l'autre. Les jambes de Gra sont étroites et elle trouve partout appui. Bientôt elle se fond dans la nuit.

Tank attend une réponse et questionne Gra, d'un mouvement du cou :

— Alors ? Elle vient ou elle vient pas ?

— Tes paroles ont porté. Pas eu le temps de savoir. T'as fait du bruit ! Et les Graüls reviennent de la chasse.

L'air se rafraîchit et Jald reste à l'écart.

Tahül se rapproche :

— Qu'est-ce qui ne va pas ?

— Tank. Il rôde en requin en bas, tu as vu vrai.

— C'est quoi un requin ?

— Un monstre pour les poissons…

— Qu'est-ce que tu as ?

— Peur et pas peur. Gra, la sœur de Tank, est venue pour que je reparte avec eux. Tank me traque de loin. Si je ne reviens pas, il s'occupe de ma mère, comme d'une côte de bison !

---

1 . À l'époque du pléistocène, les prénéandertaliens devaient souffrir de zoonose, du grec *zôon* (το ζωον), « animal » et *nosos*, « maladie », essentiellement parasitaire.

Tahül se tait et réfléchit. Il n'y a que l'obscurité qui rend peureux Troms et Graüls. Quelle est la peur de Tank à part la nuit ? Il donne son avis en peu de signes :

— Le chef de clan des Troms ne voudra pas qu'on décide pour lui ! Tank ne va pas risquer de s'en prendre à lui.

— Tank s'en fout. Il est capable de balancer ma mère d'un rocher, ni vu ni connu.

— Tu ne vas pas redescendre.

— …

— Reste.

— …

— J'ai obéi à mon père, mais aussi à…

— À l'attirance ?

— Oui, c'est ça.

— Comme moi, quand je suis attirée par la bonne viande de dauphin ?

— Jamais mangé de dauphin. On mange pas ça ici…

— Tu es idiot.

— Tu es à ta place ? Comment tu trouves ici, avec nous ?

— Moi, je t'ai trouvé fort et doux. Les Graüls, je ne sais pas. Je les observe.

— Et moi, de ma planque, je t'ai observée. Jald, c'est à toi que j'ai obéi…

— Et que vas-tu faire pour ma mère ?

— Ta place est ici. Pour ta mère, je ne sais pas…

Jald sent son corps pris entre deux maux. Si elle reste, sa mère disparaît. Si elle repart, Tahül peut avaler sa langue, et Tank prendre la sienne ! Tahül pose un doigt sur sa bouche. Tous deux peinent à trouver des gestes-mots-sens qui parviennent à être aussi fluides et vifs que l'eau de la cascade. Ils ne se disent plus rien et se sourient. Ils se comprennent. La nuit peut fermer leurs paupières ; Jald et Tahül s'entendent du bout des doigts et prolongent un accord qui avait été interrompu.

Au matin, ils se joignent au groupe. Les questions restent. Que fera Jald ? Que décidera Tahül ?

Kira fait un signe de tête qui signifie que tous peuvent se lancer sur la viande, mais pas à la façon des cuons. Les bruits de mastication tapissent la caverne où il fait bon chaud maintenant que dehors il fait froid. Kira redonne Digr à Gueul, pour prendre le bon morceau qu'elle guette.

Jald repousse encore un peu Tahül. Jald décide, Tahül décide comme elle…

Tank ou Tahül ? Tahül veut Jald ; Tank la veut, et aussi sa mère, ses sœurs.

Comment vouloir si haut, alors que son clan est si bas ?

Tahül doit trouver une réponse. Il tourne en rond et Ékorss le sent tendu et nerveux.

Ékorss caresse le front de son fils, et passe un doigt sur son visage. Ékorss quitte Gueul un instant et dépose devant Jald un os de mammouth qu'il a taillé pour ses cheveux. Jald s'en amuse.

— Jald, c'est pour tes cheveux. Alors ?

— Ça me plaît.

— Tu restes à Tahül ?

— On ne sort pas d'une caverne quand les loups guettent à la sortie.

— Un jour Tahül sera le chef.

— Son père se fait vieux ? Tahül pas assez ?

— Tahül prendra sa force et te protégera…

Ékorss pense que le temps est venu d'aller à Alekhta[1] pour que Tahül se sente plus vigoureux. La vérité doit mûrir comme une

1. L'antique cité d'Aleth, à mi-chemin des gorges de Cascabel au sud et du Pas-du-Loup au nord, est encadrée par le Causse de Saint-Adrien à l'ouest, les crêtes de Saint-Salvayre à l'est. Alet se situe en bordure de la rive droite de l'Aude, en plein cœur du pays cathare (*catharsis* en langue grecque veut dire, « laver, nettoyer »), et à égale distance de la mer et des Pyrénées. Ce lieu est connu pour ses sources d'eaux thermales à la chaleur bienfaisante. Les hommes semblent connaître ce lieu depuis la nuit des temps. Mazarin y fit halte lors de sa mission d'ambassade pour arranger le mariage de l'infante de Castille et du futur roi Louis XIV. La légende locale dit que le sanctuaire de Notre-Dame d'Alet fut construit sur l'emplacement d'un temple romain dédié à Diane ou Cibèle, offert par Pompéus Cnéius, qui ne serait autre que Pompée. Avant l'invasion romaine, un oppidum gaulois se serait appelé « Alekhta », du nom de la déesse adorée par les tribus celtes locales. Or, Aletheia, déesse grecque, a donné le prénom Alice qui signifie « vérité »… Par la suite, Nicolas Pavillon, un prêtre et proche de saint Vincent de Paul, fit installer l'eau courante à Alet ! Des sources chaudes qui coulent à une trentaine de degrés alimentaient un lavoir. L'eau était réputée contre la typhoïde et les maladies intestinales. Il y avait une source communale et aussi d'autres sources privées contrôlées par les hôtels. Tel est le panorama chronologique de cet endroit qui collectionne les mythes, les légendes et la grande Histoire. L'hôtel

noix. On peut s'y casser une dent à cause de la coquille, c'est le seul inconvénient. Il faut prendre toutes les précautions. Ékorss ne peut parler de cela à Jald, à personne. Le secret confié par Dikt reste en lui et fait mal…

Dikt a bien dit que l'eau qui vient des seins de la terre du haut réchauffe et donne la force à ceux d'en bas. *« La vérité est une force dans le futur »*, se dit Ékorss. Comment vérifier, s'il ne peut conduire Tahül jusqu'aux mamelles de la montagne si haute sur sa forêt ?

Dikt ne s'intéresse plus qu'à ses jambes abîmées et ne recherche plus la présence d'Ékorss. Le secret des pierres vertes et de l'eau qui guérit sera-t-il perdu ? Dikt est maintenant trop faible pour s'en préoccuper. On dirait qu'il s'est gavé du suc qui endort…

Tahül ignore le monde, il ne veut que Jald et lui éviter le sort de la pauvre Loul… Il n'y a qu'Ékorss qui tente de chasser le futur dans sa tête… Comment engager une décision, lorsqu'on n'invente que des groles qui ne tiennent pas, et qu'on fait rire un clan tout entier avec un écrase-poux qui glisse à terre ?

Ékorss se tord les mains et salue Jald sans rien dire. Il regarde les yeux de Digr de très près et gronde. Le petit s'attache à Kira, plus qu'à Gueul… Le futur se fendille.

---

des Bains exploitait la source dite Buvette et fabriquait de la limonade à l'eau de source. La villa Livadia a été construite par Pierre Cubiat, alétois de naissance qui fut cuisinier du tsar avant de se retirer à Alet. Source : *Alet-les-Bains, 2 000 ans déjà*, Édition de la municipalité en 1997. Pour information : la Fête de l'eau à Alet-les-Bains se déroule en juin…

15

La volonté de Gohr

La volonté est l'idée.
Arthur Schopenhauer

Tel raseur que vous fuirez sur les boulevards vous apparaît une providence sous d'autres cieux.
Albert Londres

Gohr maintient le lien entre les Graüls et cache ses douleurs. Il se sent vieux entre les os. Le froid n'arrange rien… Un jour, il faudra que Tahül le remplace s'il est assez aguerri. Son fils est comme un poisson hors de l'eau lorsqu'il regarde les yeux fascinants de Jald, et cela n'est pas un bon signe pour la cohésion du groupe. Un chef doit rester aux aguets en permanence, or Tahül se perd face à la vivacité des yeux de Jald. On ne sait pas ce qui – quoi – s'agite en lui, qu'est-ce qui incite sa décision, depuis qu'il est troublé par Jald. Pour survivre, il faut que tout roule sur une belle pente, telle une pierre ronde au-dessus d'herbes bien attachées au sol. Gohr ne regrette pas de garder le secret d'Alekhta. Digr est un Graülot costaud et Kira le prend pour son dernier-né. Aucun Graül ne se moque.

Jald ne bronche pas, elle ne sait pas ce qu'elle doit faire. Tahül sait percuter le quartz mieux que personne, piéger un bison avec toute la troupe des « pas froid aux yeux », comme dit Ékorss, mais Tahül a peur de quelque chose, c'est certain. Que voit-il ?

Il n'y a rien à voir. Même quand il mange une bonne tranche de mouflon, il n'est pas tranquille. Parfois il se met à l'abri avec Jald. Il lui communique sa peur. On dirait qu'ils voient un monstre. Aucun rhinocéros ne cherche la bagarre et Tahül se retourne sans cesse, prêt à se battre…

Gohr ignore encore l'histoire de Tank, l'ennemi de son fils ; il se méfie de la belle Jald aux yeux de glace brûlante. *« Tank s'y reflète »*, se dit Ékorss. Des yeux pareils à des pierres liquides ! Le désir des têtes vertes s'éloigne… Les Graüls ont tant à faire pour survivre !

Lorsque les rennes font leur entrée et que tous pensent que Gohr va préparer une belle chasse, ce dernier trouve moyen de différer ce qu'Ékorss le paresseux appelle « la réunion des gros mangeurs-chasseurs ». Gohr marche vers Jald, la prend par le bras et lui fait signe de s'asseoir face à lui dans un coin de la grotte. Il n'y a personne qu'eux. Jald reconnaît en lui les traits de Tahül, rides en plus.

— Ne bouge pas. Depuis que tu es parmi nous… mon fils a changé. Tout change depuis que tu es là. Pourquoi ?

— En bas, les Troms sont très en colère, surtout Tank et Ksiss. Voilà ce qui a changé !

— Cela ne change rien ici !

— Tank veut tuer ma mère si je ne reviens pas auprès d'eux. Je n'ai pas demandé au chef des Troms de partir… Je suis venue avec Tahül en territoire ennemi !

— On est non-amis ? Mon fils Tahül est comme un oiseau fasciné par un serpent. Quel idiot.

— Tahül réfléchit.

— Idiot.

— Ah ?

— Idiot, il ne t'a pas proposé d'enlever ta mère pour la mettre ici à l'abri ?

— Non.

— Il faut agir.

— …

— Tu veux rester ?

— …

— Avec nous ?

— Oui.

— Je vais parler à Tahül. Nous trouverons ta mère. Une question : que fait Krah ? C'est le meneur tout de même !

Gohr est prompt à la décision. Il réunit tout le groupe, femmes et enfants compris. Gohr est nerveux ; jamais on ne l'a vu agité et en tous sens. Il fait des gestes inhabituels, désordonnés et gronde comme un cerf !

— En bas, ils nous prennent pour des petits cuons ! Les Graüls ne sont pas des cuons ni des hyènes ! Aujourd'hui, il nous faut trouver le moyen de remonter la mère de Jald, comme les aigles attrapent un mouflon. Sinon, c'en est fini des Graüls. Les Troms, c'est de la vermine sur un mammouth, ils vont nous pourrir la vie.

— C'est quoi pourrir la vie ? demande un des fils de Desk.

— Quand tu laisses la viande au soleil, les mouches arrivent et la viande est pourrie de vers, tu peux plus la manger quand elle pue trop sous la langue. Il faut donc manger la viande avant que la vermine la bouffe. J'ai dit !

Gohr raconte la situation de Jald chez les Troms à son clan, il explique que le lien des Graüls a été rogné, que l'union des Graüls est en péril à cause d'un certain Tank. Il demande à chacun de dire sa solution. Tous y vont de leur idée. C'est Tahül qui a le dernier mot :

— Ils ont la ruse tordue. Nous avons la ruse franche ! Ékorss va nous aider !

— Ékorss ? Et comment ? s'insurge Gohr, en se grattant aussitôt la tête.

— Ékorss nous fabriquera une peau à porter la mère de Jald.

— À porter ?

— Un Graül devant, l'autre derrière. Elle est trop vieille pour grimper jusqu'ici. C'est trop dangereux. Donc une peau à deux Graüls… Non ?…

Jald contemple Tahül, il obéit à son père et il obéit aussi à lui-même. Ce soir, elle lui dira à sa manière que c'est une mauvaise mais merveilleuse solution… La gratitude de Jald se mue en désir d'escapade avec Tahül.

La chasse aux rennes se prépare et, pendant ce temps, Ékorss essaie toutes sortes de liens qui passent par des trous faits dans une peau de bœuf musqué. Mais la peau se déchire. Gueul se moque de lui. Il tarde à trouver qu'il ne faut pas faire des trous trop près du bord. Autant prendre la peau à pleines mains. Mais elle glisse… Après de nouveaux essais, Jald remplace sa propre mère et s'allonge dans la peau tendue par Tahül et Rar. Les bords s'enroulent à leurs poignets.

— Ta mère est plus grosse ? demande Tahül.

— Oui. Rajoute des pierres ! dit Jald.

— Ékorss, rajoute des galets ! répète Tahül.

— J'y vais, mais euh… Ah, ça mais ! Ça se déchire aussi… Il faut une autre peau plus épaisse. Et peut-être autour je vais mettre des rondins, dit-il en se grattant la tête.

Tahül se relève, Jald lui masse le dos.

— Ta mère, elle s'appelle comment ? demande Ékorss.

— Mah.

— Mah sera bien ici, dit Tahül.

— Elle sait trouver des graines et des plantes bizarres. Si elle vient, cela provoquera la fâcherie entre les Troms et les Graüls.

— Que faire d'autre ?

— Je peux quitter les Graüls ?

— Tu restes avec Tahül ! crie Ékorss.

Tous sautent en l'air, comme pour un pacte entre jeunes Graüls.

Ékorss se sent capable de casser une jambe à Jald pour qu'elle ne parte pas. Sans elle, il sent que Tahül perdrait sa force, même plongé dans l'eau « prodigieuse »… Gueul arrive et demande pourquoi tous sont si contents.

— Tahül et Jald ont choisi.

— Vous faites pas comme ça les Snèks, quand vous avez été d'accord au même moment ? demande Kira.

— On n'est pas des bavards.

Et les voilà qui ressautent tous ensemble.

Plus le projet prend forme, plus Ékorss se demande s'il va arriver à faire d'une peau un instrument à porter quelqu'un qui ne versera pas…

Les Troms ne viennent plus rôder, car il fait trop mauvais et les Graüls oublient Tank. Ils ont une faculté d'oubli phénoménale, pourtant Ékorss passe les mois de glace à confectionner une grosse peau de rhinocéros qui pue pour jouer de son épaisseur d'un seul tenant. Il fait un essai avec la plus grosse des Graüles qui maugrée avant d'adorer être portée par deux jeunes mâles musclés. Ékorss invective Gohr du regard ; le chef incline la tête, il accepte. Lorsque le ciel et la terre redeviendront un mélange de couleurs, que la moitié de la neige sera envolée, la moitié des Graüls partira chercher Mah…

Les bourgeons donnent le signal.

Gohr et son fils, Rar et les plus intrépides contournent des buissons, pieux à la main. Gohr porte sur l'épaule la peau grise du rhinocéros. Rar est prévu pour l'aider à transporter Mah. Encore faut-il la reconnaître. Jald a dit qu'elle était ronde comme une ourse, avait les yeux clairs comme les siens, et qu'elle portait toujours ses cheveux comme elle, avec une branchette pour les tenir. La troupe transporte quelques os à moelle, des poignées de graines pour ne pas manquer de force. L'odeur change, ils s'approchent des Troms et de la Grande Bleue. Ils s'arrêtent, inquiets et émerveillés. Ils découvrent de loin le territoire des Troms, beau, bordé d'arbres et d'étangs. Ils contournent le territoire des Snèks. Les Troms sont maintenant à quelques pas. Gohr reconnaît Tank, agitant sa tête à l'œil crevé. L'homme aux cheveux presque rouges est en train de découper un dauphin échoué.

Les Graüls reculent, et à nouveau la mer arrête leurs pas. Que faire ? Gohr doit décider seul. Il ramasse une dent de rhinocéros, il la garde dans sa main. Il pose la dent par terre, la reprend, la repose… Il redresse le buste et fait des signes clairs et compréhensibles par tous. Il pose la dent et explique :

— Là c'est Mah ! La dent, c'est Mah, la mère de Jald. Autour, je mets plein de Troms, dit-il en piquetant la terre avec des brindilles. Ici, les Snèks. Pour trouver Mah, il faut attendre. C'est tout.

— Où ? demande Tahül. Je sais… Les Troms aiment longer la grande étendue d'eau, surtout les mères et leurs petits, pendant que les mâles chassent. Jald m'a dit que cela touche le territoire des Snèks…

— Oui. C'est le même endroit… Mon fils Tahül, il suffit de trouver un bon point de vue. Rar, tu te caches dans un arbre et quand tu vois une femme ronde, les cheveux tordus par une tige, tu imites le son d'un petit cuon.

— Et si elle est seule, tu imites un grand cuon et après..., tu lances une pierre contre du dur, qu'on soit sûrs que c'est pas un vrai cuon, ajoute Tahül. J'ai apporté avec moi l'odeur de Jald sur cette peau. Mah reconnaîtra sa fille. Elle va la renifler et comprendra qu'on est de son côté, presque à sa place!

Cette chasse à Mah doit réussir, sinon, les Graüls du haut seront menacés en bas. Même les récalcitrants au sauvetage d'une vieille Troms doivent rester aux ordres du chef. Naît le sentiment de ne pas revenir bredouille, puis le courage aidant, les Graüls sont persuadés qu'en bas, ils risquent tous de mal finir à cause de la jolie Troms que Tahül veut garder. S'ils ne font pas preuve de la même cohésion qu'à la chasse, ils perdront tout. Ils restent à l'affût.

La journée change d'air et de couleurs. Les Graüls aperçoivent Tank. Il rôde et empêche l'opération de se réaliser. Il guette de son œil à la façon du charognard des cimes et bouge son cou à la façon des chevaux: Tank roule sa tête contrariée et secoue sa crinière hirsute.

Il faudra revenir au même endroit, avec de quoi manger. Le demi-clan s'égare après avoir fait provision de coureurs-sauteurs. À la nuit, ils retrouvent leur repère.

Au moment où le soleil se lève, Rar monte au sommet d'un arbre robuste et assez haut pour éviter de mal voir. Il guette. Soudain, le cri du cuon et une pierre qui fracasse le sol donnent le signal. Rar redescend immédiatement et guide Gohr et Tahül d'un geste du bras... En contrebas, Tahül reconnaît Mah, une vieille assez jeune, plus très valide. Visiblement, elle peine à marcher. Tahül s'approche d'elle et lui tend une peau de lapin. Mah respire l'odeur de sa fille. Pourtant, elle ne suit pas les Graüls. Mah fait comprendre qu'elle a d'autres enfants:

— Poh la petite, Sard et... Je dois rester. Trop peur...

Tahül ne supporte pas que Tank empoisonne sa vie, alors, il soulève du sol Mah qui ose un petit cri. Rar et Gohr la transportent sur la peau solide de rhinocéros. Mah agite ses jambes:

— Que faites-vous, sales Graüls? Lâchez-moi!

— On te sort des griffes de Tank qui veut te tuer si Jald ne revient pas. Et Jald a choisi. Elle reste avec nous.

Ainsi s'est exprimé Gohr. Mah obéit avec une lenteur extrême, elle attend que la petite Poh se montre. Elle lui fait signe de suivre le groupe d'étrangers. On croira qu'elle s'est noyée ou qu'un requin l'a mangée avec Poh…

La volonté de Gohr est ferme mais tendre. Mah accepte. La petite Poh aura la chance d'échapper à Tank. Elle trottine et suit le groupe comme elle peut. Sard devra se débrouiller…

Après la manœuvre de rapt consenti, le chemin du retour réserve toujours un danger inattendu. Gohr songe qu'un Graül, un Troms ou un Snèks, c'est de la viande, du sang et des tendons, que les femmes donnent du lait, comme les femelles de mouflons ou de chevaux. Être chef ne retire pas les angoisses…

Tahül a hâte de revoir Jald.

Ses pieds ne sentent plus la douleur. Il marche en faisant des bruits de bronches, il supporte à l'avant la mère de Jald. Et lui, qui est-il, sinon le fils du chef de son clan, un chef qui se fait vieux et qui cessera d'être… Saura-t-il, lui, Tahül, faire face à la faim quand la chasse est mauvaise, et tenir les Graüls à leur place ? Il ne veut pas prendre la place de son père, c'est bien trop compliqué. Il préfère être le chef de Jald. Rar fera un très bon guide. Rar est à l'arrière et souffle comme un bœuf qui escalade une pente. Il ne bronche pas et soutient Mah. Elle devient plus lourde à porter.

La double rivière aux couleurs des feuilles annonce la montée vers la Grotte-Mère. Mah semble ravie d'être soulevée par des ennemis musclés, elle fait de petits cris de satisfaction. Le vent apporte des odeurs. Elle reconnaît Jald. Ses cris s'accélèrent. Elle fait les derniers pas sur ses jambes.

Poh est la première à se jeter dans les bras de sa sœur Jald, elle la renifle et puis imite Tank et se moque. Alors Jald rit !

Tank est fou de rage, il casse une branche et court après ses sœurs.

Le grand chef des Troms lui ordonne de cesser sa furie et d'aller à la chasse aux cuons. De rage, Tank le bouscule. Tank enfreint le lien des Troms ! Tous se jettent sur lui et le collent au sol. Krah et son groupe imposent à Tank un bain forcé dans la mer. Quand il lève la main, c'est qu'il est calmé.

Mah manquera au groupe, car elle est la meilleure découpeuse de chairs. Mais Mah n'est plus là. Tank reste le corps plongé dans l'eau et des algues viennent se coller à ses poils. L'eau salée agit comme de tout fins silex sur ses blessures. Belliqueux, il ne le montre pas et se met debout. Il bloque ses mâchoires. Quand la colère aura poussé, il enlèvera Jald à Tahül. Ensuite, Jald portera ses enfants à lui !

Il frappe la mer et son œil unique pleure de rage.

Tank devient l'image d'un Troms en folie…

16

Le grand rêve de Tahül

Un rêve qu'on n'interprète pas est
comme une lettre qu'on ne lit pas.
Le Talmud

La lumière qu'apporte le rêve se lie étroitement à la prédiction.
Erich Fromm

Digr devient comme le deuxième fils de Kira. Cela fait deux mères pour l'enfant. Ékorss voudrait qu'il ait aussi deux pères. Gohr apprendra à Digr comment devenir un bon chasseur. Tahül ne prendrait pas ce risque…

Ékorss entrechoque ses dents. Elles grincent quand il n'est pas satisfait.

Tahül est très agité depuis l'arrivée de Mah.

Ékorss se glisse dans un taillis et remonte avec une plante qu'il offre à Tahül. Le fils de Gohr goûte à la tige de la salade amère et aux feuilles pleines de piquants que lui offre Ékorss. Le suc agit si bien qu'il voudrait que Tank en boive toujours. Quand Tahül veut dormir, il avale un peu de la substance laiteuse et il s'endort paisiblement. Aucune peur ne le secoue plus. La nuit entre en lui. Une nuit, un grand rêve le visite, un rêve qu'il ne pourrait vivre de jour !

Chaque nuit s'accole à la suivante pour n'en faire qu'une. Tahül vole au-dessus de la montagne. Il se retrouve sous d'énormes pierres qui jaillissent du ciel comme des cristaux mais qui ne le blessent pas. Un aigle de feu brûle au-dessus de lui et le guide vers les dents de la terre. Tank l'y attend, fier d'avoir retrouvé ses deux yeux qui brillent comme des étoiles ! Tank le guette. Tahül sursaute car la montagne gronde et que Tank devient géant et le traque. Dans ce rêve effrayant et qu'il croit vrai, il affronte l'aigle de feu qui n'est autre que Tank ! Jald le réveille, le calme, lui prend la tête puis ses mains prodiguent des vagues douces sur son crâne.

Tahül se sent affaibli, il réclame les têtes vertes. Si le cuivre verdit, c'est qu'il a un pouvoir. Ékorss affirme qu'il faut attendre que tous les Graüls se rendent aux limites du monde pour partager, quand Gohr l'aura décidé ! Dikt pense que lorsque Tahül sera chef, le clan deviendra plus fort et que c'est Tahül et Ékorss qui les mèneront à Alekhta. Dikt donne quelques éléments à Tahül :

— Ékorss sait une partie. D'abord partir du bain blanc[1], pour trouver le ruisseau caché qui donne la force pour continuer. Tu peux passer par l'eau qui te mollit[2] et adoucit la peau ou alors par le bain qui frotte…

— Dikt, tu connais tout de l'eau d'Alekhta ?…

— Oui. Ces eaux enlèvent mes douleurs et mes cicatrices. Trop vieux pour y retourner…

— Et pour les pierres en poudre verte ? C'est par où ?

— Tu peux passer par les grottes en forme de champignons bas[3]… Un lieu vert, propice aux effusions.

---

1. *Banuyls dels aspres* en catalan. La forme latine *balneolum* renvoie à *balneum*, les « bains » et *stagno* à « étang ». Dans le village primitif, il y avait un étang, asséché depuis. À la période gallo-romaine, ce lieu se trouvait sur une voie romaine.

2. À Molitg-les-Bains d'où l'on voit le Canigou, on soigne les dermatites et les maladies inflammatoires, les douleurs articulaires et musculaires. L'eau possède un pouvoir cicatriciel.

3. Rennes-les-Bains (*Banhs de Rènnas* en occitan), petite station thermale de 200 habitants que les Romains appréciaient pour son eau chaude. Aujourd'hui, l'eau sort en dessous des anciens thermes, à 33 °C, et elle permet un hydromassage en pleine nature ! Il existe une source à 37 °C pour des bains doux, les bains forts à 47,5 °C et une source en sous-sol à 40 °C ; les sources froides sont en direction de Bugarach. À voir également, les gorges de Galamus, orientées nord/sud, qui s'étendent sur 2 km, à cheval sur les départements de l'Aude et des Pyrénées-Orientales. Non loin, il existe une source d'eau de Sales (Sals). À Rennes-les-Bains planent certaines énigmes : Rambam (Maïmonide associé à l'image de l'aigle) y aurait séjourné, il était opposé aux augures ; son contradicteur, le kabbaliste de

— C'est par où ensuite ?
— Tu remontes le chemin de l'eau qui descend ; ensuite tu trouveras une pierre curieuse : un torse sans tête !
— Une pierre de foudre ?
— Non, pas du tout ! C'est une pierre énorme, impossible de la soulever et de la lancer.
— Elle peut remonter au ciel ?
— Idiot… C'est un genre de bras qui dit où te diriger avec Ékorss.
— Un seul bras ?
— Qui indique par où passer où l'eau serpente[1]. Il faut aller face aux dents de la montagne… Tu dors encore on dirait.
— J'ai fait un rêve de l'autre côté de la montagne…
— Tu avais les pieds dans l'eau ?
— Non.
— Alors, tout va bien…

Au réveil de ce rêve qui revient en rabatteur, Tahül espère qu'il aura un petit qu'il appellera Gorki, un petit Gohr chez les Graüls ! Que ce soit une fille ou un garçon ce sera Gorki. L'enfant sera grand comme Gohr et il saura qui il est et non quoi il est : Gorki… Gorki apprendra par lui-même à survivre et tous l'aideront. Il saura froncer des sourcils pour faire peur aux plus petits. Il aura les grimaces d'Ékorss et les yeux de Jald. Il aura le nez bien retroussé pour flairer toutes les proies, et ses poils bien implantés le protégeront du froid.

Tahül tente de raconter son rêve d'aigle de feu à Jald qui pose sa bouche sur la sienne. Leurs lèvres se trouvent pour la première fois. Jald les dévore avec douceur. Tahül répond en faisant

Lunel RaBaD (Rav Abraham Ben David de Posquières), serait également passé à Rennes-les-Bains. On trouve aussi dans cette bourgade la fontaine des amours, un lieu fait de cascades aux allures de conte de fées ; et si cela ne suffisait pas pour suivre ce chemin mystérieux des eaux minérales, on trouve l'intrigante tombe de Marie de Nègre d'Ables. À Rennes-les-Bains, en pays cathare, les fouilles sont interdites… Des descendants de Nazaréens y seraient venus, les Kimhi, les Gerondi et Razes également. Voir le *Rhedesium*, un dossier sur cette cité. Haut lieu de mythes, de légendes et sans doute de réalités comme des dolmens et des menhirs… Les eaux et les pierres ont toujours eu, dans cette région, une grande importance.

1. Caramany, où se trouve un oppidum romain.

de même. Leurs deux langues repèrent la caverne des dents et se joignent comme des mains sans doigts. Malgré une bonne odeur de mouflon, ils ne se mordent pas la langue. Ils visitent leur bouche et grognent d'un plaisir nouveau. Le son d'un bredouillage de contentement qui vient de leur gorge les rassure, comme le ronronnement rassure le petit lynx qui retrouve sa mère lynx. Loul n'est plus, ses filles ont continué leur vie, mais aucune n'a son regard, comme aucune Graüle n'a les yeux de Jald !

Des aigles survolent la montagne et Tahül repense à son rêve. Il craint de devenir aussi mou qu'Ékorss. Ces images, d'où viennent-elles et pourquoi en lui ? On ne marche pas dans un rêve, devant un paysage qu'on n'a pas décidé de voir. Alors, comment la montagne vient-elle en lui ? Tahül décide d'aller avec Jald dans un nid creusé dans la falaise pour être loin du groupe. Jald découvre un trou assez haut pour laisser passer un loup. Jald rampe à l'intérieur et se sent vite à l'abri dans ce coin bien à eux. Ce sont des coups de foudre intérieurs : ils frémissent sans avoir froid.

Lorsque Tahül ou Jald montrent du doigt cet abri caché par un feuillage touffu où personne n'oserait vivre allongé, ils s'y retrouvent et deviennent animaux, or, en devenant animaux, Ékorss dit qu'on est vraiment Graül !

Bientôt les peaux de bêtes deviennent trop étroites pour le corps de Jald ; Kira lui donne alors ses vieilles pelisses lisses trop larges. Jald, ensommeillée, s'accroche au bras de sa mère Mah :

— Tank voulait te balancer des rochers… Et il va se venger sur ma sœur Sard. Il aime le sang, la force de ses bras est redoutable.

— Et si nous étions repartis sans Mah ? demande Tahül.

— Elle se serait jetée à l'eau pour disparaître, pour lui échapper… Mais Sard…

— Pauvre Sard…, dit Mah en secouant lentement la tête.

— Tu es sous la protection de Gohr, maintenant… Et de moi : Tahül, né sous les pierres de foudre.

— Né sous les pierres de foudre… C'est quoi, ma fille Jald ?

— Des pierres crachées au moment où Tahül est né. Elles filent et tombent. Elles reviennent, nous saluent, dit Jald, fière de s'approprier une poussière de la vie des Graüls.

— Mais elles ne peuvent rien contre la méchanceté de Tank, manifeste Mah, avec une moue crispée qui plisse jusqu'à ses paupières. Krah ne comprend pas que Tank est fou !

Jald n'a que Tahül pour la protéger. C'est un excellent chasseur, mais il prend encore trop d'initiatives qui menacent le groupe. Un bœuf musqué à terre est vidé de ses viscères, Gohr lui montre, sous les charognards qui approchent, les endroits précis où l'on doit frapper pour être invaincu. Gohr déteste toute improvisation :

— Là, pour se défendre et c'est tout. On préfère la viande de renne, quand même, on n'est pas des cuons... Pour un bœuf, toi, tu frappes toujours trop bas et tu ne vas plus grandir. Prends tes repères !

Mah se rapproche de Kira. Mah s'inquiète pour Sard.

— On a assez pris de risques comme ça. Ne demande pas au clan de sortir Sard des griffes de Tank. Occupe-toi de ta fille Jald. Elle est ronde.

— Et si Tank t'enlève Tahül, tu restes tranquille, Kira ?

— Non, non !

— Alors, tu comprends que si Sard est loin, je ne suis pas tranquille pour elle.

— C'est vrai que Tank est un croqueur de fesses ?

— Il cogne surtout...

— Contre quoi ?

— Les ventres, les têtes, les animaux, les petits, les femelles, les faibles.

— Et ton chef laisse faire ?

— Non ! Tank recommence dès qu'il a le dos tourné...

— Ton chef n'a qu'à se retourner plus souvent... Chez Les Graüls, on dit qu'il se prend pour le tonnerre, ton Tank ! Pourquoi ? demande Kira.

— Il n'a qu'un œil et ne voit pas la foudre qui en sort !

Après l'arrivée de Mah, Tahül partage plus de temps avec Gohr, Ékorss et sa belle Jald. Son ventre est un énorme galet rond, doux et dur avec une ligne sombre au milieu. Tahül se surprend à poser ses mains calleuses dessus, puis sa tête. Il entend à son oreille affûtée un bruit inconnu.

Il en parle à Ékorss. Ils sont accroupis au-dessus des étendues qui ont toutes changé de couleur.

— Pourquoi dans une femelle, on entend d'un coup, *toc-toc-toc ?...*

— Les Graüles et aussi les autres femelles animales portent, ça se trouve, des petits cailloux de foudre qui font *toc-toc* entre eux…

— Tu es fou, ça se saurait!

— Toi, Tahül, tu es fou. Complètement.

— Non! Toi, Ékorss, tu ne sais pas tout! On est fou chacun.

— Non. Je ne sais pas tout, oui…

— Alors?

— Je ne sais pas tout, donc je sais un peu, fait-il en montrant avec ses doigts une petite épaisseur. Je sais que Digr faisait *toc-toc* dans le ventre de Gueul, que tu restes plus souvent avec Jald, et que Jald attend que son ventre soit énorme pour se trouver un coin bien à elle. Gorki, c'est ça?

— Oui. Et tu sais quoi d'autre?

— Mon Tahül, je sais que les poissons glissent entre mes doigts. Je ne sais pas tout, mais je sais que le froid va nous pousser dans la Grotte-Mère.

— J'ai quelque chose à te demander…

— Vas-y.

— La nuit, tu me vois voler?

— Je sais ce que c'est! La nuit, comme moi, tu fais des images. Ou alors, ce sont les images qui nous pénètrent. Va savoir… Mais rassure-toi, tu n'es pas un rat volant ou un Graül avec des ailes prises à un gros aigle.

— Justement, il y a un aigle avec des plumes de soleil dans mes images. Et pourquoi je crois que c'est vrai, que la montagne m'attire, que je peux voir comme un oiseau voit de là-haut? Pourquoi, quand je retrouve Tank le vicieux, il a retrouvé ses yeux? Les deux, grands ouverts!

— Simple. C'est ta peur qui raconte ces images.

— Quelle peur?

— La peur que tu as eue ou que tu vas avoir et que tu as!

— Tu dis que je vais avoir peur de Tank? Qu'il va monter jusqu'à nos rochers?

— Une peur, c'est une peur! Je connais bien… Si dedans toi, tu croises Tank, c'est lui ta peur. Rêve plutôt à l'eau qui rend fort. Faible, on vit mal… *Toc-toc-toc*… Têtes vertes… *Touc-touc-touc.*

Tahül ne comprend pas toutes les expressions d'Ékorss. Il ne comprend pas tout d'Ékorss, ni ses mimiques, ni ses sons, ni les choses qu'il veut figurer. Alors, il s'arrache quelques croûtes aux jambes et aux bras pour passer le temps.

— Y a des plantes qui griffent qui font pas peur et y a des monstres qui font peur à tous. Tank, je sais pas pourquoi il a le pouvoir de te faire du mal, marmonne Ékorss.

— Je vais avoir peur de Tank alors ? Tout le temps ?

— Si tu le crains, ne le croise pas. Si tu crains les piqûres des petits volants, ne t'approche pas des étangs.

— Comment tu sais cela, sans partir chasser ?

— Dans ma tête, je chasse.

— Et ça te sert à quoi ?

— À te faire parler…

L'échange s'arrête là.

Le soir, tous partagent les derniers bons morceaux. Personne ne se plaint de n'avoir que la carcasse à ronger. Il y en a assez pour tout le monde. Les Graüls touchent les bras de Mah, pour voir si elle est faite comme eux. Certaines Graüles adoptent sa façon de remonter ses cheveux par un morceau de bois taillé. Ékorss décide d'en fabriquer de fins ou de longs.

Une chasse se prépare où l'on croisera des loups. Tahül passe sa main sur le ventre de Jald et s'endort.

Il refait le même rêve. Il est face aux dents blanches de la terre. Très loin.

Cette fois, c'est Jald qui l'attend au sommet de la montagne. Il s'élance vers elle et plane comme un aigle au-dessus des deux jambes de la rivière. Il se pose près de Jald, son ventre est rond et des pierres aussi grosses que son ventre dévalent de partout : c'est Tank qui les balance contre eux. Tahül veut s'envoler, s'enfuir avec Jald dans les bras, mais ils sont trop lourds dans les airs. Il plane, voit au loin des fleurs vertes, il va s'écraser dessus. Il se réveille en sueur. Il est temps d'aller chasser.

La meute des loups les précède avant de les contourner. Gohr s'épuise et trébuche sans cesse. C'est au tour de Tahül de guider les Graüls. La neige réduit leur avancée. Les bêtes ont des yeux vifs et jaunes, elles forment une seule bête : le loup prêt à tout. Les quadrupèdes se déplacent plus vite que la troupe des bipèdes Graüls. Le plus grand a le museau noir et ses yeux jaunes fixent Tahül. Tank a ce même regard qui fait peur. Il faut dominer cette intruse qui peut se muer en effroi, et avancer face au sinistre poilu musculeux. Tahül doit vaincre la peur avant l'animal.

Soudain, il se sent plus fort. Lui aussi est dans une meute, mais une meute qui se dit des choses utiles à la défense et à l'attaque. Si un loup peut avoir le dessus sur un simple cuon, face aux Graüls, il doit en revanche battre en retraite, la queue entre les jambes. Les loups attaquent de dos et de face et à la face, les cuons, eux, attaquent toujours de dos. Ils s'accrochent au dos d'un féroce, tandis que d'autres n'hésitent pas à affronter leur ennemi plus puissant à la gorge ! Les Graüls sont courageux et tenaces. Ils sont face à d'autres tenaces impressionnants. Il ne faut donc jamais avoir de loups dans son dos ! Le loup est capable de faire tomber un bison ! Tahül indique à son père qu'il y a plus de loups que de Graüls dans cette neige qui colle aux pieds. Il songe à Ékorss et à son projet de groles pour les Graüls… Le hurlement des loups est plus effrayant qu'un orage. Que disent ces animaux ? La même peur, la même fierté que les Graüls ?…

Ékorss sait le rouge du jaspe, les cristaux polis avant la main du Graül, mais il ignore le pied de la montagne. Il espère que la chasse sera bonne, que ses frères Graüls n'auront pas à trouver une autre grotte pour se réfugier et reviendront avant la nuit. Or, les loups se sont méfiés et ils ont l'avantage, et avec leur fourrure, ils ne craignent rien du froid ! Les Graüls les bombardent de pierres et les loups hurlent. Les loups hurlent et narguent les « debouts » qui grelottent.

Ékorss tend une dent de cerf à Digr et imite l'animal avec ses bras :

— Cerf ! Une autre : *tchoc tchoc !*

Le groupe ne revient pas. Épuisés, les Graüls espèrent la saison des fleurs et du chaud. En attendant, ils recherchent de quoi manger, pour tous, avant d'affronter les loups.

Tahül n'aime pas les ramassages de plantes et de salades. Et une hutte n'est jamais un repli sûr, il faut un trou dans la falaise pour que tous se recroquevillent les uns contre les autres. Il veut que la nouvelle journée au grand froid prouve sa capacité à organiser une chasse. Les trois rivières sont loin, celles que tous appellent « la tête », « la glissante », et « la verte aux deux jambes ». Le refuge est un vieux piège à bœufs et chacun y dort de travers ; Gohr veille, son épieu à la main.

Au matin, Tahül observe la neige et se penche au-dessus, il reconnaît la trace odorante d'un cerf et les empreintes que des loups ont fraîchement laissées, puis celles d'un ours immense aux griffes pointues. Tahül sait que la chasse ne sera pas facile. Il caresse sa pierre venue du ciel pour se rassurer, puis il palpe un gros silex très tranchant. Une odeur lui parvient qui correspond aux empreintes fraîches d'un énorme cerf. On peut l'attaquer, mais il faut avoir une retraite possible et sûre pour se protéger des loups. Les Graüls se réfugient sur une butte trouée. Gohr a déposé une charogne pour attirer la meute. Il ne veut pas que les loups se mêlent à leur traque. Ils arrivent et se découpent dans le ciel, ils reniflent et s'avancent vers le cuon à moitié pourri. Soudain, les loups sentent la présence des Graüls et filent, sous des jets de pierres…

Une chose est profitable à tous, les poux ne supportent pas le gel et leurs dépouilles tombent sur les amas de flocons. Gohr partage des graminées avec tous et tous attendent… Gohr connaît les repères les plus incroyables, même sous la neige. Il sait que son fils les a bien guidés. Il se gratte le poitrail :

— Faut que je me pose. Je dors debout…

— Tu penses quoi ?

— Que je suis presque vieux-vieux et que je vois mal-mal… Que les Graüls ne possèdent rien, c'est le Tout à qui nous appartenons. Maintenant que les femelles ne sont pas là, nous sommes entre forts ! Il va falloir défendre notre territoire. Qui est ce Tank, Rar, mon fils Tahül ? Qui est Tank ? Répondez !

— C'est un moustique gigantesque qui ne pense qu'à piquer, dit Rar. Avec Dikt, je lui ai crevé un œil.

— Il est attaché à sa colère, répond Tahül.

— Tu veux dire qu'il te fait peur ? Il faut s'en défaire comme de ces bestioles qui piquent, répond Gohr. Takn n'est pas un bon Troms.

— Tank connaît nos trois lieux qui nous servent à manger-dormir, il rôde, pas pour venir chasser. Il veut attraper Jald !

— Jald devra faire naître son Graülot dans un endroit très protégé non seulement des loups mais des Troms. Guettons maintenant et toujours… Rentrons!

Ils ont les mêmes gestes, les mêmes attitudes et expressions. Ils savent que telle mimique signifie «danger», «proie» ou «silence». Ils sont bien ensemble. Ils connaissent le cycle annuel des trois saisons, ils savent revenir aux mêmes endroits et gagner du temps. Ils pressentent la saison sèche et froide, l'humide et chaude qui suit celle du renouveau des arbres et des plantes. Ils aiment quand il n'y a plus ces tourbillons de vent violent portant des poussières qui attaquent leurs yeux et gênent à l'attaque. Parfois les orages ramènent du sable dans la Grotte-Mère pourtant haut placée. C'est Ékorss qui leur a fait remarquer que le vent était si fort qu'il soulevait la poussière de plantes et de pierres… Ékorss a goûté à la poussière. Il a peur des eaux qui montent, et les Graüls se moquent de lui, lui qui ne peut jamais les suivre sans avoir peur. *« Une vraie femelle cet Ékorss!»* signifie souvent Rar par une mimique.

Tous les Graüls rient, et toujours, Gohr leur fait signe de se calmer immédiatement.

Le demi-clan se trouve au-dessus de la prairie à graminées où rien n'est visible avec les bosses de neige…

Tahül reste concentré par ses narines et par ses yeux pour guetter le gros cerf qui portera sûrement ses grands bois et il sera plus difficile à atteindre. Les loups ne doivent pas être loin. Il sera bon à manger, ce cerf, une fois découpé à la Grotte-Mère. Jald va se régaler. Avant, le combat doit être magnifique. Gohr se lève et regarde son fils diriger les actions.

Ékorss s'est réfugié dans un gros arbre et craint de s'endormir, de tomber ou d'être reniflé et mangé par un félin. Il guette au loin l'avancée des Graüls, mais ils ont disparu dans un repli rocheux recouvert de neige, surnommé «la dent creuse des hyènes»… Comment fera-t-il devant Digr? Il ne fera pas. Gohr apprendra la chasse à son fils.

Gueul se demande ce qu'Ékorss fait à guetter, l'œil dans le vide. Les Graüls sont partis chasser, rien de plus normal! Il faudra que Digr apprenne à chasser sans son père… Avec Tahül!

Ékorss est capable de distinguer l'oreille d'un lièvre entre des feuilles et à une distance qui essoufflerait Gueul si elle devait la parcourir à la course. Ékorss sait sa fragilité et la chance d'être protégé par un clan vigoureux. « *Chaque jour est semblable et différent, chaque jour est comme un flocon de neige* », songe Ékorss qui commence à s'engourdir.

Son ventre, sa langue lui disent la faim. Il cherche sous la neige la bonne herbe qui le réconfortera. Il en trouve encore une touffe bien grasse et il s'arrête, son museau frémit… Le cerf se découpe soudain sous l'œil de Tahül : ce sera lui, Tahül, qui ira au combat. La bête est géante et dépasse le plus grand des Graüls ! Ses bois plats et recourbés sont, de la taille de deux Graüls allongés pieds à pieds… « *Les biches sont beaucoup plus petites* », se dit Tahül. À l'époque du rut, les cerfs ne cherchent plus les jeunes pousses, mais les jeunes femelles et ne mangent plus. Cette fois-ci, ce cerf géant sera à son tour chassé et mangé, parfait pour nourrir le clan, et il n'aura plus le temps de penser à la saison du rut !

Le signal est donné. Il faut attaquer les organes de vie pour éviter que le cerf ne se jette sur eux. Les bois ressemblent à des ailes solides qui obligent le cerf à ne jamais passer entre des arbres trop rapprochés. Les Graüls sont dans sa prairie, il n'aime pas ! Le cerf aime brouter les bourgeons et il peut repousser les loups et aussi les lions des cavernes. Le grand cerf qui voit un énergumène qui se rue sur lui ne le craint pas, il cesse juste de mastiquer… Ses yeux proéminents, son calme, sa stature impressionnent Tahül. Tahül prend racine, réfléchit et lance son épieu, puis l'enfonce dans le poitrail de la bête. Le cerf n'en est que plus furieux. Tahül fera des armes avec ses bois, si tous parviennent à le mettre à terre. « Un coup porté ne donne pas la victoire », dirait Ékorss. Il faut résister à la peur, résister à ce brouteur qui a plus de force qu'aucun autre, et qui fait preuve d'un courage incroyable. Tahül vénère son adversaire. D'ailleurs seul son père porte parfois une peau de cerf pour dire qu'il est le chef. Par bravade, Tahül réserve les bois du cerf à Ékorss. Les Graüls semblent avoir gagné, le cerf brame de douleur et dans un dernier élan, le voilà qui fonce sur Tahül. Épieux et bolas volent à son secours. Les Graüls agissent comme des fourmis qui s'attaquent à plus puissant qu'elles ; ils savent affaiblir le plus coriace, même s'il fuit dans l'eau.

Sa passion de l'herbe l'aura perdu. Les Graüls ont des gestes aussi sûrs : ils frappent exactement ensemble. La grimace de Tahül devient un sourire. Le combat est terminé, même si les pattes du géant s'agitent encore… Le sang du grand cerf se déverse sur le blanc laiteux de la neige. La bête agonise et le froid la prend. Il faut la transporter. Les loups les laissent en paix. Tahül est surpris de la sueur qui ruisselle sur son visage et qui se met à geler !

Le paysage salue son retour à la caverne. La neige se met à tomber et bien des narines perlent de fins glaçons. Les Graüls sont fiers de transporter la bête entière. Les enfants sont effrayés, alors Gohr les assied dessus pour qu'ils s'habituent… Ils touchent le cerf, certains s'en écartent, les plus grands l'enfourchent. Le clan se reconstitue avec les mères, les vieux et les petits. On attendra avant de manger.

Les os du cerf se mêleront bientôt à ceux des chevaux et des hommes. Les Graüls ont apporté, il y a longtemps, des pierres plates pour créer le cercle dit « de la mangeaille ». Au fond, le squelette intact d'un ours mort de vieillesse crée le décor de la cérémonie du cerf en morceaux. La chair est découpée, les os cassés, la mandibule rejoint les autres, puis Kira distribue aux plus petits. Le chef prend le merveilleux morceau qu'il apprécie le plus, qu'il arrache à une cuisse, pendant que le pelage repose dehors… Jald déguste cette viande qu'elle n'a que rarement mangée. Elle regarde avec fierté celui qui a osé s'attaquer à la bête impressionnante, pour elle, pense-t-elle. Tahül regarde le ventre de Jald et mâche la joue du cerf, le morceau qu'il préfère. Tahül savoure ce moment, il pourrait n'être plus. Aussitôt l'image de Tank le traverse. Comment fait-il, ce monstre, même de jour, pour l'empêcher de se reposer ? Tank empiète sur sa vie, même absent… Tahül renifle fort, histoire de vérifier que Tank n'est pas dans les parages.

La nuit, le grand rêve de Tahül vient à nouveau le visiter. Il porte les bois du cerf géant sur sa tête et vole vers la grande montagne où l'attend Jald. Tank a disparu dans la neige. Mah frappe dans ses mains. Le petit Gorki est assis entre les cuisses de Jald. Pour voir son fils et Jald, Tahül vole dans les airs. Pour se poser, il doit choisir de devenir un aigle ou un cerf. En aigle, il ne pourra rester avec Jald, en cerf, il marchera à ses côtés et devra s'opposer à Tank ! Il risque sa vie en cerf, seul l'aigle échappe aux prédateurs. Tahül est l'animal cerf, fier et courageux ! Quelqu'un veut ses bois, signe de puissance, c'est Tank qui gronde. Son ombre se rapproche pour lui arracher les branches lourdes et magnifiques. Jald ramasse au sol un morceau des bois du cerf pour retenir ses cheveux. Tank a un œil de loup, l'autre qui est mort semble de pierre. La pierre grandit, sort de sa tête et transperce Tahül…

Tahül se réveille. Dans son grand rêve, il a fait le mauvais choix, mais au moins, il n'a pas perdu Jald, elle vit. Il sent la sueur du jour mêlée à celle de la nuit. Jald comprend qu'il a rencontré Tank dans son rêve et lui dit :

— Pour moi et Mah, tout va bien. Et si un jour tu veux chercher Sard avec les autres, c'est Tank qui aura peur de toi…

Tahül se tait. Comment dire à Jald qu'il a tué un cerf pour qu'elle y goûte mais que Tank l'effraie plus qu'un loup. Le loup voit dans la nuit. Le ciel doit être empli d'une horde de loups aux yeux brillants ! Tahül rassure Jald et pose sa tête contre son ventre rond. Il enfouit sa peur.

Dikt se demande s'il a bien fait d'expliquer le chemin des fleurs de pierre à deux jeunes Graüls. Tahül est un émotif, et un vulnérable ne devient pas chef… Et Ékorss n'osera jamais l'accompagner. Dikt détourne la tête, il peut vieillir tranquille, Gohr est encore un excellent meneur de Graüls. Il se rendort.

17

La naissance de Gorki

Rien n'est plus lent que la véritable naissance d'un homme.
Marguerite Yourcenar

La sagesse de la vie est toujours plus profonde
et plus sage que la sagesse des hommes.
Maxime Gorki

Jald gémit.

Personne n'entend sa plainte. Les Graüls sont partis chasser le renne. Il n'y a que Poh et Mah avec elle. Poh ne tient jamais en place, mais elle doit obéir et rester cachée.

Mah sait que c'est le moment pour Jald de s'isoler. Elle conduit sa fille dans un creux de roche et place des pierres plates contre l'entrée, elle sait que le sang attire les prédateurs, surtout quand il fait froid et qu'ils ont faim. Gorki voit le jour dans la pénombre. Il reste sur le ventre de Jald. Une fois l'entrée rouverte, la petite Poh ramasse une fleur glacée et la place sur les cheveux du petit. Elle sautille pour se réchauffer.

Les bras invisibles du soleil font fondre la neige. Les étangs grouillent de petites vies, de celles qui attaquent toutes les peaux. Ékorss, admiratif et inquiet, regarde Digr faire partie de ce tohu-bohu.

Sard ne se fait pas piquer là où elle est enduite d'argile, et comme Tank ne supporte pas d'être attaqué par les moustiques, il donne à tous l'ordre de se plonger dans la vase. Mais c'est de l'argile qu'il faut, et non de la vase. Sard se risque à dire où elle en trouve de la bonne, de l'épaisse.

— Un chef sait, c'est de l'argile dans ce trou.

— C'est de la vase.

— De l'argile!

— Tu n'es pas chef. Tu ne sais pas!

— Krah m'a dit de vous enduire d'argile pendant qu'il attrape de gros lièvres.

— Il a pas dit de la vase! Krah sait. Pas toi.

— Je dis que c'est pas de la vase! On va pas y passer la nuit!

Chacun met sur sa peau ce que Tank veut, pour que cessent ses cris et gesticulations. Puis, c'est la vérité qui fait que chaque Troms sait quoi penser au sujet de la vase et de l'argile. La vase pue! L'étang choisi par Tank grouille de larves et chacun étouffe une plainte... Krah n'aurait jamais dû envoyer Tank à sa place, car au lieu de se calmer, il est rendu arrogant. La force de Tank devient dangereuse pour Sard... Il lui tourne autour et elle s'échappe. Il la fixe de son œil mauvais.

Le groupe de Troms prépare une grande hutte située dos aux étangs. Moustiques, mouches et moucherons piquants viennent les attaquer...

Krah réunit son monde:

— Il faut faire provision d'argile! De la bonne glaise, pas de la vase, compris?

Les Troms s'inquiètent. Krah n'ose pas dire à Tank qu'il s'est trompé! Sard regarde le borgne avec frayeur. On ne sait jamais dans quel piège il entraîne les autres et pourquoi, même le chef Krah en a peur, parfois...

En hauteur, les argiles sont rouges, roses, et les Graüls s'en enduisent pour ne pas griller au soleil, ils rajoutent du blanc ou du jaune. Mais Tank ne veut pas utiliser ces terres molles. Il veut surtout connaître les niches des plus belles pierres que les Graüls utilisent, et assommer Tahül au passage! Près des étangs, il recherche une pierre couleur sang... Il ne connaît bien que la violence. Il ne choisira pas le troc, mais la bataille. Il prend un galet et détache trois ou quatre éclats. Son œil unique le rend incapable de les retoucher et il laisse ça à d'autres qui sont fiers d'être choisis pour terminer le travail du chef qu'il se voit devenir… Sard n'en peut plus de Tank et invente des ruses contre lui.

Quand il dort à poings fermés, elle lui pose un lapin mort sur la tête avant de tirer une pierre dans sa direction, puis elle fait semblant de dormir. Tank n'est pas dupe et poursuit Sard, la sœur de Jald. Elle sait que sa férocité est terrible pour capturer un animal ou une femelle troms.

— Qu'est-ce que vous foutez, bande de cuons, à me regarder ! Sard, tu me mâches une belle peau de lion, ou je te la fais bouffer.

Tank se sent bien après avoir hurlé.

Sard se sent mal et baisse la tête. Elle n'obéit pas. Elle obéit à Krah.

Lorsqu'il fait trop froid, la chasse aux rennes perturbe Tank. Il voudrait devenir aussi impressionnant qu'un aigle. Mais l'aigle a deux yeux.

— Sard, ici !

— Qu'est-ce que j'ai encore fait ?

— Va me trouver une terre qui colle et qui est noire, sinon, je te fais bouffer que des vers de viande.

— C'est pas toi le chef !

— Je suis chef de toi, tu remplaces Jald ! Viens ici !

— Je vais chercher ta colle…

Sard s'exécute à la recherche de terre sombre qui colle. Cela n'existe pas, Tank a voulu la piéger. Elle détache de la résine d'un arbre, qu'elle mélange à une terre couleur de tronc d'arbre qu'elle a pilée. Elle apporte cela dans ses mains.

Tank lève un sourcil et grogne en fermant les paupières :

— Fais-moi l'autre œil !

De l'index, Sard dessine un cercle sur la paupière blessée.

Les Troms sont estomaqués : Tank a retrouvé son deuxième œil ! Sard savoure un moment de répit et marche dans les romarins bleus, puis il ramasse des baies de genévriers pour les temps froids. Les chicorées forment des boules bleutées et les roseaux chantent un instant de paix. Elle se retourne et voit Tank qui marche comme s'il était Krah !

Tank trouve que son œil mort lui colle la peau et il efface de ses doigts la fausse pupille. Les pollens qui volent irritent le bon œil, les castors le long de la rivière semblent se moquer de lui. Tank mastique des noix avec nervosité et jette les coquilles en serrant les dents. Il se précipite sur Sard aux mains collantes. La résine sauve Sard :

— Je veux tâter tes fesses et tu colles de partout ! Sard, pas de viande, tant que tu colles !

Sard s'agenouille. Elle regarde Tank repartir vers le clan. Elle mange une petite salade, des glands de chênes verts, des graines de micocouliers, elle attendra encore des jours pour savourer des raisins défaits, et puis l'envie est trop forte ! Une envie qui la tient depuis trop longtemps… Sard déplie ses jambes et s'enduit de résine. Elle respire l'odeur de la sueur de l'arbre.

Sard court sans s'arrêter. Elle court à travers les herbes, les branches, elle court sur les pierres, elle galope, et enfin entre dans l'eau jusqu'à la tête et marche avec ravissement dans le sable. Elle a bien fait d'observer au-delà des limites… Elle ne fera pas marche arrière. Elle bifurque, longe la terre, le corps à demi enfoui dans l'eau salée. Elle rejoint les Snèks qui ne sont pas loin. Voilà, elle préfère l'ennemi calme comme un lézard à la présence de Tank. Les Snèks la regardent comme une prochaine Snèks. Ils l'abritent sous une hutte qui sent l'herbe des beaux jours et ils la regardent se sécher comme un poisson magnifique dans le vent et la lumière chaude : elle porte les odeurs des arbres et de la Grande Bleue !

— Les Troms sont vraiment des petits cuons ! lance Sno, le chef des Snèks. Cette fille troms est trop belle pour eux…

Son frère Sonk frétille des épaules. Oui, ils sont vraiment des cuons d'avoir fait peur à une si jolie Troms. Dans quelques cycles de saisons, elle sera une parfaite Snèks et portera dans son ventre un vrai Snèks très malin. Sonk se demande s'il ne se la mettrait pas de côté. En tout cas, il fait tout pour être agréable à la petite Sard pour qu'elle le choisisse un jour, et lui offre d'instinct ce qu'elle aime le mieux : une viande tendre avec un brin de romarin. Puis il regarde ses fesses, un filet de salive au coin des lèvres. Cette Troms est remarquable de corps et de vivacité. *« Les Troms doivent être particulièrement brutaux pour l'avoir laissée s'enfuir »*, se dit Sonk. Sno, le chef, ne s'attarde pas à ce genre de réflexion, mener le clan lui prend toute son énergie. Sno, lui aussi, a entendu parler des eaux qui rendent fort, les atteindre est tout aussi impossible que de faire voler un crabe ! Le secret s'est perdu sans doute car Altak, autre nom donné à Alekhta, est un territoire hors d'atteinte… Un seul savait, et aucun clan ne s'y est rendu. Peut-être un Graül ou un Ogrr… Quand ?…

Tank, furieux, s'empare d'une Troms et la chevauche comme un fauve. Il ne sait même pas qui elle est au juste. Il la chevauche et lui arrache des cris ! La peur qu'il provoque le calme, les derniers grondements de sa proie le coupent de son clan. Sa violence effraie Krah. Le chef des Troms pense que le groupe est assez solide pour ne pas avoir à se séparer de Tank. Qu'en faire, lui faire boire le suc blanc qui rend fou ? Il est déjà fou. Le laisser aux loups lointains ? Il faudrait déjà l'attraper ! Tuer un des siens porte malheur, même par animal interposé. C'est déjà arrivé et le clan des Troms s'est séparé en deux : les Troms qui sont partis se sont fait appeler les Snèks ! Ils s'évadèrent avant de se relever ailleurs en Snèks. C'est ainsi. Tank hurle comme un cerf en déroute. Il voulait au moins Sard, mais à peine contre elle, il l'a sentie filer. Une anguille, cette fille ! La jeune Troms aux cheveux filasse qui la remplace s'en sort avec des bleus sur le corps et une dent en moins…

Sard se repose et dort comme une pierre. Sonk l'allonge sur un rocher plat et la regarde dans la lumière du couchant. Sno lui rappelle qu'un fauve à dents longues comme un bras pourrait en faire un festin. On réveille Sard et on lui montre les lieux d'abri des Snèks avec précision.

— C'est maintenant ton clan, dit Sno.

— Je reste troms.

— Snèks ou troms, tu restes, et tu fais comme nous. Avant on était tous troms. Si on est parti, y avait des raisons.

Sard a oublié beaucoup de choses. Elle s'habitue aux Snèks, la Grande Bleue et les étangs se ressemblent. Une chose ne lui manque pas : la furie permanente de Tank. Il semble qu'il ne s'accoutume pas à être un bipède, il aurait dû être un loup solitaire.

Jald montre le petit sorti de son bas-ventre et le présente à Tahül.

— Gorki ! Gorki ! dit-il avec force.

Il prend délicatement son fils et le met à hauteur de ses yeux. Puis il le soulève vers le ciel, avant de le reposer sur le ventre de Jald.

— Quand il perdra ses premières dents, j'irai chercher Sard.

— Pas avant ?

— Gorki doit avoir un père, et Tank est pire que la foudre.

— Sard ne sera plus. Il va se venger…

Tahül ne manque pas de courage, il a déjà affronté des mammouths, dégraissé leurs peaux, chassé les cuons et pourchassé des ours, tué un autre cerf depuis que Gorki est né, ce qu'il veut, c'est le voir marcher, sauter, chasser ! Il doit rester pour le protéger, il en va de la survie des Graüls. Le clan n'est jamais au complet et même Ékorss souhaite participer avec Gueul à son agrandissement et avoir d'autres petits Graülots… Un jour Digr sera grand, et rira de son père qui ne sera jamais chasseur. Enfin, s'il vit encore. Tous ces tas d'os disent que la terre fourmille de survivants. Finalement, papillon, lynx, cheval ou lapin, Graül ou Troms, c'est un moment qui passe bien ou mal… Par la bouche, on souffle, boit, mange, communique, voilà pourquoi Ékorss ne chasse pas, il ne veut pas perdre sa bouche et sa vie bêtement. Il veut comprendre trop de choses. Il a de la chance d'être lâche et entouré de bons chasseurs. Sinon, il serait presque content d'être un ours qui dort et perd sa graisse sous le froid sans rien savoir de rien, prêt à s'endormir. Ce prédateur inquiétant dort quand il est gros et fond comme la neige avant d'ouvrir les yeux, amaigri, affamé !

Ékorss se risque à la plus longue marche avec les autres. On ne comprend pas sa peur, mais la peur d'Ékorss grandit le courage des chasseurs. Ékorss part à la chasse aux pierres habituelles, et use ses pieds sans défense. Il suit Gohr, et dévale une pente. Le long d'un torrent, il se lave les pieds. Cela lui fait du bien. Il appelle le torrent « tête en tumulte » :

— C'est agréable de se faire triturer les pieds par une eau qui passe si fort et si vite.

— Tu fais quoi ?

— Gohr, je mouille mes pieds !

— C'est pas bon pour la corne, idiot…

Ékorss voit entre les cailloux d'étranges poissons plats qui brillent et ne bougent pas. Ce sont des reflets du soleil ! Il les touche. Les reflets sont solides, et il les retire de l'eau ! Il vient de découvrir des pierres lumineuses ; en réalité, un métal, c'est de l'or, qu'il appelle « lumière-matière ». Ékorss filtre des paillettes de ses doigts et cache le tout dans une de ses groles qui n'a servi à rien. D'autres poissons dorés ont disparu, emportés loin des cailloux du bord de torrent à la tête si tumultueuse.

— Personne ne peut comprendre. Il y a des choses dures qui ne sont pas de la pierre. Chaque chose en son temps…, se murmure Ékorss qui veut comprendre le monde et n'y parvient pas. On se rapproche des têtes vertes. Dikt ne veut plus rien expliquer…

Ékorss se sent bien seul, car Tahül ne le suit plus sur cette voie. Tahül résiste à tout parce qu'il réfléchit après avoir agi. Tahül ne craint pas de se tromper, il n'a peur de rien, sauf de Tank, un simple Troms, et même pas chef ! Tank l'empêche de « futuriser ».

Ékorss garde toute son énergie pour faire des bandelettes de pied avec des roseaux.

Tahül garde seulement sa force pour chasser et chevaucher le bleu des yeux de Jald…

— Eh ! Tahül ! Pourquoi nos ongles poussent, nos cheveux poussent et qu'on manque de fourrure ? C'est mal fait !

— T'en as de ces questions ! Et pourquoi on n'a que deux pattes ? Ékorss, tu fais un bon chasseur de questions, c'est tout !

— Si l'on a deux pattes, alors là, c'est pour qu'on ne vole pas, qu'on ne nage pas. On a quand même un meilleur point de vue. Meilleur que celui d'un hérisson ou d'un lapin !

— C'est pas une réponse. Pourquoi pourquoi ?

— J'en sais rien. Tu veux vraiment pas qu'on tente de boire l'eau qui rend plus fort ?

— Non.

— Pourquoi ?

— Même mon père, ça l'intéresse pas !

Jald serre Gorki contre elle, et de ses lèvres, elle touche son crâne déjà presque aussi gros que le sien.

Gorki tète. Ce sera un costaud, disent Mah et Kira.

18

La vengeance de Tank

Les cons ça ose tout. C'est même à ça qu'on les reconnaît.
Michel Audiard
Les Tontons flingueurs.
Georges Lautner

Tout pouvoir sans contrôle rend fou.
Alain

Il veut faire taire tout ce qui est hors de lui. Il sait qu'il sera exclu, s'il manifeste sa violence avec un seul pas de plus. Krah l'a frappé durement. Tank masque sa haine de Tahül en devenant le meilleur chasseur des Troms. Il sait parfaitement comment retrouver les Graüls sans être vu ! Il profite des orages brutaux pour observer d'en face leur manière de chasser, où ils vont, et où sont Jald, Mah et Poh. Un jour, il aura sa revanche ! Sa revanche a poussé comme un champignon sous la pluie de sa colère, il faut qu'elle soit à peine visible. Surplombant la steppe face aux Graüls, Tank se sent comme le vent qui hurle et qui fonce plus vite qu'un cheval. Il refroidira, glacera Tahül. Il le tuera dans un vent de panique. Tank se rend aussi invisible qu'un lichen sur un tronc. Il camoufle sa haine qui mûrit. Seuls les rennes et les chevaux mangent de la chicorée ! Tank mastique sa colère et une profusion de muscles sanguinolents. Tank ne s'essuie jamais la bouche et laisse les mouches l'aborder. Il les écrase, c'est tout.

Tahül goûte à Jald, comme un cheval trop gourmand. Fasciné par Jald, il ne verrait pas un loup prêt à sauter sur lui.

Tank sera un loup pour Tahül et il le guette et creuse sa mémoire. Il veut découvrir si son ennemi a une faiblesse depuis qu'il tient dans les mains un petit Graül qu'il présente au ciel ! Tank ne supporte pas la vision de l'enfant que Jald enfouit dans une magnifique peau de renard !

Après la naissance de Gorki, Tank entrevoit Jald entraîner Tahül sous la cascade. Ils sont nus et ne se mangent pas que des yeux. Ils ignorent la prudence et se tortillent debout, assis, allongés comme les maîtres des eaux. Tank bloque sa mâchoire, et de son œil unique, il avale des images qu'il ne peut digérer. Il bave de haine et d'envie.

Il les voit redescendre des gorges après avoir joué au lion et à la lionne, à un couple de loutres avant de redevenir des Graüls… Ils sautent comme des chamois et retrouvent le plateau où Mah garde Poh et Gorki. Parfois c'est la vieille mère de Tahül dont il ne se ferait pas une fesse, tant elles sont devenues flasques, qui surveille un troupeau d'enfants. Tank trépigne ! Tank aimerait surprendre Tahül en pleine nuit sans lune, mais lui-même a peur du ciel noir aux yeux fins comme des cils.

En plaine, la tribu des Graüls part se tremper dans des vasques naturelles. Ékorss commence à comprendre Dikt et se rapproche de lui :

— Je te parle pas. Je préfère parler aux cuons, ils ne comprennent rien. Si l'on se trompe sur le courage, on est bouffé. Avec eux, je ne risque rien… Je les connais.

— Dikt, l'eau des têtes vertes ?

— Pareil. Je la connais. Imagine dans ton futur que Tahül soit un monstre d'énergie à cause de l'eau !

— Vu comme ça… Mais Tahül n'est pas un monstre.

— Il peut le devenir…

— Non. Sauf s'il est acculé.

— Tu progresses, Ékorss. C'est quoi là-bas qui bouge ? Toi qui as de bons yeux, tu sais ?…

— C'est qui ! Un Troms à la tignasse qui brille au soleil. Il regarde vers nous, au-dessus.

Il s'agit de Tank. Le Troms jaloux entrevoit à nouveau Jald, cheveux défaits. Le monde lui échappe ! Moins il possède sa proie, plus il la trouve belle et la veut. Jald le hante, c'est une prise inaccessible qu'on ne peut attraper que par ruse. Tank voit un vieux et un jeune Graül assis tranquillement. Il revient encore plus fou, fourbe et fourbu au campement près des vagues qui regagnent le sable. Le chef des Troms lui reproche de s'enhardir pour aller épier leurs voisins du haut :

— Tu vas finir par en faire des ennemis à toi tout seul ! Si tu veux finir bouffé jusqu'à l'os, alors continue à jouer à l'aigle déplumé. Avec un œil, reste au nid, crétin ! Les Graüls connaissent mieux les ours et les fauves des cavernes que toi, que nous tous réunis ! Ne va plus de leur côté ! Tu mets le clan en danger avec ton penchant !

— Quel penchant ? J'ai découvert de belles grottes en face des Graüls, je peux vous les montrer à tous. Elles seraient bien pour nous. Inoccupées, commodes et pas très hautes.

— Une autre fois. On a des ennuis avec les Snèks : au lever du jour ils nous ont pris un dauphin qu'on se réservait pour maintenant.

— Allons à la cueillette aux lapins, ils ne pensent à rien, pire que des cuons, ces brouteurs-sauteurs !

— Tu me remplaces, c'est facile. Tu les prends, tu les dépèces. Moi, je dois refaire des choppers.

— Jald fait faux bond aux Troms et tu devrais la chercher ! Sale traître. Sale Sard aussi ! Suivez-moi, que je vous montre que je, j'équi… Qui je…

— J'équi quoi quoi ? ronchonne Krah. Finis ton dire !

— J'égale bien n'importe quel chef ! Je suis un vrai Troms, moi ! Pas comme toi, Krah, j'aurais jamais laissé filer cette sale petite lapine de Jald !

— Tank ! Tu ne vaux que la chasse aux lapins que tu nous rapporteras ! Ne parle pas de Jald, c'est tout ! Elle a fait ce qu'elle voulait ! Jald fait ce qu'elle veut. Sard aussi.

Des Troms trouvent que Krah a mal répondu. Jald et Sard manquent au clan. Tank est content. On le suit en maugréant, et sur le chemin, il est tellement rusé à attraper n'importe quel animal qu'on finit par l'admirer. Il décime des lapinières et porte assez de lapins et de lapereaux autour du cou pour exiger des autres d'en faire autant. Il guide les Troms face au nouveau territoire de Jald…

Les Troms entrevoient la richesse des Graüls, ceux d'en haut portent de plus belles fourrures qu'eux car ils habitent au milieu des bêtes les plus féroces, les plus couvertes de longs poils. Ils sont plus nombreux, et ils ont maintenant des femmes snèks et troms avec eux! En nombre et en puissance, les Graüls dépassent les Troms. Ceux-ci croient comprendre la colère de Tank: il veut rendre leur clan plus redoutable, plus sûr. Tank insinue l'idée que Krah est trop bienveillant, en lançant des crottes de mouflons sèches dans sa direction supposée! Tank imite Krah. Tank se moque de Krah tout en dépeçant les lapins…

Tank épate son clan, il ne bronche plus d'un poil et ne fait que chasser et apprendre à chasser aux plus jeunes.

Krah s'interroge et se gratte la tête. Il doit prendre un peu de la colère de Tank, sinon, on ne lui obéira plus. Il doit préserver les Troms:

— Jald, Mah et Poh sont en face, avec un autre chef. Et vous les laissez sans rien faire? Nous devrions avoir de la belle peau de panthère comme elles! Pas eux! Alors, on va chasser la panthère des cavernes. Tank?

— Commençons par les panthères…

Krah grommelle dans sa barbe roussie.

— Avant, on mange! Chacun son lapin…

Un éclair passe dans l'œil de Tank. Il a mis Krah à genoux, l'obligeant à agir à sa façon… Tank adore sucer les mandibules de lapin ou de mouflon. Il regarde le sol, uniquement préoccupé par sa propre mastication. Contrairement à d'autres, il mange les cœurs avec autant d'appétit que des graines sucrées. Les Troms décident de rester face aux Graüls, comme un défi qu'ils se lancent. Tank partage maintenant sa haine avec tous.

Au soleil du matin qui suit, Tank regarde en direction des montagnes qui lui semblent d'un bleu étrange…

Le retour se fait à la vitesse du vent. Chacun rapporte de quoi nourrir les femelles et les petits restés près des étangs. Large d'épaules, robuste, Tank ne grogne pas quand un petit Troms bleuit. Le Tromsot ne survit ni au froid, ni au chaud, les parasites et la toux l'emportent. Ce n'est pas le premier ni le dernier. C'est comme ça. Tank se gratte la barbe en se disant que les plus vieux qui ont été les plus résistants ont mérité de continuer à faire partie du paysage. Les autres… Il arrache le Troms bleu à sa mère.

— Tout de même, un peu de tenue! proteste Krah.

Tank n'aime pas qu'on lui résiste. Il se sent plus chef que le chef des Troms et il se sent plus fort que Krah:

— Il est bon à rien ce Tromsot, même pas pour être ingurgité! Elle va pas le garder. Qu'on en finisse.

— Tais-toi. C'est pas un lapin, un Tromsot!

— Si tu viens me le redire bien en face! lance Tank, je te crois. C'est un lapin bleu, moi, j'dis!

Les Troms entendent quelques chocs.

Krah, le vieux chef des Troms, revient en lambeaux, le crâne défoncé. Il s'est fait attaquer par une panthère des neiges, explique Tank. Il dépose la dépouille de Krah qui à son tour devient bleue. Le chef est allongé au centre des Troms.

— C'est la fin de la période bleue. On change! déclare Tank.

Il attaque le crâne du chef Krah avec une fausse dévotion à coups de pierres taillées et puis, il se fait un plaisir de manger sa langue et une bonne partie de son cerveau sans rien demander à personne. Un autre chef s'impose et ce sera lui. Le groupe a besoin de la force de Tank. La mort rôde en bleu, et aucun des jeunes Troms n'ose répliquer. Tank instaure la période rouge.

L'entente disparaît peu à peu chez les Troms.

On regrette Krah, on espère que Tank va être moins dur. On a besoin de lui car c'est le seul à ne pas craindre le fleuve côtier, et à oser retourner sur les traces des Graüls pour faire le guet sans rien redouter.

Tank s'attaque à la roche face aux Graüls, il en extrait un jaspe rouge à son image. La pierre ressemble à du muscle de mammouth, à un morceau de cœur. Tank prend le temps de tailler une fine lame, qu'il garde sur lui. Il a réussi à la tailler, cela semble l'apaiser. Cette pierre sanguine et tachetée, il est le seul à en avoir une et ne la montre à aucun Troms… Le secret que s'impose Tank est: ne rien faire savoir, ne rien partager, garder le plus beau pour lui. À défaut du corps de Jald, il se satisfait de ses accumulations…

Lorsqu'il se montre nu sous la lumière chaude, on dirait un monstre sorti des étangs. Son œil prend une lueur farouche et il regarde chacun des Troms avant de leur intimer ses ordres. Impossible de les mettre en doute, et personne ne parle plus de Krah, déchiqueté par un « féroce » sur la route des Graüls.

Qui est dupe, qui ne l'est pas ? Il est certain que Tank, en tant que nouveau chef, prend la fille de Krah contre son gré. Elle est fine et il n'aime que les potelées. Comme les Troms ont perdu trop d'enfants, il va falloir qu'elle soit robuste, pour faire de solides petits Troms qui ne virent pas au bleu !...

— Pouk, j'espère ne jamais manger tes fesses avant que beaucoup de petits Troms ne viennent grossir le clan !

C'est sa façon de lui dire qu'il la trouve malgré tout à son goût, surtout quand elle se plaint. Il aime quand elle crie... Dans la nouvelle grotte face à la montagne des Graüls, il observe ses ennemis et cela lui donne une force démesurée, il nargue Tahül et il fait tout pour devenir un grand chef. On le craint. Il caresse dans sa main le morceau de jaspe et fixe le plateau des Graüls. Il voudrait que Tahül le voie et le craigne ! Les Troms sont à l'abri, alors il dit qu'il préfère le murmure de la mer et les poissons qui échouent sur le sable à ces lamentables Graüls qui vivent dans des trous comme des lapins.

Le clan des Troms se partage à nouveau en deux, et pour le garder uni, Tank décide de faire des allers et retours dès que sa colère gronde en lui. Les Troms font des séjours à leurs points d'origine et repartent face au plateau des Graüls. Tank ne supporte plus le père de Ksiss. Kleu se plaint d'avoir mal aux os. Il ne veut plus marcher, juste pour aller narguer ceux de « là-haut ».

— J'ai mal aux gros os...

— On verra ce qu'il y a dedans quand tu seras mort, réplique Tank. Arrête de te plaindre, Kleu !

Pouk fait parfois les frais d'être à Tank chaque fois qu'il voit Jald et Tahül dans le paysage. Il est obsédé. Les Troms ne comprennent pas. Alors que le temps se réchauffe, Tank se renfrogne...

Tahül traque un thar. Jald donne le sein à Gorki... Ékorss apprend à Digr à tenir un silex dans la main.

« *Le temps et le vent complotent pour moi* », se dit Tank qui espionne le plateau des Graüls. Il ne se risquerait pas seul dans cet immense territoire de chasse, c'est uniquement pour ça qu'il a besoin des autres Troms. Tank nourrit sa jalousie pour être prêt à attaquer. Il prendra une partie du terrain pour l'offrir aux jaloux des peaux de panthères. C'est son plan apparent… Pour cela, il doit avoir des alliés au sein de son groupe et acquérir la meilleure manière de chasser des bipèdes, cette fois…

— Il faut prendre la grotte aux Graüls. Elle doit être immense et protégée du vent. Quand ils partiront loin de leur Grotte-Mère, à la bonne saison, nous irons y vivre.

— Trop loin, ose Pouk. Trop dangereux.

— Tais-toi, je parle à des chasseurs !

— Les chasseurs te disent que c'est trop dangereux, répond un chœur de vieux Troms dont Kleu, le plus sage.

Kleu se prend un coup sous le menton.

Renfrogné, prêt à tout pour avoir raison, Tank fait régner la terreur. Cela marche très bien, on lui fait des signes de soumission comme les cuons qui courbent l'échine pour signifier que la meute obéit au plus coriace. De son œil unique, Tank surveille tout ce qui bouge, et qui est avec qui, et pour faire quoi. Un petit groupe tente d'échapper à son caractère terrible. Un jeune Troms se risque même à dire aux autres :

— Si c'était pas le nouveau chef, j'dirais que ça craint pour nos fesses !

Les autres le bousculent dès qu'apparaît Tank…

Chez les Troms, les chasses sont bonnes, mais il y a de plus en plus de blessés, car les ordres et contre-ordres font que plus aucun Troms ne sait comment obéir ou désobéir.

Le moment est grave, brûlant. Près des étangs retrouvés, les insectes semblent également tenir réunion. À l'ombre, Tank fait semblant de se reposer, mais son ouïe fine lui dit qu'on complote contre lui.

— On n'ose plus attaquer, même pour se défendre. Faudrait trouver un autre meneur de chasses…

Aucun chef ne peut être « décheffé » sans raison. Alors Tank s'approche à pas de lynx et trace un trait au sol qui signifie « ne pas déranger », puis de rage, foule aux pieds un lapin pas encore dépiauté. Il découvre qu'il fait peur à tous. Ils rentrent leurs têtes entre les épaules, et il aime ça ! Sa position de chef lui donne des pouvoirs qu'il savoure plus qu'un festin et qu'il ne soupçonnait pas. Il a dégusté le gras du crâne de Krah... Il oublie un temps Jald. Il est maintenant craint et obéi, et il progresse dans sa manière de diriger les attaques et de découvrir de nouvelles planques. Les chasses réussies redonnent le sourire aux affamés ! Tank jouit d'un moment plein. On le craint, il ne craint rien.

Tank songe à nouveau à Jald, il songe aux Graüls : un jour il sera aussi le chef des Graüls. Il envahira leur territoire, les réunira et personne n'osera lui faire une mimique de travers. Il sera le plus grand chef... On ne pourra pas le « décheffer ».

Il décide qu'il faut chercher du silex le long des étangs et faire provision de pierres taillées.

Sard n'a pas le temps de finir d'étaler de l'argile sur ses bras. Elle voit tout son ancien clan qui se déplace vers la limite du territoire des Snèks. Au bord de l'étang, les plus habiles Troms taillent sur place de beaux galets pour fabriquer des choppers pour frapper, et des pointes pour faire saigner. Cachée dans un bosquet épineux, elle voit Tank qui utilise un caillou rouge pour casser des noix qu'il se réserve. Ensuite, il fend un tronc d'arbre. Il laisse à la fille de Krah le soin de mettre un cercle végétal sur la grande hutte. Pouk profite d'un moment d'inattention pour tenter de fuir vers les Snèks. Sard observe de loin... Pouk se dirige vers la mer. Tank la tire par le bras. Sard déboule, haletante et fait des signes que tous les Snèks comprennent. Ses gloussements avertissent d'un danger.

— C'est pas après nous qu'il en a ton Tank, dit Sno. Eh ! Regardez ! C'est vrai, les Troms sont pas loin. Debout, tous, regardez, il leur arrive quelque chose de bizarre...

Au bord de leur étang, une meute de cuons se montre plus méchante que celle des hyènes et elle vient guigner les mollets des enfants troms. Les Snèks se regroupent et observent.

— Bien fait ! Les Troms ne doivent pas se croire chez eux ici, et cette bande de cuons aussi doit pas se croire tout permis, grogne Sonk, le frère de Sno.

Les Troms lancent leurs galets non taillés qui atteignent leur but et les quadrupèdes espiègles disparaissent en glapissant. Un grand mâle cuon à la queue noire s'approche de Pouk. Tank l'abat d'un coup de pierre, puis se jette sur lui, et gesticule :

— Si on m'embête, je frappe ! Eh ! Pouk ! Voilà ce qu'il te faut par temps froid, ce cuon ! Un loup serait trop beau pour toi et surtout trop grand pour tes fesses !

Les Troms se trémoussent de rire ; pour une fois que le chef fait détendre les maxillaires !

Dans leur espace-refuge, les Troms resserrent leurs liens après ce jeu de défense qui les a volontiers réunis. Ils craignent les trombes d'eau, le vent furieux, la neige féroce, les lions, les panthères qui se fondent dans le paysage, et toutes les bêtes rivales qui vivent et mangent si près d'eux. L'ours est le pire ennemi, les cuons s'en méfient, car personne ne peut berner sa puissance. Tank est obligé de comprendre toute la hiérarchie des forces en présence pour ne pas se contenter de lièvres et de petits rongeurs. Malgré son œil unique, il garde une fureur pour le corps à corps avec les ours. Il est respecté pour sa folie car il est capable de s'en prendre au plus effrayant dressé sur ses pattes arrière et le faire saigner comme un foie éclaté. Il ressemble alors à un sanglier dont il est amateur ! Sauvage et étrange comme lui, le sanglier lui rappelle qu'il a encore l'ouïe fine et la vue parfaite, malgré son œil unique. Tank signifie « sanglier » ! *« Tout est bon dans le sanglier, même le sang »*, a l'habitude de dire le nouveau chef des Troms.

Pendant le taillage des pierres et l'attaque des moustiques, une lionne s'est approchée du groupe pour attraper un petit garçon. Cela aurait été une fille, Tank aurait réagi moins vite, mais voilà que, muni de son épieu, il a le courage de s'affronter à la bête dont la peau servira à tapisser la tente qu'il réserve à Jald… Le petit Tromsot s'en remettra.

Pouk le regarde faire, et craint qu'un jour il ne s'attaque à elle de la même manière qu'il vient de le faire avec la bête fauve. Elle regarde les vagues lointaines qui se noient dans le ciel et songe à Sard et sa sœur Jald. Elles l'ont échappé belle, disparues dans un ailleurs qui l'effraie tout autant…

Pour Sard, les Troms ou les Snèks sont tous des animaux déplaisants et violents. Leur unité n'existe que face à des prédateurs.

Sard aime la chair du hérisson, et regarde les sauts des lynx qu'elle essaie d'imiter. Elle ne connaît pas les Graüls et s'habitue aux Snèks. Ils sont plus joyeux que les tristes Troms... Heureusement Tank ne la hante plus et elle apprend à comprendre les gestes de Sno et de son frère Sonk. Ils haussent les épaules quand ils ne savent pas, contrairement aux Troms qui font ce geste pour enlever une douleur au cou ou lorsqu'ils se moquent... Les Snèks grognent fort, alors que les Troms grondent plus léger pour exprimer une peur. Sinon, les rires sont des rires et les grimaces des grimaces... « *Tout pareil* », se dit Sard.

Les Troms utilisent les branches de micocouliers pour fabriquer le squelette des huttes, où ils posent des feuillages. Parfois, ils y font des réserves de racines. Mais les Troms préfèrent avant tout la viande aux animaux échoués de la mer. Lorsqu'ils voient passer les oiseaux qui migrent d'on ne sait où vers on ne sait où, ils savent que la neige reviendra bientôt. Ils tentent d'attraper des canards.

Les troupeaux circulent devant cette poignée de Troms qui ne s'intéressent pas aux bisons et aux rennes avant que la neige ne contrarie la marche de tous ces animaux dont ils font partie...

Tank regarde son clan comme son propre gibier. Il n'est pas Krah, il est Tank. Il perdra autant de Troms qu'il faudra pour se faire la peau de Tahül et faire de celle de Jald son antre. Il veut éprouver le plaisir de la conquête, alors que chez les Troms ou les Snèks, ce sont toujours les femelles qui décident. En tant que meneur du groupe, il s'arroge le droit de choisir sa viande et sa femelle... Sa folie agit tel le givre... Plus aucun Troms n'ose le regarder en face.

19

JALD RACONTE LA MER

Le soir nous descendons vers le fleuve
Parce qu'il nous désigne le chemin de la mer
Et nous passons nos nuits dans des sous-sols qui sentent le goudron.
Georges SÉFÉRIS

Tahül apporte une peau de panthère piquetée de gris à Jald. Jald pousse de petits cris de satisfaction. Cette bête sera belle sur elle et ses yeux brillent comme des quartz aux couleurs de la mer. Tahül la regarde bêtement avec un sourire de Graülot. Puis il prend un air grave ; la fourrure ne fait pas la femelle, Jald doit devenir une vraie grimpeuse pour devenir une vraie Graüle… Cette Troms ne connaît que le rouleau des vagues et l'odeur des marais. Tahül lui apprend à monter aux arbres, à sauter d'une grosse branche au sol et à tenir en équilibre sur un piton. Jald imite parfois un mouflon et tombe à côté, mais elle se reprend. Tahül la regarde faire et tient leur fils Gorki. Quand Jald saute, il le place, comme si c'était un œuf, dans ses bras qui forment un nid d'aigle doux et protecteur. Les aigles vivent haut, et il n'y a pas de tribus d'aigles, mais des couples ; leurs œufs sont fragiles aux couleurs du sable et de la terre. Tahül craint que son fils ne se craquelle de l'intérieur. Gorki tète toujours bien sa mère, Tahül chasse les mouches. Seul l'aiglon le plus fort survit, l'autre est tué par le plus puissant. Les Graüls ne font pas ainsi ! Ils ne peuvent pas voler, ni nager, ni courir dans la neige, juste marcher, manger, boire, courir, survivre. En revanche, ils ont quelque chose en commun, l'idée de clan, et cette furieuse envie de survivre ensemble avec leurs petits si lents à grandir… Ils dépècent ensemble, mangent ensemble et un jour Gorki saura que lorsqu'on a ses vraies dents, tout se vit et se décide vite ! Il faut mordre ! Ainsi Tahül n'a pris que le temps d'un regard pour choisir sa mère !

Là où vivent les Graüls, c'est grand et petit, beau et dangereux. L'union fait qu'ils résistent ensemble, sous le vent, la neige, le chaud, le froid, les bêtes féroces. Tahül se sent fort et faible. Qu'est-ce qui le traverse ? On dirait une vague qui l'emporte à jamais vers Jald. Une autre le retient, c'est la crainte de voir jaillir Tank… Tahül espère vivre au moins jusqu'aux bonnes dents de son fils.

Ékorss est heureux pour le clan qui survit en bonne entente. Il se risque à faire tomber un nid d'abeilles et frappe dessus, piqué aux bras et fier d'être brave, d'avoir « tenté » une chose inédite ! Il offre la dure gelée des abeilles à sa nouvelle famille : Gueul et Digr. Gueul lui lèche le bras et goûte au miel… Bientôt, tous se régalent de cette substance que les ours vont chercher comme des fous ! Les mouches redoublent d'énergie à venir « attaquer » les Graüls. On aime la folie d'Ékorss, quand tout va bien.

Le paysage végétal est comme agrandi et partout, il montre sa force. Les étoiles filantes et les galets célestes ne vont pas tarder à revenir.

Pour Ékorss, le ciel est un immense cristal qu'un géant taille à cette période de grande chaleur, alors voilà, les Graüls reçoivent les éclats, les pierres fambloyantes du grand chasseur du ciel. Voilà, il a peut-être trouvé la réponse. Ékorss n'est pas robuste, mais toujours inventif. Jald lui montre comment s'enduire d'argile contre les moustiques qui semblent préférer sa peau à toute autre. Tahül s'assied et demande à Jald :

— Tu as appris comment, les terres qui protègent des petits piqueurs ?…

— Les Troms vivent près des étangs et les moustiques sortent de l'eau. Ce sont des vers qui d'un coup se mettent à voler.

— J'ai vu, ils ont des poils et une grosse tête !

— Ils sortent d'une vieille peau, envahissent autour. Les Troms se grattent au lieu de chasser. Les petits, on les enduit aussi de terre. Le rouge, c'est pour dire qu'on est en colère parfois aussi…

— Ah oui? Pas ici. Ici le rouge, ça veut dire «la terre». La grande étendue d'eau qui bouge, c'est vrai qu'il est impossible de voir l'autre bord? demande Ékorss.

— Aussi vrai que la montagne est haute. La Grande Bleue, personne n'a vu ni début, ni fin. C'est pas un lac, ni un étang, c'est l'immense!

— Raconte!

— Quoi?

— Elle!

Jald se tait, car comment expliquer avec des gestes et des sons des choses incroyables comme la profondeur, la forme, qu'aucun Graüls ne connaît?

— Raconte… J'aime pas les histoires de chasses et de combats, implore Ékorss.

— Elle chasse rien, elle combat pas. Elle va, elle va… Elle s'éloigne…

Jald ferme les yeux. Elle fuyait sans savoir qu'elle ne pourrait jamais revenir en arrière, là-bas, au bord de sa contemplation…

L'eau part et laisse le sable avec plein de cailloux et de petits animaux dans leurs coquilles. Les coques sont parfois vides. Les pieds s'enfoncent et laissent des empreintes comme celles des animaux. Mais le souffle d'eau efface les pas, remet tout en place. Le sable est agréable sous les pieds. Ses pieds ne frôlent plus le sable. Jald n'a plus face à elle cette étendue d'eau dont on ne voit jamais le début ni la fin, cette fourrure bleue liquide, qui part, revient, repart, revient, respire très lentement. Personne n'en a jamais fait le tour. Parfois furie, parfois endormie… Personne ne peut la boire. La Grande Bleue-Verte est parfois noire et terrifiante, parfois sournoise, parfois douce, et dedans vivent des animaux qui se cachent à l'abri des oiseaux voraces. Jald a essayé de rester la tête sous l'eau pour voir dedans, elle a recraché une eau qui a le goût des larmes et qui brûle les yeux. Aucun monstre ne peut avoir tant de sécrétions salées aux yeux… Quand Tank la frappait pour l'attraper, elle espérait cette eau salée qui caresse la peau et console. L'eau est belle, l'eau interminable est profonde comme le danger qui a faim et avale sans cesse; sa profondeur effraie, sauf certains oiseaux qui flottent dessus... Dedans, cela doit être effrayant, car même les dauphins si lisses s'y laissent prendre. La mer fait échouer des poissons à moitié dévorés par des monstres dont on voit parfois le dos... Jald, de ses bras et de son sourire, explique et semble se réveiller d'un songe :

— La grande étendue change de couleur. Elle t'apaise, elle te fait peur. Si tu rentres dedans et si tu bois un peu, tu comprends qu'elle a beaucoup pleuré. Si tu y mets la tête, elle te fait pleurer.

— On ne peut être gentil et méchant tout ensemble, dit Tahül.

— L'eau est aussi vaste que son mystère...

Ékorss aime cette histoire qu'il ne comprend pas et il se met aussitôt à découper des ailes d'oiseaux pour Jald, les femelles graüles et snèks. Les ailes sont les choses les plus mystérieuses pour lui. Gueul ne trouve pas cela utile, mais Jald utilise les cadeaux d'Ékorss à sa façon. Les grandes plumes font tenir ses cheveux et les petites plumes, elle les rend au vent... Bientôt les Graüles se mettent à tailler les ailes dans la grotte et Jald les regarde avec reconnaissance, les femelles graüles sont plus belles et reconnaissables avec des couleurs autres que celles des pelages tannés. Certaines plumes font penser aux beaux oiseaux qui raclent la surface de l'eau ou plongent pour avaler des poissons. Jald regarde Tahül et sa longue barbe noire. Son visage est songeur. Il faudra qu'elle lui fasse voir la mer du dedans des grottes qu'elle arrivait à rejoindre en crapahutant entre les rochers. Elle voudrait qu'il croque ce qu'elle trouvait : bigorneaux, moules, huîtres, coques, crevettes, crabes, si craquants sous la langue, et aussi les morceaux de poissons piégés par la marée, et ces herbes de mer qui donnent un picotement salé sur la langue. Elle seule s'en régalait. Personne ne mange ce qui vient de l'eau, nulle part ! Avec les gros coquillages, elle rêvait à des mondes marins sans Tank.

Jald observe Berr, le frère aîné de Rar, il arrache de ses dents la viande à une grosse côte. Jald comprend que les Graüls préfèrent la moelle, la viande, les fruits secs et les hauteurs, elle ne peut leur parler de son attraction pour la Grande Bleue, celle qui rend si petit, de l'odeur qui l'entoure et qui fait voir le monde autrement. Jald prend alors Gorki sur ses genoux et souffle dans son oreille le souffle de la mer.

Tahül comprend. Tahül aime aussi le territoire des Troms. Un jour quand Gorki marchera, ils iront dans le sens opposé aux huttes des Troms voir l'eau qui fascine tant Jald. Tahül et Jald ont trop peur de Tank pour préparer cette marche. Jald pense à sa sœur Sard, et un fragment marin sort de ses yeux. Elle laisse Gorki jouer avec Ékorss :

— Gorkigor, kikiki… Il est mignon. Dire que j'étais comme ça.

— J'espère que Gorki va grimper aux arbres et ira avec nous à la chasse aux rennes, réplique aussitôt Tahül comme pour éloigner de son fils toute torpeur, toute douceur.

— Et qu'il osera affronter les flots. J'ai toujours aimé la grande étendue d'eau qui sait étonner les Troms parce qu'elle dort, puis se réveille sous le vent et tire ses langues d'eau, ces langues salées qui te passent par-dessus ! Gorki sera comme un dauphin, termine Jald, en riant.

Après un long silence, Ékorss fait des signes qui font rire les parents de Gorki :

— Gorki, le dauphin !

— Pas encore, nous irons. Il est trop petit.

— Oui ! Il faut des dauphines ! Elles iront comme ci et comme ça, fait Ékorss, imitant de ses bras ce qu'il croit être un dauphin, animal sans écailles !

Ékorss strie l'air de traits invisibles.

— Non, comme ça. C'est rond. On voit que tu n'as jamais vu la Grande Bleue, rouspète gentiment Jald. Le dauphin fait des sauts hors de l'eau et des sauts dedans. Il s'exprime mieux que toi !

— L'eau est bleue et le dauphin parle ? Jald, pourquoi tu l'appelles « la Grande Bleue » ? Elle est grande comment ?…

— Comment ça… D'ici aux étangs et plus encore ! Encore, encore… Elle est grande jusqu'au fond.

— Jusqu'au fond de quoi ? demande Tahül.

— Au fond de plusieurs jours de marche, peut-être…

— On ne marche pas sur l'eau.

— Faisons comme si. Voilà. On marche au bord et elle est toujours là ! affirme Jald. Elle est un ciel liquide !

— J'ai compris, reprend Ékorss. Jald veut dire que la Grande Bleue s'étend aussi loin qu'on peut la voir.

— Son eau n'a pas de couleur quand on la prend dans ses mains… C'est un mystère, soupire Jald. La nuit, j'ai pas osé la voir de près…

— L'eau des ruisseaux n'a pas de couleur non plus, c'est de l'eau, dit Berr, le frère de Rar.

Chacun se met à imaginer la mer, et tous sont contents d'être sur de la roche ferme et dans un coin qui oblige à être plein de courage pour boire, manger, dormir. Qu'il est bon de savoir où se rendre pour trouver les pierres qui permettent ensuite de manger, les cascades et les étangs qui offrent de quoi boire et se nettoyer. La mer restera un mystère.

Ékorss pense qu'il est temps d'aller à Alekhta pour protéger ses amis. Si personne ne comprend les prodiges de la mer, autant se donner un avantage. Ékorss se dit même que l'eau des têtes vertes lui donnera peut-être du courage. Gohr refuse toujours que son fils puisse boire la force des montagnes, cela embrouillerait ses sens.

— Jald a dit le danger de l'eau de la Grande Bleue. Alors l'eau d'en haut, plus chaude que le sang qui coule, n'est pas pour les Graüls qui ne connaissent rien aux pièges.

— L'eau piège ?

— Il n'y a pas que l'eau. Tu as bien un petit Digr, hein ?… Tu es piégé. Et tu peux même pas lui apprendre à chasser.

Pour Gohr, le monde est beaucoup plus beau petit, on peut mieux découper, dépecer, tanner, faire avec des bêtes autre chose que des bêtes : des choses pour les Graüls. La Grande Bleue est faite pour un clan qui saurait nager-plonger-voler, un clan qui n'existe pas ! Tahül doit cesser d'avoir peur de Tank et Ékorss de rêver au futur et à l'eau qui réchauffe. Gohr indique qu'il a décidé cela par un coup de poing sur ses propres cuisses. Le silence se fait même dans les têtes !

Jald songe à sa terre-mer, et passe ses mains dans ses cheveux pleins de nœuds et de poux. Les cuons en sont couverts. Elle aime la mer, parce que la mer a des cheveux d'algues, et que jamais les cuons n'y vont, ni les loups, ni les hyènes.

Elle rêve qu'elle est assise sur le sable avec Gorki et qu'un dauphin vivant passe devant eux. Habiter près de la grande étendue d'eau offre des visions incroyables. Elle a vu des pierres de feu venues du ciel se jeter dans l'eau qui clapote. Elle voudrait voir Tahül sous une nuit qui parle, une nuit où les insectes se disent des choses sur le vent, loin des flots où se reflète cette face borgne et blanche, rond qui change de forme et qui n'envoie pas de chaleur aux bons jours chauds, chauds comme Gorki qui réclame son sein.

Le fils de Berr naît, mais sa mère Püth meurt. Berr mange les fesses de la jolie Snèks sans le même appétit qu'il aurait pour une côte de thar. Que faire de son petit ? Il n'est pas en état de chasser et encore moins de trouver du lait.

Ékorss se gratte la tête et fait des gestes incroyables avec quelques sons bien reconnaissables en ponctuation. Les Graüls sont très forts pour se comprendre entre eux et ils suivent le parleur du clan.

— Guib, fils de Püth et de Berr, lui-même fils de Far et de Woust, tu n'as plus de sein à qui donner ta tête. Gueul sera ta mère, et toutes les mères seront comme Kira a été mère avec moi et Digr. Guib, ton frère sera Digr…

Berr recrache le morceau de fesse et prend Ékorss dans ses bras. Il lui tape le dos. Personne ne connaît ce geste et tous les Graüls savent que ce geste restera rare.

Berr pense : *« Nous avons fait un grand pas vers Ékorss. »*

Ékorss songe : *« Nous avons fait un petit pas vers quelque chose qui nous différencie des cuons. Gueul sait maintenant qu'elle peut élever un petit. Je n'ai plus peur d'être en retrait des autres. Je suis avec les autres, autrement. »*

Gohr regarde les Graüls. Tant qu'il sera en vie, il aimera ces moments où les dents arrêtent de claquer, les langues de bouger. Il aime cet instant qui apaise après cette chose pénible qui fait peur.

Tahül regarde son père : comment fait-il pour être chef sans *« chéfailler »* ?… Mais pourquoi lui interdit-il sa propre force ? Pourquoi n'aime-t-il pas le voir tuer des animaux sous ses yeux ? Tahül pense qu'il n'est pas aussi fort que son père, et seul Ékorss sait qu'il se trompe. Ékorss pense que des êtres attendent dans la profondeur de la mer, et que ce ne sont pas des monstres… Il regarde Gohr et détourne la tête : il a saisi un visage qu'il n'aime pas, le visage du chef qui oublie son fils Tahül.

20

Les erreurs d'Ékorss

Eh quoi! est-il donc si difficile de laisser les hommes essayer, tâtonner, choisir, se tromper, se rectifier, apprendre, se concerter, gouverner leurs propriétés et leurs intérêts, agir pour eux-mêmes, à leurs périls et risques, sous leur propre responsabilité; et ne voit-on pas que c'est ce qui les fait hommes? Partira-t-on toujours de cette fatale hypothèse, que tous les gouvernants sont des tuteurs et tous les gouvernés des pupilles?

Frédéric Bastiat

Ékorss sait qu'une viande pourrit plus vite au soleil et qu'il suffit qu'un Graül aille mal pour que tout le clan pourrisse. Alors il décide d'être utile au clan sans être l'ombre de personne, ni de Gohr, ni de Dikt. Mah voit cela d'un mauvais œil:

— Laisse les choses aller. Tu ne feras pas venir la chaleur quand viennent les glaçons.

— Je veux essayer quelque chose.

— Pas la peine. Chez les Troms, j'ai appris cela. Tu peux faire des petites choses, pas des grandes. Comme tes histoires de groles. C'est à tomber par terre et à se fracasser! Essayer quelque chose, cela apporte toujours des querelles.

— Justement, on serait tous mieux ensemble avec mes groles. On n'est plus des animaux, on a décidé. Si l'on se protège la tête et les jambes, pourquoi pas les pieds?

— Parce que chacun a les siens de pieds.

— J'avais remarqué.

Ékorss vexé ramasse des peaux qui ne servent à rien et confectionne des poches en cuir pour lui-même et place ses pieds dedans, et avance dans la neige avec. Il est persuadé de pouvoir marcher ainsi. Pendant un instant, il a chaud aux pieds et regarde fièrement devant lui, emporté par sa conviction ! Comme tous les Graüls l'auraient prévu, il glisse et dévale une pente. Ékorss devient la risée de Gueul. Tahül lui envoie une boule de neige pour lui faire comprendre que la neige est plus forte que ses inventions. Du coup, l'idée de porter de la fourrure et du cuir pour marcher est abandonnée.

Ékorss se renferme et ne parle plus de rien.

Il trouve que Gorki comprend mieux le monde que les grands, car il regarde tout autour de lui et qu'il serait prêt à avoir les pieds au chaud, lui ! Cela se voit à la manière dont il les remue en permanence.

Ékorss lui montre les museaux courts des chevaux :

— Plus malins que les rennes : plus c'est court un museau, plus il arrive à brouter l'herbe sous la neige. Remarque, en vieillissant le museau se r…

Ékorss ne finit plus ses phrases, et Gorki est trop petit pour comprendre un seul son ou un seul geste. Il ne marche pas encore.

Quant à Gueul, elle ramasse des coquillages de terre sans se méfier. Ékorss, derrière elle, lui hurle :

— Gueul ! Tu n'es pas folle ! Partir pour un vulgaire escargot baveux, alors qu'une hyène peut te sauter dessus !

— C'est quoi un escargot ? Ah ça, un coquillage de terre. C'est pas lui qui va m'attaquer.

— Attention à tes fesses ! Je suis incapable de te défendre en cas d'attaque d'un féroce à grandes dents !

— J'lui lancerai des pierres et puis c'est tout !

— Reviens !

— T'as qu'à me suivre.

— J'suis pas armé. Faut rester groupés !

— T'es pire qu'un cuon !

— Cuonne toi-même !

Pour la première fois, Ékorss s'emporte. Il sait qu'il camoufle sa lâcheté par son cri. Il en pousse un autre beaucoup plus long.

Comme alerté par l'odeur d'une biche, un lion aux dents longues s'approche de Gueul. Il frétille de l'arrière-train, prêt à bondir sur elle.

— Gueul, attention ! Derrière toi, un féroce ! Grimpe !

— J'te crois pas. Retire ce que tu as dit ! Je suis pas une cuonne !

— Non ! Le féroce a une sale tête. Viiite ! Grimpe !

Gueul renifle soudain l'odeur du fauve et lâche l'escargot. Elle fonce devant elle et ne voit rien qu'un pauvre arbre rabougri. Elle s'égratigne les bras et monte au plus haut.

Ékorss court vers la tribu :

— Tahül, Gohr, Gueul a un lion à ses pieds.

— Où ? crie Tahül.

— Dans le fossé des bestioles à coquilles !

Tahül attrape des épieux, réveille Rar et Berr assoupis et prévient Gohr.

Ils s'apprêtent à attraper le lion comme font les cuons, par derrière.

Lorsqu'ils arrivent, le lion tire déjà un pied de Gueul vers le sol. Elle tient fermement ses mains à une branche qui craque. Gueul s'écroule. C'est alors que Tahül s'élance et transperce le lion qui lâche prise. Le sang attire des cuons qui repartent, la queue entre les jambes sous les pierres d'Ékorss et des Graüls.

Ékorss gémit et se lamente, la tête entre les mains. Gueul gueule. On la ramène tant bien que mal devant la grotte.

Mah qui s'approche de la plaie fait un signe de dégoût de la tête. Il n'y a pas d'eau de la Grande Bleue ni de plantes qui empêchent de pourrir. Elle demande à Jald de l'argile.

— Ce cuon d'Ékorss ne sait pas surveiller sa femelle, ajoute-t-elle. On voit pas ça chez les Troms.

— Gueul n'avait pas à s'éloigner seule aussi ! lui répond Jald sur le même ton.

— Elle doit s'ennuyer. Moi aussi, sans Damor, ton père, je grignotais n'importe quoi. Dépêche-toi.

Jald, accroupie, regarde l'empreinte des crocs d'où sort un sang bien rouge. Jald enlève les petits cailloux, étale de l'argile et pose des feuilles qu'elle sait bonnes pour la peau. Gueul va pourrir de la jambe si cela ne se referme pas.

Ékorss vient la voir.

— Alors, Gueul va s'en sortir ? Jald ! Réponds !

— Ta Gueul qu'est-ce qu'elle avait à chasser le coquillage de terre ? C'est un jeu de Graülots ! Et pourquoi tu l'as laissée seule ?

Ékorss voudrait être un caillou, une souris, disparaître. Jald est si belle et si dure avec lui. Gueul serre les mâchoires. Il la voit de loin devenir vieille de douleur.

— Tu as encore ta glue d'abeilles ? Ékorss ! demande Jald.

— Pourquoi ?

— Pour voir si cela arrête le flot rouge.

Ékorss n'a plus peur de se faire dévorer et part décrocher une poche de piqueuses qui fabriquent leur propre nourriture. Il revient piqué de partout et il ressemble à un champignon. Fier d'avoir décroché une poche de miel d'un arbre, il remet son trophée à Jald et regarde Gueul avec frayeur. Elle est blanche et ne crie plus.

Gohr monte sur une pierre plate et s'adresse à tous :

— Graüls, Graüles et Graülots, que personne ne bouge de nos nids même provisoires, sans mon autorisation ! Voyez ce qui arrive, sinon.

— Si cela se trouve, Gueul voulait retourner chez elle, lance Kira.

— Non. Elle est très bien ici, dit Tahül. Jald, prends Guib avec toi. Mah et Kira s'occuperont de Digr. Ékorss, prends Gueul par la main. Mets-toi à sa place et elle se sentira mieux…

Ékorss comprend. Tahül a compris le vrai mystère…

L'argile et le miel se colorent de rouge et Ékorss prend un teint de lichen. Il ne veut pas d'une fesse ou de la moelle de cette jolie Snèks. Il se cache au fond de la grotte sous le refuge de l'oiseau de nuit qui réveille tout le monde. Il place sa tête entre ses bras. Il devrait faire comme le petit curieux roux et gris qui ne descend jamais et passe d'un arbre à l'autre sans se faire prendre, et pique des noix aux arbres. Il est incapable de bouger.

Jald fait manger des plantes amères à Gueul. Tahül entre dans la caverne et foudroie du regard son ami Ékorss.

Bientôt, on n'entend plus la voix de Gueul.

La pauvre n'a même pas été mangée, tant elle a pourri sur pied…

Ékorss ne veut pas changer de vie en remplaçant Gueul par une autre. Il plonge dans sa peine et les écureuils ne lui font plus lever la tête. Plus aucune mimique qui fait rire ne traverse son visage. Il se planque dans l'arbre qui est le lieu où Gueul s'est fait mordre par le lion.

Il n'y a que Tahül qui vient s'asseoir en dessous. Il lui envoie des petits cailloux pour le faire réagir. Rien n'y fait.

— Ce n'est pas toi qui es parti à la chasse aux coquillages gluants.

— …

— Tu n'es pas un chasseur. Gueul savait.

— …

— Descends.

— …

— Ce n'est pas toi qui as envoyé le féroce ! Ékorss !

— …

Ékorss préfère qu'un lion le mange mais que Gueul soit là. Il rentre avant la nuit et mange du bout des doigts en regardant l'amas d'os. Gueul est partie dans le ventre des oiseaux et descendra par leurs déjections. Un jour, les mouches s'y poseront et seront mangées par ces satanées souris-volantes.

— Partez, sales bêtes, et laissez ma Gueul tranquille !

Personne ne comprend le fou qui n'amuse plus.

Ékorss sombre et Tahül ne sait que faire pour le ramener à la vie du clan. Il ne comprend pas ses images du dedans et les siennes ne viennent en lui que la nuit.

— Ékorss, t'es pire qu'un étang ! Tu pues, t'es moche et tu t'envases.

— …

— Ékorss !

— …

C'est ainsi. Des Graüls acceptent, des Graüls refusent ce qui leur arrive.

Ékorss quitte le clan et va gueuler aux rochers :

— Font mal, y comprennent pas que Gueul manque ! C'est pas une feuille, c'est pas un poil. Gueul ! Ils t'oublient…

C'est un son étrange qui ressemble à un râle, mais la peine d'Ékorss saigne en un cri profond qui sort en prédateur de la moindre joie.

Il reste de Gueul ses peaux et son odeur. Ékorss les conserve et enrage. Il ne reste rien qu'un grand vide qui envahit son univers.

La peau du lion, dès qu'il le peut, il se défoule sur elle, en donnant des coups de pied. La peau du lion est douce, le lion est mort, et son envie de découvrir les fleurs de pierres vertes aussi. Il évite que Digr ne le voie. Les Graüls n'ont qu'à se débrouiller sans la force magique, puisque le chef n'en veut pas. Ékorss baisse les bras et ne taille plus aucun silex. Il renifle la vie faite d'oubli et de chasses…

21
L'approche des cuons

J'en ai assez vu, je me suis résigné à mon destin et si je pleure maintenant, c'est uniquement à cause du froid et de la douleur physique, parce que mon esprit est toujours vivant...
C'est tenace, l'esprit d'un chien...
Mikhaïl Boulgakov

Un homme d'esprit sent ce que d'autres ne font que savoir.
Montesquieu

Les cuons ont faim. Les plus faibles réclament tels des petits Graülots ! Ils n'ont pas la force des loups. Les loups hurlent, les cuons braillent et sont moins valeureux à la chasse. Une carcasse leur suffit. Les Graüls ne sortent pas et gardent les os d'une grosse bête pour les ronger et calmer leur faim au chaud car ils se méfient des ruses des cuons.

Ékorss qui se tient à part, vers l'entrée de la grotte, lance sa part aux cuons. Depuis le manque de Gueul, il s'est renfermé en lui-même. Alors, quand des petits loups roux lui réclament une forme de participation à la vie, il sort de sa caverne interne et il leur lance sa pitance. Il n'a pas faim. C'est la tristesse d'un Graül qui répond aux cuons qui s'approchent de la grotte et de leurs drôles d'habitants qui grelottent comme eux. Ékorss oublie Digr. Il revoit le lion, la jambe de Gueul.

Les cuons et les Graüls sont séparés par une barrière de froid. Dehors il neige. Une tempête de plumes glacées réveille Gorki qui tente de prévenir son père :

— Cyons-loups, cyons-loups !

Il a vu un grand cuon avec une énorme queue sombre. Ékorss l'a repéré, c'est le chef de la bande. Son ventre et l'intérieur de ses oreilles rondes sont blancs, il a de longues pattes et le poitrail plein d'un souffle qui l'aide à courir. Les cuons logent dans des galeries, mais que font-ils si près du refuge des Graüls ? D'habitude ils chassent au début du jour, pas quand la nuit change les paysages en paupières closes.

Gohr crie à Ékorss pour qu'il rentre et cesse d'affoler tout le monde. Mais quand Ékorss a une idée, il la suit… Les cuons acculent leurs proies dans des lacs ou des étangs et les deux clans se regroupent et, mine de rien, les cuons parviennent à leurs fins. Pourquoi viennent-ils rôder en pleine nuit ? Ici, devant lui ?

« Ce n'est quand même pas Ékorss qui les attire avec un malheureux os ? » se demande Tahül qui se lève aussitôt et regarde. Il ne voit rien. Tahül entend vocaliser les quadrupèdes qui se situent les uns par rapport aux autres. Sous la lune pleine, des petits traînent la patte, la queue basse. Aucun cuon n'a la queue en l'air. Ils ont faim, pas de doute ; ces quatre pattes, pour tous avancer en position de faiblesse, ont même très faim. Museaux noirs, yeux plissés, ils sont tout simplement en train de geler sur pattes ! Il n'a jamais fait si froid. Tahül devine le dos de son ami Ékorss et le bouscule avec amitié. Puis, du fond de la caverne, Gohr déboule, furieux :

— Arrête de les nourrir, Ékorss, sinon, ils vont finir par rentrer ! Qu'est-ce que tu vois, Tahül ?

— La lune fait voir des ventres aux viscères creux, des bêtes affamées. Une mère avec ses petits. Qu'est-ce qu'on fait ? Eux, ils savent imiter leurs proies pour les attirer… Pas nous…

— Nous, on imite les loups ! Et après, on se remet au chaud, rétorque Gohr.

Le chœur des Graüls imite les loups ennemis des cuons et les cuons se cachent immédiatement dans les parages. Les fourrures remuent et retrouvent leur place, sauf celle d'Ékorss.

Au matin, un petit cuon frissonne dans la neige épaissie. Les cuons font soudain l'admiration de tous, ils s'attaquent à un tout jeune cerf. Manquant de force, beaucoup jonchent la neige pour avoir tenté de le pousser vers le précipice.

— Cyons ! murmure Gorki qui voudrait jouer avec une portée de cuons.

Ékorss lui en apporte un à moitié mort de faim.

— Non ! hurle Gohr. Je ne veux pas que le fils de Tahül devienne comme toi, un songeur-rongeur… Les bêtes d'un côté, nous de l'autre ! Regardez ! Alors là !

Tous assistent à la danse des cuons qui tiennent maintenant le cerf par toutes ses chairs et tous ses os.

— Ils réussissent ! Ils résistent au pire, parce qu'ils participent tous ensemble ! lance Tahül.

— Tous ensemble, ils mangent. C'est tout, conclut Gohr. Tous ensemble, nous, nous prenons Guib ou Digr qui n'ont plus de mère.

— Eux aussi, se lamente Ékorss.

Le passage des cuons réjouit tout le clan qui apprécie la cohésion. Les Graüls entourent Ékorss, s'asseyent et trépignent aux attaques des cuons sur le cerf mort. Sans plus les craindre, ils les observent grignoter devant eux comme mus par un accord tacite : vous nous laissez tranquilles, on vous laisse bouffer tranquilles.

Tahül pose sa main sur l'épaule d'Ékorss :

— La mère cuon, elle a le caractère de Gueul.

— Gueul n'est plus.

— Si.

— Elle manque.

— Sacrée Snèks. Je me souviens de son visage… Tu devrais songer à retrouver une autre complice de nuit.

— Je regarde Jald et toi, et cela me suffit. Je ne suis pas un vrai Graül.

— Eh ! Qui sait, tu es peut-être le premier d'entre nous ? Quand on grimpera groles aux pieds à la recherche des têtes vertes en fleurs…

— J'ai abandonné l'idée. Cela ne marchera pas.

— Tes protège-pieds, ça marchera avec les jambes…

Un cuon se gratte la tête de la patte arrière et Tahül conclut :

— Tu as bien coupé la barbe du plus ronchon des Graüls !

— Maintenant, je suis au-delà de ronchon. Je suis sans Gueul, sans plus rien. Je voudrais m'enfuir dans un trou de souris.

— Un trou de cuon, c'est plus confortable ! Tu as déjà vu leurs galeries ? Ils ont plein d'entrées et de sorties !

— Moi pas.

Ékorss pense : *« Pourquoi on est là, à quoi je sers, qui avant, qui après ? »* Et lance un tonitruant « Qu'est-ce que je fous ici ! Pas d'entrée, pas de sortie... », que personne n'entend.

Personne ne comprend ses soubresauts et grognements, sauf peut-être un vieux cuon qui ne voit plus bien et cherche l'entrée de son souterrain.

Les cuons sont un spectacle. Tahül préfère celui des yeux de Jald...

Guib et Gorki sont élevés ensemble comme deux frères lionceaux, et Ékorss et Berr viennent jouer avec eux. Digr alors rejoint le groupe.

Tous oublient Gueul, sauf Ékorss. Gueul est une cicatrice qui ne se referme pas, ni dans sa tête, ni dans son corps. Le large front d'Ékorss attrape des rides soulignées par la terre, à tel point qu'on dirait des racines.

La souche invisible à laquelle il se raccroche, c'est Gueul, sa vivacité passée... Lui, il se sent comme une feuille séchée.

Les morceaux de glace tombent de haut, les pierres se fendillent, le vent bascule tout, le ciel se réchauffe. Ékorss ne regarde plus les papillons, il ne pense plus à ses groles. Il n'est plus qu'une feuille détachée de l'arbre. La rivière, elle, continue de couler. Gueul était unique, comme elle. La rivière peut s'assécher, mais elle revient toujours. Pas Gueul.

« Il y a si peu dans tout ce grand », songe Ékorss.

Tahül lance un caillou dans la vallée. Le bruit ne fait pas bouger Ékorss.

Jald passe une plume sur le visage d'Ékorss. Il réagit mal :

— Les plumes doivent rester aux oiseaux. Gueul avait une plume colorée. La plume est là. Gueul n'est plus là !

Le temps fait des ronds, la lune défait les siens. Les Graüls resserrent les liens. Peu à peu, Ékorss les fait un peu rire pour rien... Ils rient fort pour l'encourager à sourire. Il sent que ce n'est pas le moment, et cela n'a rien à voir avec la perte de Gueul. Il n'a plus « d'œufs » du rire qui veulent éclore dans sa gorge. Cela a à voir avec le mélange de tout ce qui ne trouve pas d'issue en lui. Les lapins sortent de leur tanière, lui entre dans la sienne. Ékorss vit un orage intérieur. Un autre se prépare.

22

Les Ogrrs[1] ne sont pas si méchants !

Il y a des moments où l'absence d'ogres se fait cruellement sentir.
Alphonse Allais

Fils d'Ouranos et de Gaia, les Cyclopes[2] étaient au nombre de trois : Argès (l'éclair), Brontès (le tonnerre) et Stéropès (la foudre). Doués d'une force étonnante, ils avaient un seul œil au milieu du front. Ouranos les mit aux fers, et les précipita dans le sombre Tartare.

Il y a Bron, Rop et Argi, trois géants qui marchent en tête d'un groupe blanchi par un duvet de neige. Ils semblent anéantis par trop de froid. Ces Ogrrs trapus sont descendus de leur haute montagne pour chasser sur celle des Graüls. Tahül voit qu'ils ont des lance-pierres et des épieux. S'ils veulent les déloger ce sera la bataille. Ils viennent de la grotte du bison et Gohr en reconnaît certains, et il rassure le clan. Ils ont les mêmes habitudes qu'eux et sont peu farouches.

1. Pour mémoire, les ogres rappellent une forme d'anthropophagie, et ces « sauvages » ont une faim de loup ! Bien des choses se rattachent à cette période des cavernes avant l'histoire, avec ses mythes et légendes. Selon l'école freudienne, l'ogre est l'image inversée et cauchemardesque du père. Le premier père qui dévore son fils, c'est Cronos ! Il s'agirait du symbole du retour au ventre maternel et la sauvagerie de l'ogre serait une transposition symbolique de la violence affective contenue dans les rapports familiaux.

2. Mythologie grecque. Le mot « cyclope » vient du grec ancien κύκλωψ / *kýklôps*, formé de κύκλος/*kýklos* qui signifie « roue » ou « cercle » et de ὤψ/*ṓps* : « l'œil ».

— C'est le froid qui les fait sortir, c'est tout ! Les Ogrrs des buissons ne doivent pas nous faire peur ! Graüls, ils font comme les loups et les cuons, ils fuient la ruée de neige glacée.

Les Ogrrs quittent rarement leur hauteur, ils ont effectivement très faim et très froid. Les Ogrrs sont faits comme les Graüls, ils aiment davantage la chair fraîche que les Troms. Eux aussi ont des lances de chair qui entrent dans les fentes des femelles et eux aussi aiment voir leurs fesses. Eux aussi se battent contre les féroces. Eux aussi se gèlent comme de pauvres cuons. Velus comme les ours, agiles, robustes, Gohr les envie, car ils vivent là où la neige résiste, or Gohr aime la blancheur de la neige ! Les Ogrrs ont un nez retroussé et il doit y avoir un Ogrr dans ses ancêtres, car son nez attrape parfois les gouttes de pluie. Mais que font-ils à descendre de leur montagne, à vouloir manger les rennes d'en bas ?

Les Ogrrs souffrent d'un froid qui tue. Gohr constate l'état de leurs doigts de mains et de pieds, et pour éviter qu'un petit conflit ne dégénère, que la vigilance soit remplacée par la jalousie, il parle des rennes de la vallée comme de la neige ou du beau temps.

— Tahül, écoute bien. S'ils s'installent, s'étendent jusqu'à nous, ce sera mauvais pour nous, pour eux, pour tous.

— On aurait dû aller aux têtes vertes pour capter la force !

— C'est pas ça ! Tu ne comprends rien et rien à la force. Va chercher une femelle pour Ékorss auprès des Ogrrs et, en échange, avec Berr et Rar, apporte les plus beaux rennes aux Ogrrs frileux. Toi, tu portes un mouflon qui te fera de grandes oreilles sur tes épaules, qu'on te reconnaisse comme le fils du chef.

— Pourquoi ?

— J'ai dit apporte-leur des rennes et reviens avec une femelle ! Le mouflon, je le porte toujours autour du cou, comme ça, la tête ici...

— Ékorss n'en veut plus, de femelle. Il a que Gueul en tête.

— Gueul n'est plus qu'un tas d'os. Même plus un tas d'os. Ékorss ne décide pas. Je veux que les Ogrrs mangent de gros rennes avec nous !

Tahül prolonge l'ordre auprès de Berr et de Rar avant de se risquer au-dehors. Dans la neige qui brille de sa dureté, il chasse facilement un mouflon. Avec la bête aux belles cornes sur le dos, il retrouve le clan puis se rend au-devant des Ogrrs. Il ne comprend pas qu'on cède tant de rennes aux Ogrrs.

Les Graüls qui l'accompagnent se demandent ce qui va se passer. Berr et Rar déposent le plus gros renne devant le chef des Ogrrs qui est très jeune. Il a le front bas et fuyant, et des yeux vifs. Aghir monte sur un piton et montre sa force à Tahül, entouré des trois géants des montagnes : Bron, Rop et Argi. Ce sont de vraies brutes et Ékorss n'est pas très tranquille en décortiquant l'image qu'il voit. Tahül n'est guère emmitouflé.

Face à son ami, Aghir a la grandeur des perdants qui ont gardé la vie pour affronter de nouveaux périls. Aghir porte une immense fourrure, magnifique. Une fois qu'il comprend que Tahül ne cherche pas le combat, Aghir lance son bras en direction d'un lac gelé :

— Là-bas ! Les rennes ont disparu, gelés, coulés au fond… On cherche une grotte et à manger. Si tu donnes des rennes, on peut ensuite nous chasser ?

— Cette fois. La fois prochaine, non.

— Toi, tu es le chef ?

— Non. Gohr, mon père, est chef.

— Je dois voir Gohr.

Aghir, seul, suit Tahül auprès du chef des Graüls, assis dans la grotte.

— Tu es le nouveau chef des Ogrrs ? demande Gohr. Prouve-le.

— Graaht est tombé sans remonter. On ne l'a pas retrouvé. Trop cassé !

— Quel est le signe de Graaht ?

— Le doigt sur le nez. Grand flair que Graaht…

— Bon… Vous êtes tous là ?

— Tous.

— Prenez la grotte plus bas, après la jambe de la rivière. C'est plus petit et très tranquille, aucun ours à signaler. Je ne veux pas vous voir sur nos traces et celles des bêtes qu'on chasse. Et la femelle ?

— Quelle femelle ?

— Il en manque une chez nous. Tahül n'a rien dit ?

— Rien.

— Va la chercher.

— C'est pour les rennes ? En échange ?

— C'est pour le lien ! Tahül n'a pas encore connu le froid qui rend mort. Il apprend à peine à lier…

Rop désigne une femelle aux cheveux défaits qui brillent de cristaux de neige. Ékorss sait que c'est pour lui qu'on recherche une remplaçante à Gueul, il refuse et trépigne.

— Tais-toi ! hurle Gohr. C'est un signe entre Ogrrs et Graüls.

— Je vais donner ma sœur, mais pas à ce germe de Graül ! lance Aghir. Elle reste avec nous.

Un tel échange peut conduire à des coups, des morts.

— Je reprends les rennes, si tu ne la donnes pas, répond Gohr.

La faim justifie tous les trocs, songe Ékorss, lorsque Rich, la belle Ogrre fait son apparition. L'Ogrre ne veut pas quitter son clan ! Aghir regarde les rennes abattus et pousse sa sœur au centre de la grotte. Rich regarde fixement en direction de Berr aux allures d'ours, elle le trouve plus grand et plus calme que les autres, Rich sourit. Rich sait qu'elle n'échappera pas à l'accord qui permettra à sa tribu de manger. Elle renifle une bonne tranche de mouflon et des rennes dépecés. Rich se colle contre Aghir puis attend.

— Ma sœur Rich a choisi un vrai Graül, pas le vermisseau. Elle va se diriger vers lui, si Gohr accepte, le troc est accompli…

— Ékorss ne serait pas un signe d'amitié. Le choix de ta sœur est accepté. Ensuite vous dégagerez de notre petit territoire bien tranquille jusque-là…

Aghir n'attend pas que sa sœur traverse la grotte et s'empare d'un renne.

— Nous sommes plus que vous. Notre belle Ogrre vous donnera des Graüls plus forts. Ce n'est que la mauvaise saison qui nous a fait descendre jusqu'à vous. On est bien mieux chez nous.

— Tant mieux. Rich est belle, c'est vrai. Mangeons !

Aghir observe Tahül, le fils de Gohr. C'est un battant, il a entendu Kira dire à Mah qu'il est né sous des pierres de foudre et c'est pourquoi il n'a pas peur des Ogrrs. Lui est né entre le blanc du ciel et celui de la terre. Il aurait apprécié Tahül comme frère, car il a le regard droit, qui ne bifurque pas. Aghir abandonne sa sœur Rich, avec une mine défaite. Les Ogrrs aussi ont peu de femelles survivantes et, sans elles, une tribu peut disparaître.

Aghir dit :

— Nous ne vivons pas longtemps. Préservons la paix. Je me méfie des Troms et des Snèks.

— Tu fais bien, Aghir. Pour l'instant, seul le froid est notre ennemi.

Comme la nuit se fait, les Ogrrs sont invités à entrer dans la caverne, et l'obscurité fait entendre de drôles de mélanges. Quelques Graüles partiront et quelques Ogrrs resteront.

Tahül était prêt à défendre Jald, car tous les Ogrrs ont jeté des regards sur ses yeux si clairs qui envoûtent et sur ses formes rondes et fermes. Lui aussi a fait la guerre au froid. De lui, sort un flot visqueux qui dit qu'il possède une femelle précieuse et chaude. Jald.

Tahül savoure le moment de l'endormissement.

Tank revient dans ses rêves. Son œil unique rond est rouge comme le feu allumé par la foudre. Tank tient Jald par les cheveux et la pousse dans le vide. Tahül se réveille et le corps de Jald lui redonne confiance. Il ressent un flux d'attirance pour elle qui ne ressemble pas du tout à celui qui le lie à Gorki, l'enfant du lien entre ennemis…

L'échange entre Graüls et Ogrrs est plus fort que Gohr l'avait prévu ! Il leur manque de quoi manger pour repartir : ils restent. Puis le ciel de lait prend la couleur des yeux de Jald, et la neige ne souffle pas ses flocons à l'intérieur de la grotte, et alors les Ogrrs restent pour rester. Faire tomber de nouveaux rennes dans le trou avec deux clans unis devient une fête !

Ékorss boude et Tahül tente de le réconforter :

— Tu as parfois de bonnes idées. Il faut qu'on soit d'accord pour qu'elles soient vraiment bonnes.

— D'accord avec qui, avec quoi ?

— Avec moi, au moins…

— Alors ça veut dire que je suis tout seul.

— Pourquoi tu n'as pas voulu de Rich ?

— J'ai Gueul.

— Gueul n'est plus là ! Tu es vraiment fou.

— Bande de bouffeurs de fesses ! Moi, je n'aurais pas pu…

— Bande de quoi ?

— De mangeurs de fesses de nos femelles.

— Tu ne vas vraiment pas bien…

— Je suis mal.

— Un peu de gras ne te ferait pas de mal… C'est toi qui décides d'aller mal.

— Je ne vais nulle part. Vous tous, vous ne savez pas !

— Pas quoi ?

— La viande, ce n'est pas ça qui nourrit.

— C'est quoi alors ?

— C'est ce qui nous nourrit.

— C'est du renne, du mouflon ?

— Il y a autre chose ! Tu es encore plus aveugle que Tank. Tu ne comprends rien.

— À part l'eau ?…

— Il y a ce grand rien entre les choses.

— Tu es fou !

— Non. C'est pas rien. Pince-toi le nez et ferme la bouche.

— … Je peux pas longtemps.

— Tu vois ! Tu n'as pas forcément des réponses à mes questions. Qui c'est qui te dicte de marcher, de t'arrêter, d'avoir peur de Tank et de savourer de loin les yeux de Jald ? Toi ou moi ? C'est toi Tahül. Et où tu penses que tu penses ?

— Là où je suis, idiot !

— Oui, mais où, d'où ça vient ?

La conversation ressemble au froid qui règne. Ogrrs et Graüls s'envoient des cuisses de rennes à porter, pendant que les ours sommeillent et que les loups sortent de leurs caches, tremblant de faim.

Les Ogrres femelles font diversion et apprennent les coutumes des Graüls.

Kira explique avec beaucoup de gestes :

— Nous allons peu vers la Grande Bleue. Les étangs, la montagne surtout aux jours fleurs et bestioles, ça nous suffit. Nous portons surtout du lynx et de la panthère, et vous ?

— De l'ours, du lion, du lourd, du chaud, répond Gaga, l'amie de Rich.

— Tu as choisi qui, si tu restes ?

— Pogh.

— C'est un bon chasseur. Et qui part avec les Ogrrs ?

— Chmi et True. Elles sont solides, c'est dommage, ronchonne Gohr.

Ces rencontres perturbent les habitudes. Le froid a donc réchauffé les relations entre deux clans distincts.

Soudain, Ékorss à la vue perçante pousse un cri que tout le monde reconnaît !

Ékorss voit une Ogrre qui fracasse un étang gelé qu'elle a pris pour de la neige. Ah ! Quand on ne connaît pas son territoire, voilà ce qui arrive. L'Ogrre se noie, aspirée par l'eau glacée. Aussitôt Tahül accourt. Il voit une peau flotter, et Frao, une jeune Ogrre, bouger ses bras qui deviennent bleus. Tahül appelle Gohr et Berr. Ils parviennent à sortir Frao qui s'agrippe à eux. Elle reste pétrifiée, avec un sourire aussi figé que la glace.

Mah la frictionne avec des herbes urticantes et une peau bien piquante de poils raides. Frao grelotte.

Ékorss regarde le corps de Frao. Ce ventre et ces hanches lui rappellent ceux de Gueul. Les Ogrres sont donc faites de la même manière que les autres femelles. Pour lui, le passage des Ogrrs est étonnant. Ékorss n'arrête pas de courir, de tourner en rond. Il cherche à trouver une idée qui ne vient pas. Il pousse l'effort jusqu'à monter et descendre la même pente, sans cesse... En vain, l'idée ne vient pas.

Pour Tahül, c'est un jour qui montre qu'il sait diriger, récupérer une noyée d'une seule main. Il lui a évité de finir au fond du domaine des poissons. Gohr ne dit rien, mais lui envoie une frappe dans le dos qui signifie : « Je peux t'envoyer ma main pacifique dans le dos pour te dire que tu es un bon Graül. »

Ékorss sourit.

Il regarde le corps de Frao : il y a donc une similitude entre tous, des bras, des jambes... Ce qui varie c'est la façon de vivre, les mâles et les femelles, les vieux, les jeunes. Le chaud, le froid, le triste, le joyeux... Le rêve de vivre dans une eau chaude s'engouffre dans Ékorss. Ce sera son « futur » et peu à peu les Graüls apprendront à imaginer leur vie, sans subir le froid... Il est emporté par cette idée. Frao faisait partie de son futur et il ne le savait pas. Le futur c'est comme de la glaise, il se transforme, sauf si l'on n'y met pas les mains... Il veut mettre les mains dans le futur...

— À quoi tu penses, lui demande Tahül. Je te réveille ?

— Je suis sur le point de changer...

Ainsi, une mutation[1] est en route à l'insu de ceux qu'elle touche.

Ce sont les éléments, les maladies, les jalousies, les réponses qui font que les Graüls sont en survie. Tahül ne comprend pas les pensées d'Ékorss, mais soudain, lui aussi se met à rêver d'un bon bain chaud dans le trou d'eau qui bouillonne : Alekhta. Il n'imagine pas l'effet que cela peut faire sur le corps, il envisage pourtant le fait que cela soit vrai. Pourquoi son père ne veut-il pas que les Graüls se rendent au lieu magique ? Sans doute parce que c'est trop loin. Le futur, voilà le problème, tant qu'on ne s'en occupe pas vraiment, on refait les mêmes pas, si l'on s'en préoccupe, il faut prendre des risques. Peut-on imaginer des choses à l'avance ? La rivière, on ne peut la franchir, ni monter dans le ciel ni descendre dans la mer. Peut-on franchir le pas qui mène au futur ?

Frao reste bleue, mais respire toujours et les deux clans se calment.

Ékorss passe un doigt sur les paupières de Frao qui frémissent. Il attend qu'elle ouvre les yeux, assis sur un tronc d'arbre pourri.

1. L'analyse d'un crâne vieux de 1,8 million d'années tendrait à prouver que nous descendons d'une seule et même espèce (AFP du 17 octobre 2013). Contrairement aux autres fossiles connus du genre *Homo*, ce crâne bien préservé mis au jour à Dmanisi, en Géorgie, comprend une petite boîte crânienne, une longue face et de grandes dents, mais il faut signaler que ces conclusions des découvreurs paléontologues vont à l'encontre d'autres recherches, dont celle publiée en août 2012 dans la revue britannique *Nature*. Ékorss est dans ce roman la figure d'une mutation vers l'*Homo sapiens*, mutation génétique qui a vraisemblablement eu lieu 200 000 ans après l'homme de Tautavel. La première mutation est une désactivation de deux gènes impliqués dans les défenses immunitaires, qui restent actifs chez le chimpanzé. Ensuite, la sélection en faveur de *sapiens* se serait faite par des mutations successives. La question qui demeure est : l'*Homo sapiens* va-t-il encore muter ? L'évolution a commencé il y a 5 millions d'années, et Ékorss symbolise l'un des maillons vers une mutation. À suivre, comme disent les feuilletons…

23

Tank se renseigne

Mieux vaut une portion de légumes avec
l'affection qu'un bœuf gras avec la haine.
Proverbe de la Bible

C'étaient des faces pâles, de la même pâleur, qu'elles fussent vieilles ou jeunes ; l'égalité de la discipline, l'uniformité des costumes monotonisait leurs expressions diverses – haines, remords, colères, espérances vaincues –, en une même dolence banale.
Catulle Mendès

Tank cherche un Troms de son clan. Il lui faut un œil et une oreille, un traître chez les Graüls ! Après avoir hésité, il choisit de se mêler à eux par l'intermédiaire d'une jolie Troms. Une femelle fait toujours bon effet, surtout si elle a des formes généreuses qui capturent les regards… Tank choisit Khaol. Khaol est maligne comme une loutre, belle et insaisissable comme une vague. Elle se tortille en marchant, ses chevilles luttent toujours contre un caillou ou une racine, ce qui lui donne une démarche qui attire la curiosité. Il n'y est pas insensible, mais il se méfie des femelles trop futées. Il s'approche d'elle, lui prend vigoureusement le bras et fait rouler son œil pour bien se faire comprendre :

— Si tu veux pas que tes fesses finissent en bouchées sous ma langue, tu te fais passer pour une de mes victimes. Tiens, pour commencer, dit-il, en la frappant. Et tu noircis Tank auprès des Graüls. Tu dis des sales choses sur moi !

— Tu veux me donner aux Graüls ? Je ne veux pas !

— À celui qui te sauvera, tu fais les yeux doux ! Ensuite tu le suis dans la haute montagne des Graüls. En échange, je veux tout savoir sur Jald et Tahül. Je veux connaître le moment où Jald est seule. Vraiment seule, sans qu'aucun Graül ne soit autour.

— J'vais pas la ramener sur mon dos pour toi ! se plaint Khaol. Et pourquoi je ferais ça pour toi ?

— Pour éviter que je t'arrache le bras. Compris ?

— Oui.

— Quand tu es chez les Graüls, tu me fais savoir quand Jald est seule, c'est tout... Quand une femelle est seule, c'est qu'elle est seule, non ?

Pouk regarde Tank et hausse les épaules.

— C'est pas bien compliqué, une Graüle ou une Troms est seule quand elle est sur le point d'avoir son petit. Bientôt, moi aussi...

— Toi ? Pouk ?

— Oui, moi Pouk, fille de Krah, mime-t-elle avec des halètements qui précèdent l'accouchement.

— Toi, dégage. Non pas toi, Pouk ! Elle, cette saleté de Khaol, avant que je lui brise le cou ! Il faut savoir parler à cette engeance ! Pour être obéi, il faut que je plante la peur !

Khaol baisse la tête. Le nouveau chef est terrifiant avec son œil de bœuf qui bouge sans arrêt. Ses brusqueries sont craintes ! Tank se fait parfaitement comprendre en faisant des gestes dans le vide qu'il peut refaire dans le vif! Khaol n'a pas encore osé bouger d'un pas et dit :

— La montagne ne me plaît pas. Pas du tout.

— Khaol, si le silence répond à ma question, je jette à l'eau ton gentil petit frère Mundt. T'as intérêt à faire ce que te dit le chef: moi !

— Compris. Tant que tu seras sur cette terre, seules les mouches n'auront pas peur de toi.

— Tu crois ça ? Même les mouches... Même les mouches ont peur de moi !

Tank fait rouler son œil non crevé dans tous les sens, et attrape un magnifique papillon mordoré qu'il écrabouille entre ses mains :

— Je fais pareil avec les têtues de ton genre.

Papillons de nuit, papillons de jour, s'il pouvait les écraser tous ! Inutiles ! Fragiles, ces bestioles… Ce petit bronzé, orange et noirâtre, n'a plus besoin de ses ailes pour survoler les prairies fleuries ou les broussailles. Des plus petits, avec des couleurs de feuilles claires, insupportent Tank, car on dirait qu'ils se camouflent. Tank n'aime pas ceux qui se camouflent et se jouent de lui. Tank pense que même les papillons lui en veulent ; il essuie ses mains sur le bras de Khaol et dit :

— Khaol, on te laissera sur le raccourci des Graüls. Je te ferai une entaille là avec une pierre qui coupe. Tu attendras, tu pleurnicheras, montreras le sang au Graül qui passe par là. Je veillerai sur ton frère. Viens, Mundt ! Allez ! Ta sœur nous quitte et tout dépend d'elle pour que je t'envoie ou pas face à une meute de loups, tout seul.

— Qu'est-ce que j'ai fait ?

— Rien. Dis à ta sœur Khaol d'obéir et de faire semblant d'être blessée !

— Les papillons t'obéissent, même les larves, soupire Khaol. Tank, t'es qu'une brute.

— Toi, tu vas passer pour une larve. Et je m'en fous, si tu restes chez les Graüls. Je veux savoir quand Jald est seule.

— Comment ? J'veux pas descendre au milieu des ours !

— Tu reviens que si j'veux.

Le comportement de Tank affirme qu'il reste le nouveau chef. Il faut toujours un chasseur intrépide pour mener un groupe[1], alors les Troms le suivent…

Khaol a observé des petits œufs jaunes pondus aux beaux jours qui donnent ensuite des chenilles vertes. Puis, mystérieusement, elles mettent des fourrures de filaments et sous la grande lumière chaude, elles trouvent des ailes-feuilles et volent, volent et disparaissent. Cela n'intéresse pas les chasseurs de mammouths. Elle ne regarde rien que le sol, la marche vers le territoire des Graüls lui paraît interminable. Khaol traîne la jambe. Sous un arbre

1. Les hominidés du pléistocène moyen et inférieur avaient des comportements sociaux basés sur l'unité du clan. Cela ne devait pas empêcher certains comportements déviants. Seule certitude, après une lente progression, la technique des pierres taillées s'est installée, ainsi que la notion de territoire.

touffu à boules rouges, Tank lui envoie un coup de silex dans le bras.

— Tu bouges pas ! T'attends et t'épies ; et puis tiens, ça me soulage.

Tank lui redonne un coup de poing, tandis que le sang coule du nez au bras de Khaol. Un bleu fleurit sous sa joue. Khaol grimpe vers un creux d'une terre pierreuse, ou d'une pierre terreuse, elle ne sait pas. Cela provoque quelques éboulis. Tank lui demande de rester dans la position du renard blanc dans la neige, qui fait le mort et qui attend sa proie. Khaol espère ne pas être dévorée par les loups...

— Crains pas ! Les Graüls passent toujours par là quand ils remontent. T'as qu'à pas te faire remarquer avant. Tu f'ras comme j'ai dit.

Les Troms s'en retournent, l'odeur de peur de Khaol dans les narines.

Khaol meurt de faim et tremble de froid. Et si une panthère la flairait ? Elle rampe vers une grotte étroite et attend. Khaol transpire, puis claque des dents. Des mouches s'agglutinent sur ses plaies. Tank veut savoir ce que devient Jald, pas si Khaol risque d'être dévorée. Ce n'est qu'un appât qu'il a placé dans le territoire des Graüls. Sa victime fait corps avec la pierre et s'y agrippe.

Tank attend, mais ne sait toujours pas ce qui se passe de l'autre côté. Face à son œil crevé et à son œil qui voit, rien ne bouge...

Pogh a laissé les deux Ogrres Rich et Gaga sous la protection des plus anciennes Graüles. Pogh marche avec Tahül et ceux qui savent extraire les belles roches à silex. Soudain, il frappe une petite paroi et entend un gémissement. Il ne reconnaît pas l'odeur d'un animal et s'approche à pas de loup vers la cavité. Pogh, le brun aux yeux qui tombent, voit un bras ensanglanté, et en dessous deux jambes bleuies. Il se glisse entre terre et roche et tire Khaol par les pieds. Khaol lui fait une grimace et se plaint :

— Tank, très méchant !

Tahül sursaute.

— Qu'est-ce que tu fais, Pogh ? Qui gronde ?

— J'aide cette femelle blessée à se sortir de là. C'est sûrement une Troms…

Khaol se met debout et montre ses blessures :

— Tank !

Tahül reste muet. Les autres Graüls aussi.

— Qu'est-ce qu'on fait ? demande Pogh, d'un léger coup de cou vers la jeune Troms.

Tahül montre deux directions, l'une vers la mer, l'autre vers la montagne. Khaol s'accroche à son bras lorsqu'il indique la direction de la grotte des Graüls. Elle fait de gros signes dans l'air, elle mime Tank en claquant des dents :

— Moi, Khaol, Tank frappe tout ce qui bouge. Tank veut cogner sur Khaol.

— Elle a sûrement refusé de jouer la lionne avec le borgne, voilà, dit Peuh, le plus jeune du demi-clan, le seul qui ait une dent de devant cassée.

— On peut la comprendre, ajoute Pogh en mimant les protagonistes. Il frappe, elle s'enfuit. Un peu comme Jald, quoi.

— Qu'est-ce qu'on fait ? On va la prendre avec nous ! dit Peuh.

— Attends ! rouspète Tahül.

— On va pas lui demander de monter sur un cheval, de marcher sur la tête, ou de descendre dans ce nid de Troms pour se faire bouffer par ce fou de Tank ?

— C'est le chef maintenant ! Krah blessé, Krah plus là pour nous protéger. Tank domine ! Tank a poussé Krah. Il dit que Krah s'est fait mordre par un fauve. C'est lui le fauve. J'ai peur… Tank…

Peuh n'attend pas de réponse et fait comprendre qu'il préfère voir cette Troms en haut qu'en bas. *« C'est une belle prise produite sans effort »*, se dit-il. Les cheveux de cette apeurée ont la couleur des herbes jaunes roussies. Cela est nouveau pour Peuh. *« Une Snèks de perdue, mais une Troms de piquée à l'ennemi »*, songe-t-il. Khaol n'est pas sauvage et Jald doit la connaître.

Tahül pense à Ékorss qui trouvait Gueul à son goût, puis il pense à Gorki, son graülot qui mettait tout objet dans sa bouche pour en définir la forme. Il a grandi. Tahül devrait se sentir proche d'une victime de Tank. Il se méfie. Ils seront nombreux à redouter la fureur de Tank. Il se méfie car il ne comprend pas le pourquoi des choses. Lorsqu'il descendra vers la mer avec Jald et Gorki, que se sera-t-il passé avant dans le futur ? Il fixe Khaol du regard :

— Raconte, Khaol. En bas, Tank…

— Tank m'a frappée car je ne voulais pas de lui. « Pars, ou je croque tes fesses ! Je te tords les bras, je t'enlève la tête. » Je suis partie en espérant retrouver Jald et Poh.

— Et Sard, comment est-elle ? demande Tahül en reniflant l'odeur de peur qui continue de circuler sur la peau de cette Troms. D'ailleurs, il demandera à Jald pourquoi cette Troms a la transpiration qui ment. Les narines des Graüls ne mentent pas.

— Sard a fui chez les Snèks.

— Tu as peur, tu mens.

— J'ai peur. Tank m'a pas dit qu'il m'enlèverait la tête…

— Tu vas revoir Jald, sa mère et sa sœur. Peuh, occupe-toi d'elle. Avant, ramassons encore des cailloux.

— Pourquoi ? demande Pogh. On en a assez !

— Il n'y a pas que les bêtes à tailler dans le vif. Les Troms nous menacent. Il faut faire des réserves.

— Tu veux dire Tank ?

— Je dis ce que je veux dire. Et sans Gohr à nos côtés, c'est moi qui dis.

— Demain, il fera jour, se moque Pogh.

— C'est dans ta tête qu'il fait nuit.

— C'est Ékorss qui t'apprend à rire de tout avec cette grimace de cuon attardé ? Tahül, c'est toi qui te mets dans des états de poisson hors de l'eau ! remarque Pogh.

— Tu as raison, c'est parce que Tank réserve toujours de mauvaises choses à ceux qui en veulent de bonnes…

Khaol écoute et Peuh lui passe sa fourrure de renard gris sur le dos. Khaol le renifle et se dit que c'est un brave Graül que ce Peuh. Quand elle verra Jald, elle saura si elle est ronde et pourra apprécier le moment où il faudra prévenir Tank. Elle le fera pour protéger son frère Mundt. Si la foudre pouvait tomber avant sur Tank, elle remercierait le ciel, les rapaces de haut vol, tout…

À cet instant, Tank voudrait être un aigle sur le dos du vent et voir ce qui se passe là où il a donné des coups à Khaol. Dans sa main, il écrase une poignée de petites noix vertes, se blesse la paume. Il se fait ensuite bien comprendre auprès des Troms, grâce à ses doigts qui galopent et ses poings qui bondissent :

— On peut rentrer. Plus tard, nous irons prendre la montagne des Graüls, et ils deviendront tous des Troms.

Les Troms se taisent et ne pensent qu'à une chose, manger et retrouver à la nuit le mystère des femelles troms. Il n'y a que ça qui apaise les chasseurs après la chasse et les invectives d'un Troms dominateur. La nuit, les Troms sont de plus en plus proches les uns des autres, pour se défaire d'une angoisse partagée.

Une fois arrivés au sommet, les Graüls sont fêtés et Ékorss dit, son pieu fiché dans le sol humide :

— Tahül, il faut se méfier de cette Troms… Tank peut blesser une femelle si belle, parce qu'il cherche quelque chose. Elle s'appelle comment ?

— Khaol.

— Khaol, pourquoi es-tu là ? demande Ékorss.

— Pour Peuh. Je veux rester avec Peuh. Enfin, un peu. Je ne veux pas redescendre. Tank est cruel.

Jald se précipite, épouille Khaol. Poh saute sur ses jambes. Khaol se sent mieux. La tanière des Graüls encercle tous ses habitants d'un lien fort et invisible.

Le ciel entouré de roches et de feuillages ouvre ses multiples yeux. « *Finalement, le rond jaune qui change tout le temps doit appartenir à un fauve* », se dit Ékorss.

— Ils doivent tous être borgnes là-haut, soupire Ékorss.

Il imagine soudain des cyclopes et frémit. Tahül se moque avec amitié :

— Tu me plais avec tes images ! Je déteste Tank qui se croit plus fort que tout ça !

— Tout ça, quoi ?

— Notre territoire ! Il croit le posséder. C'est le Tout autour à qui l'on est.

— Tank ne doit pas boire l'eau qui rend fort et tout ira bien, sinon, il nous écrasera de l'ongle, comme des poux…

Khaol tend l'oreille, renifle, regarde et se demande ce qu'est cette eau qui bouillonne, réchauffe et rend fort. Elle est prête à prévenir l'ennemi de Tahül. Khaol renonce car elle apprécie le corps charpenté de Peuh. Khaol est collée à Peuh, Kira à Gohr, Jald à Tahül, et bientôt tous dorment.

L'oiseau de nuit prend son envol et traverse la grotte…

Pendant ce temps, l'eau prend au minéral, pendant ce temps, tout ce qui vit dort ou se réveille, meurt ou se transforme…

« La grotte est une entrée et une sortie », se dit Ékorss qui frotte le dos de Frao.

Le futur sème ses graines dans le présent.

Frao est une Ogrre parmi les Graüls, elle ne pensait pas le monde si vaste.

La neige étouffe les bruits. Les animaux de la nuit s'accordent aux ténèbres et les chauves-souris cessent d'être tête en bas.

24

Rich, Pogh et Berr font un tour

La réalité la plus haute, c'est la plus intelligible,
la plus proche, la plus indispensable.
Novalis

Si vous ne vous sentez pas bien…, faites-vous sentir par un autre.
Francis Blanche

La vie est le commencement de la mort. Ékorss s'émerveille devant Frao.

« On devient chasseur au milieu de la vie et parfois à sa fin », songe Tahül. Il a de l'admiration pour Gohr et ne remarque pas que son père entre dans une caverne basse pour questionner Dikt.

— Si Tank apprend l'existence d'Alekhta, on est mort…

— La Troms a tout compris. C'est dangereux. Vas-y sans moi, je suis trop faible.

— Non. Il ne faut pas donner un signe, une direction… Je ne sais pas où retrouver Alekhta.

— Ékorss et Tahül savent.

— Tout ?

— Une partie de partie chacun.

— Trop compliqué de tout leur dire. On va dire que Alekhta n'existe pas. Les Graüls sont encore assez forts malgré les jambes brisées et les froids qui tuent. On n'a pas besoin d'Alekhta… Tahül veut y aller ?

— Tahül sait et ne me demande plus rien...

— Tahül n'est pas prêt pour la force des eaux.

— Gohr, l'eau ne donne pas le pouvoir ni ne l'enlève. Découvrir Alekhta donne du courage.

— Nous n'irons pas...

— Dommage. Un grand chef n'a pas peur de partager sa force.

— Une erreur est toujours fatale.

Gohr sort de la grotte et laisse le vieillard s'épouiller seul.

Les petits s'entendent bien et ils ont survécu au froid.

Les Graüls ont bien accepté Rich, car Rich est belle et douce et s'occupe de Guib et de tous les petits qui traînent le long des falaises, elle les empêche de tomber. Rich s'habitue au temps plus doux. Quand les Ogrrs reviennent pour voir si elle est bien traitée et vérifier que personne n'a encore mangé ses fesses ou sa moelle, Aghir, le jeune chef des Ogrrs, propose à deux vifs sauteurs Graüls de faire un tour, là-haut dans la montagne. Ses gestes sont pointus, directs et chaque Graül le comprend parfaitement.

— On vous ramènera, mais il faut que Pogh voie d'où tu viens, Gaga, tu nous suis. Le clan en a décidé ainsi. Et si vous avez trop de garçons, nous n'en avons pas beaucoup de nouveaux. Pogh dira, Gohr décidera à votre retour.

Le seul mot qui n'est pas compris est le mot « mais », car les Graüls ne s'en servent pas, jamais, car ils n'en voient pas l'utilité. L'expression « mais » n'existe pas pour eux. Les choses s'empilent, c'est tout, en bien ou en pas bien. Elles changent ou restent les mêmes, c'est tout. On ne décide pas de les remplacer ! On va à la chasse, on va boire, on va dormir. On ne va pas chasser, on ne boit pas, on ne dort pas, c'est tout. Mais n'existe pas... En langage graül, il n'y a pas de cependant ou de toutefois qui tiennent, lorsqu'on part tendre un piège à un mammouth qui s'approche de trop près, on doit réussir ou pas !

Pogh accepte d'aller en territoire ogrr, même si le long chemin lui fait peur. Gohr réfléchit et trouve son intérêt en acceptant la proposition d'Aghir :

— Berr, tu vas avec eux et tu trouves une Ogrre à ton goût, ils nous doivent bien ça ! Comment elle s'appelait déjà ta fessue ?

— Püth, la mère du petit Graülot Guib.

— Pars et que le beau temps accompagne ta tête.

Gohr envie les Ogrrs qui vivent très haut, là où il fait très froid. Personne ne vient les embêter… Ils surplombent tout. Le calme revenu, Gohr se gratte sans raison. L'odeur de vieux mensonge de Khaol le rend nerveux. Il ne peut tout de même pas accuser une Troms à cause de son odeur. Il trouve sa transpiration irrespirable. Elle dit qu'elle se sent toujours en danger. Personne n'est en danger chez les Graüls ! Ékorss a peut-être raison, il faudrait se rendre à Alekhta. Dikt était prêt, lui ne l'était pas. Dikt ne l'est plus. Gohr hésite. Finalement une chasse bien menée lui prouve qu'il est encore vaillant et n'a pas besoin de se réchauffer aux fluides chauds de la montagne.

Une partie des Graüls grimpe en direction du territoire des Ogrrs.

Au loin, Pogh entend des grognements, ce sont ceux de la montagne. Berr se renseigne auprès du chef marcheur en tête :

— C'est quoi ce boucan ? On dirait une carcasse qui se fracasse… On connaît pas ce bruit !

— C'est derrière la grande montagne que ça se passe. Une plus petite qui crache du feu parfois.

— Du feu ? C'est le ciel qui en envoie, pas le sol ! C'est pas possible, souffle Pogh.

— C'est très haut, pas dangereux d'y aller. La seule chose qui va te dire de pas y aller c'est le froid. Même aux jours chauds, et on se retrouve vite les pieds gelés.

— À ce point ?

— À ce point.

Un os de mammouth marque l'ouverture d'un antre des Ogrrs, c'est un magnifique fémur où s'asseyent Aghir et les siens. Le chef des Ogrrs présente la chose :

— Attrapé avec tout le clan. Mon père l'avait vu naître ! On l'a dépecé sur place.

— Il devait être immense ! Il passait par là ? demande Berr.

— Il n'aurait pas dû. On s'est régalé.

— Comment vous l'avez eu ? Nous, on préfère chasser les rennes et les chevaux. Moins risqué…

— Pas fait grand-chose, il s'était enlisé tout seul après une pluie terrible.

— Tu dis les choses qui sont. En vrai, nous, on chasse pas trop le mammouth, des fois le mammouthon…

— Il vaut mieux…

Rich retrouve ses amies ogrres et leur raconte sa vie. Toutes envient le climat plus doux d'en bas et regardent Berr comme un exemple de Graül. Il est bien bâti, son attitude et ses rictus sont doux en comparaison avec les rudes Ogrrs. Pogh est tendre. Berr se tient debout avec insouciance et ne bouge pas sans raison. Les Ogrres aiment bien que les chasseurs cessent de l'être et qu'ils se tiennent comme des oiseaux sur la branche, calmement. Pogh avec son nez légèrement épaté n'est pas mal de tête, mais ses jambes ne sont pas assez velues. Berre est mangé des yeux… Rich montre à Pogh ce qu'est la montagne de près, et pendant ce temps, les jeunes Ogrres contemplent Berr quand il mange, quand il marche, quand il palpe une peau de fauve, qu'il la regarde. Il excite la curiosité et les envies. Ce Graül est parfait jusqu'à l'odeur qu'il émet. Il n'a aucune blessure et son fumet attire[1] les Ogrres.

Berr a moins besoin d'être gros que leurs Ogrrs toujours gras pour l'hiver… Ils courent moins vite et c'est à cause de cela qu'un bison a tué deux jeunes pourtant vigoureux. Voilà pourquoi il leur faut des mâles. Abari porte une ceinture de cuir verdi, et ses yeux pétillent. Elle le veut. Il la veut.

1. On peut facilement imaginer que les phéromones des prénéandertaliens étaient perçues et que, l'odorat étant plus développé et utilisé qu'aujourd'hui, elles devaient agir davantage. Rappelons que ce sont des substances émises par la plupart des animaux, par les êtres humains et par certains végétaux. Les phéromones agissent comme des messagers entre les individus d'une même espèce et elles transmettent des informations qui jouent un rôle dans l'attraction sexuelle. Ces substances chimiques ressemblent à des hormones. Les phéromones de type A agissent sur le comportement, les B sur la biologie. Outre les phéromones sexuelles et d'agrégation, il existe des phéromones de territoire, de trace, d'alarme face au danger, et des phéromones du comportement maternel. Aujourd'hui, chez l'être humain, l'existence de phéromones est un sujet controversé, car 90 % des gènes spécifiques aux phéromones sont altérés et l'olfaction devient secondaire ; les effets observés sont surtout physiologiques et émotionnels.

Berr s'attarde du regard. Il passe la nuit avec Abari. Ils fusionnent en silence, simplement, leurs odeurs, leurs fluides, leur peau, leur respiration. Aghir ne veut plus que d'autres Ogrres quittent la montagne.

Berr et Abari sont ensemble, jeunes, bavards de gestes et de bruits. Berr et Abari s'unissent et sont comme deux mains, doigts entre doigts…

Aghir s'écarte d'eux. Il sait les moments à vivre.

Ékorss guette le retour de Pogh et de Berr. Gohr ne s'inquiète pas, les Graüls reviendront.

Tahül s'inquiète. Il se lève avant le soleil, il attend. Les dents de la montagne commencent à rosir. Il s'assied dans l'herbe piquante et implore le soleil de sauver Jald dont le ventre enfle mais dont les joues se creusent.

Rich et Pogh reviennent entourés par des Ogrrs bien armés. Rich et Pogh s'asseyent et Gohr les écoute.

— J'ai compris qu'il manque de jeunes costauds à nos voisins. Far le rouquin partira, il n'a pas de femelle ici.

— Berr ne reviendra pas, annonce Pogh. Il a trouvé son Ogrre.

— Où ?

— Qui… Abari. Il reste collé là-bas, à la montagne et à elle. Aghir réclame trois autres Graüls, histoire d'avoir une chance de continuer à remplacer les Ogrrs morts.

Gohr réfléchit.

— Far, Fohr, Flik, je les laisse partir. Euh… Après, ils reviennent, on a besoin d'eux bientôt ici !

— Qu'avez-vous besoin en échange du non-retour de Berr ? demande Ghira, le frère d'Aghir.

— Mes trois Graüls seront nos yeux là-haut. Berr va revenir ! Je veux Berr de retour aux prochains beaux jours avec ou sans son Ogrre. Non, mais !

Tahül regarde en direction de la grotte où lui-même est né. Kira vient d'y accompagner Jald. Elle revient, bras au ciel qui retombent. Les rides de Kira parlent. Tahül se dirige vers Ékorss qui a compris :

— Gorki est brave. Vous aurez un autre petit brave quand le moment sera mûr.

— Il n'y a que les fruits, Ékorss, que les fruits qui prennent le temps de mûrir. Parfois, c'est comme une pierre qui tombe, de l'eau qui arrête de jaillir, ça ne mûrit pas, ça tombe... Pour un garçon, je voulais Gory et pour une fille Kory.

— Trouve autre chose pour le prochain. Gory et Kory ont servi pour rien, c'est fini, usé avant d'être.

— Ékorss, tu me fatigues avec ta...

— Avec ma quoi ?

— Avec ta façon de voir les choses et tes questions plus touffues qu'une peau d'ours. Tu ne peux rien, tu ne dis rien !

— Les tiennes de questions, c'est peau de serpent, alors. Va retrouver Jald et...

— Et mets-toi à sa place ? J'ai compris ! Même si les mâles ne mettent jamais bas comme chiennes, biches, lionnes ou louves, certains s'attachent à leurs petits. Ils se mettent à la place de la lionne, louve, biche, chienne qui a perdu son chiot, lionceau, louveteau, faon. Jald a perdu son petit...

— Tu progresses, Tahül. Auras-tu le temps ?

— De quoi, de goûter à ton foutu futur ?...

Tahül ne sait pas consoler Jald. Il lui enlève ses poux. Jald ne sourit pas. Leur petit n'est déjà plus.

La boule de feu se couche. De petits groupes de Graüls s'allongent sous des huttes en peaux de renards. Jald ne parvient pas à regarder Tahül. Du sang coule encore d'entre ses jambes.

Tahül prend la main de Jald et la porte à sa bouche. Il lui dit de sa langue et de ses dents sur ses doigts froids :

— Le prochain vivra et tu le nommeras.

— Oui. Je le nommerai, répond-elle.

Des cerfs se mêlent aux couleurs du feu du soleil fatigué qui caresse leur pelage avant de se coucher.

Ékorss penche la tête. Rich et Pogh sont revenus. Ils s'engouffrent dans leur grotte de fourrure et savourent un morceau d'intimité.

Tahül fronce les sourcils. La nuit recouvre tout, sauf les bruits et les cris d'animaux. Le vent colle son sable partout, pendant qu'un sanglier distrait s'égare. Ékorss entend se gratter tout un clan de sangliers contre un arbre : *hi, hur, hi*. Une lutte étrange a soudain lieu, et le seul qui ne veut pas savoir ce qui se passe à quelques pas, c'est Ékorss, trop occupé à découvrir les monts et vallées de Frao.

Le soleil se lève sur un ours énorme qui grignote le reste d'un sanglier géant.

Les Ogrrs repartent avec la peau de l'ours qu'ils ont eu au passage. Ghira salue Gohr :

— Nous sommes revenus. Pas que nous. Le sanglier aussi. Le sanglier mange des couvées d'oiseaux et des graines ; l'ours le dévore et l'Ogrr s'en fait un repose-pieds avant de repartir.

— Vous, vous mettez des peaux au sol, là-haut ?

— Nous avons trop de pelisses. Cela améliore l'intérieur des grottes.

— L'épaisseur. Pas bête.

— Ah, l'épaisseur, c'est notre mieux-vivre… Je repars. Je préfère là-haut. Ici, c'est trop étriqué, pas assez d'épaisseur… Ton Pogh est là. Rich aussi.

— Que nos autres Graüls se portent bien avec vos Ogrrs. Revenez aux prochains beaux jours avec quelques Ogrres et Berr. Ékorss, donne à chacun une côte de cerf de ma part. Et prends des dents aussi.

— Bien, Gohr.

— Une fois que Far, Fohr, et Flik auront donné de beaux petits Graüls là-haut, qu'ils reviennent après.

Les ours font des oursons deux fois par an. Ainsi, ils ont plus de chance d'avoir des descendants. Mais les Graüls, c'est toute l'année qu'ils doivent prolonger la création de Graülots, se dit Tahül.

Ékorss revient avec une poignée de dents et s'adresse aux Ogrrs avec des gestes amples.

— Ils mâchent et mâchonnent… Les cerfs doivent bien se nourrir pour avoir la force de se battre pour leur femelle. Voilà les dents du plus grand que le clan a coincé dans le lac.

— Chacun une dent… Pas plus, ordonne Gohr. Tu me redonnes ce qui reste, Ékorss ! J'ai pas dit que tu t'en gardais une ! Tu n'es pas un chasseur, toi !…

Ékorss n'est pas vexé. Il sait des choses… Les molaires des cerfs sont douces, dures, blanches et vont changer de camp… Gohr offre ainsi de sa force symbolique à ceux qui partent. Ékorss se sépare de ces débris si précieux aux yeux du chef avec un brin d'inquiétude. S'il croit que des dents de cerfs protègent de la foudre et de Tank, les Graüls ont de quoi s'inquiéter.

Jald hurle. Un énorme Graülot est sorti d'elle qui a étouffé dans ses bras. Elle comprend qu'il ne bouge pas pour toujours.

Jald hurle comme un loup. Jald déverse toute la mer qu'elle a gardée en elle et elle va se cacher au fond de la Grotte-Mère. Khaol est pétrifiée par son cri et il est trop tard pour prévenir Tank. Elle a manqué le moment.

Plus bas, Tank porte une fourrure qui cache son œil crevé. Il attend que Khaol s'exprime par fourrures accrochées, or visiblement Jald n'ira pas seule de sitôt quelque part… Il hurle sur Pouk, il hurle sur tous. Tank savoure la panique de ses victimes. Il se déteste et oublie qu'il se déteste quand il frappe…

La vallée continue d'accueillir les troupeaux, les bruits, les oiseaux, les lézards, les chevaux, et Tahül répète dans le vide ses gestes d'attaque.

— Qu'est-ce que tu fais ? demande Ékorss.

— …

— Tu cherches à oublier ton dernier petit qui ne vit pas ?

— …

—Tu réfléchis ? Tu combats qui, là ? Y a pas un cuon dehors. Pas d'éléphants, pas de rhinocéros dans la prairie, et en face de toi aucun daim, aucun cerf, derrière toi pas de sanglier, pas de tigre à dents pointues. Réponds, tu chasses quoi ?

— Je me prépare !

— Tu veux t'attaquer à mammouth ?… Un mouflon ? Trop facile pour Tahül. Un cheval qui court trop vite ? Un bœuf musqué, un bison des steppes, un lion de cavernes, un lynx, une hyène, un renard, un thar ? Tout en même temps ? Qu'est-ce que tu fous, Tahül ! Je comprends rien. Ah, je sais, tu veux attraper les grandes hyènes qui ricanent plus fort que nous ! Tu veux apprendre à rire comme ces charognardes ?

— Je m'exerce !

— À quoi, Alekhta ?

— À défendre…

— Les blessés des hyènes ?

«Au milieu des oliviers, pistachiers, buis, chênes verts, noisetiers au bord de l'eau, on dirait que tout le monde se fiche de savoir qu'il y a des hyènes ou pas dans le coin», se dit Ékorss. Pourquoi Tahül s'intéresserait-il d'ailleurs à ces bouffeuses de cadavres.

— Eh! Tahül, je te parle! Tu veux faire la chasse aux hyènes? Tu grimaces à l'idée d'en croiser?

— ... Je veux pas les chasser. Je m'exerce à défendre Jald! Ékorss, j'ai pas d'autre fils que Gorki.

— Tu es triste voilà tout.

— Pourquoi tu veux toujours tout expliquer, c'est terrifiant de savoir que tu sais que je souris pas dedans moi, en ce moment...

Aghir vient saluer Tahül avant de retourner dans ses hauteurs et surprend l'imitation que fait Tahül de ces animaux qui grimpent aux arbres et sautent sans ailes:

— On se baigne ensemble, vous devez venir!

— Ah bon? s'étonne Ékorss.

— Ce n'est pas profond où on va.

— C'est pas pareil alors chez vous?

— Voilà...

Quelques Graüls suivent les Ogrrs. Et Tahül se pose une question qu'Ékorss ne s'est jamais posée. Il garde la bouche ouverte. Tahül se dit que les loutres ont des pieds d'animaux et utilisent aussi des outils! Avec une pierre, elles cassent l'abri dur des mollusques. Pourquoi les Graüls ne peuvent pas nager comme elles ou courir à quatre pattes comme les ours? Les bipèdes n'ont franchement rien d'utile en eux, alors que ces sauteurs-grimpeurs peuvent être des terreurs!

Tahül prend son épieu et s'en retourne, sans jeter un œil à Ékorss. Le clan des Graüls a rétréci et Jald reste recroquevillée. Ses yeux ont perdu de leur éclat. Tahül s'interroge...

Khaol le regarde. Tahül détourne la tête. Il n'aime décidément pas l'odeur de cette Troms qui se tord toujours les chevilles et le regarde comme une affamée.

25

Jald pleure un petit

La confirmation de la tristesse est une consolation.
Marguerite Duras

Il faut dégraisser le mammouth.
Claude Allègre

Les yeux de Jald brûlent de trop de sel versé…

— Jald couine. Tahül, fais quelque chose pour Gorki ! Sinon, il devient vite fait un Ékorss encore plus mou que moi. Va vers Jald !

« *C'était donc ça le futur* », se dit Tahül…

À l'hiver, Ékorss fait une énorme boule de neige et l'envoie à Tahül. Tahül hésite à la rattraper avec la main ou le pied. Ékorss, qui veut le voir sourire, en refait une autre et l'envoie à Tahül qui tente de l'attraper. La boule s'effrite et tombe en flocons. Tahül donne un coup de pied dans le reste de la boule de neige et ramasse une pelote qu'une chouette a crachée et y retrouve un crâne de souris. Tahül n'en peut plus et vient voir Ékorss :

— Gohr ne peut pas se mettre à la place de Jald. Jamais une perle d'eau n'est tombée de ses yeux. Tu as raison pour Gorki : il faut qu'on l'aide à devenir un beau Graül courageux et fort.

— C'est pas moi qu'il faut voir. Je suis pas courageux, je suis pas fort et je sais pas faire des boules de neige qui tiennent. Je sais rien faire de bien… Pas même apprendre à Digr à rester debout comme il faut…

— Si, tu sais montrer à Digr ce qu'un Graül doit savoir. Viens, on va montrer nos astuces à Gorki…

Ékorss trépigne d'impatience. Tahül et lui expliquent à Gorki la difficulté de distinguer des renards blancs sur de la neige blanche. Gorki frappe dans ses mains quand un renardeau se risque à attraper un lemming. Les petits renardeaux sont surveillés par père et mère renards et ensuite, c'est la renarde qui s'en va et laisse les petits au père.

— Yeux de miel, oreilles terreuses, bons chasseurs ! Ton père, lui, c'est les lynx qu'il préfère, dit Ékorss en se moquant.

— Gorki, tu apprendras beaucoup du lynx. Quand il prend son élan, il sait que sa proie est à lui ! C'est pas le tout de voir, il faut viser juste, de tous ses muscles.

— C'est quoi les muscles ?

— La viande qui bouge autour de l'os. Tu vois, là tu en as un, là aussi, dit Tahül en palpant une jambe, puis un bras de son fils.

— Et là ? demande Gorki en tapant sur son crâne.

— Rien. Là, c'est que du bon gras sous l'os…

La neige se colle aux poils des renards comme aux mains des Graüls. Il faut rentrer, mais Gorki veut continuer à observer ces animaux à truffe noire. Les cristaux de neige brillent dans le soleil comme des poussières de cristaux, et il ne craint pas le froid qui l'engourdit. Tahül revit l'enfance…

— Ici, le vent est puissant ! Regarde ce petit renard qui met sa tête sous sa patte et enroule sa queue pour empêcher le vent froid de le raidir.

— Il a chaud dans le froid, alors ?

— Oui. Ékorss et moi, on t'apprendra à voir et à entendre. Ensuite, je t'apprendrai à chasser.

— Maintenant !

— Patiente. C'est comme dirait Ékorss, une question de moment…

Tahül communique beaucoup avec son fils. À son tour, il donne à voir, mime la démarche des animaux et c'est l'ours sur ses pattes arrière qui fait sourire Gorki. Il faudra ensuite lui apprendre les moyens de faire face à un tel monstre, avec qui, et comment, pour ne pas mourir.

— C'est quoi mourir ? demande Gorki.

— Ne plus vivre.

— Et vivre c'est quoi ?

— Ici et maintenant, tu vis.

Un renard se cache dans la neige et peut faire semblant de ne plus vivre pour attraper sa proie, lui enseigne aussi Tahül. La chouette qui est blanche comme la neige, piquetée de taches noires, est l'oiseau qui intrigue le plus Gorki. Ses yeux orange lui font ouvrir les siens très grands, qui sont d'un bleu inquiétant pour Gohr ! Gorki aime voir voler la chouette. La nuit, elle fait « chhhhhe ». Les ailes déployées, elle est aussi grande qu'un Graül… Pour Gorki, la chouette blanche est un membre du clan, la plus belle des créatures volantes ! Avec ses ailes immenses qui frôlent la neige et le ciel, elle domine leur clan. Ses pattes sont protégées par des plumes.

— Ce sont des groles blanches qu'elle a aux pattes, dit en riant Ékorss, elle a des griffes noires bien apparentes.

— C'est pour pas se marcher dessus ? demande Gorki.

— Va savoir…

— Cet oiseau vit longtemps, car il est malin, ponctue Tahül.

— La chouette blanche vit bien la moitié d'une vie de Graül, et la femelle est plus grande que le mâle. Elle est très lourde et perd parfois du duvet en se grattant, ajoute Ékorss.

Aussitôt, Tahül va chercher du duvet pour en mettre dans les mains de son fils.

— Tu vois, la chouette des neiges sait se camoufler. Le lézard des pierres se camoufle aussi. Il n'y a qu'Ékorss qui ne se camoufle pas car il reste au nid, et moi parce que je n'ai pas peur.

— C'est quoi la peur ?

— N'oublie pas, petit Gorki, que nous sommes aussi des proies, soupire Ékorss. La chouette siffle pour faire peur. Moi, j'ai peur de tout, tout le temps. Pas ton père. Il sait se défendre et attaquer pour nourrir le clan.

— Qu'est-ce qu'elle mange la chouette ? Comme nous ?

— Lièvres, renards, oiseaux, souris, et elle adore les lemmings qui vont ensemble, dit Tahül en songeant à Jald.

— La chouette avale d'un coup, comme ça, mime Ékorss. Elle ne mâche pas ses morceaux, parce qu'elle n'a pas de dents. Et tu peux la surprendre en train de cracher de son bec des boulettes d'os et de poils…

— Où ?

— Où Ékorss aime se reposer pendant qu'on chasse ! Sous son arbre. Perché, il nous prévient en cas de mammouth.

— J'ai observé de mon arbre que si les lemmings manquent, que je ne les vois plus aller et venir, après, la chouette pond moins d'œufs. Eh !

— Et alors ? s'interroge Tahül.

— C'est simple ! Pas assez de lemmings à se mettre dans le bec, pas de grande nichée. J'sais pas comment elle y arrive, en tout cas, la chouette, elle est pas bête.

— Tu veux dire, que c'est pas une bête stupide.

— Voilà, c'est pas une idiote…

Aux beaux jours, la chouette favorite de Gorki s'en va. Il n'y a plus de blanc où elle aime se fondre. Gorki se contente de voir un lemming au milieu des fleurs en se disant que le petit rongeur a échappé à la chouette, et que les cuons affamés le guettent…

— Ces rongeurs font comme nous, ils changent de lieux, ils migrent, explique Ékorss.

— T'en sais des choses, lâche Gorki qui garde la bouche ouverte.

— Ton père Tahül dit que si je ne chasse pas, je n'arrête pas de chasser dans ma tête. Le lemming, il peut manger des racines, des graines, des herbes et puis, une larve, un papillon, et pourquoi pas encore des graines par-dessus. Si ça lui dit… Il est un peu à regarder les nuages… C'est ce qui le perd… J'ai vu ! Je vois beaucoup de choses !

— Apprends-lui plutôt à observer les félins ! lance Tahül en train de tailler un épieu.

— C'est ton affaire, Tahül. Moi je sais que ces rongeurs vont jusqu'aux dents de la montagne, et cela me suffit pour penser que je voyage avec eux.

— Fais attention, Gorki, n'écoute pas mon vieux camarade. Il se creuserait un tunnel de loutre s'il pouvait, pour se cacher dedans. Heureusement nous avons toi, Guib, Digr et tous les autres, à qui il faut tout apprendre : les bisons, les pièges, les bifaces, les pierres…

Tahül lui montre la pierre de foudre qu'il a ramassée et qui est chaude de son poitrail. Gorki palpe la pierre du haut et du bas.

— Jamais vu une pareille. Tu me la donnes ?

— Non. Il te faut la mériter. Quand Gohr et moi nous serons très vieux.

— C'est bientôt ?

— Cela dépend.

— C'est vrai que les rongeurs qui voyagent, nagent ?

— Apprends à courir, toi, mon fils !

Guib grandit et Gorki est fier de lui montrer qu'il grimpe tout seul sur un pistachier, le seul arbre qui résiste aux vents puissants, au froid. Tahül est fier de son fils. Jald aussi est fière de Gorki. Pourtant, Tahül et elle ont peur : plus Gorki grandira, plus ils auront presque fait leur vie. Jald regarde son ventre comme un ciel vide et sombre.

Jald pleure Omhr, plus frêle qu'un lapereau. Khaol craint que Tank pense qu'elle ne surveille plus Jald et qu'il débarque sans prévenir et la tue…

Lorsque les lemmings migrent en groupe, certains tombent dans l'eau, épuisés, et un renard les récupère pour sa petite famille à lui. Tahül redécouvre son monde à travers les yeux avides de son fils.

Le pistachier donne ses petits fruits qui font le bonheur de Gorki et de Guib.

— Eh ! Les fainéants, il va falloir que vous appreniez le biface, crie Tahül, pour réveiller le silence.

— Il serait temps, maugrée Gohr.

— Les beaux cailloux ? demande Gorki

— Tailler cailloux ! Guib, Gorki, Digr. C'est important. Cailloux taillés, carne bien dépecée… Pour un très beau : on frappe un coup là, un coup là, un côté, l'autre, un coup là, un coup là. Cailloux percutés avec un beau bois deviennent fins ! Avant, ils ne sont pas beaux et ne servent à rien, les cailloux.

— Pour faire quoi, si fins ? demande Gorki.

— Frapper autre chose, couper du bois, des os, enlever la peau d'un lion, racler celle d'un vieil ours…

— Et le biface, ça fait tout, ça casse tout, et ça casse aussi! commente Ékorss.

— Pas bon pour un requin blanc, vos pierres percutées! Faudrait déjà l'attraper le requin, dit Jald, l'air triste.

— Le requoi? Le re... quoi quoi?

— Blanc! Le requin vit dans la Grande Bleue d'où je viens. Une goutte de sang, il la repère. Il éreinte sa proie blessée et la mange. C'est très futé, et ça peut te choper et te croquer n'importe quoi, termine Jald, fatiguée d'avoir communiqué ce qu'elle sait.

— C'est quoi la « Grande Bleue » ? demande Guib.

— C'est de l'eau qui vit et que le vent fait souffler. Fouuuuh...

Gorki imagine une fourrure liquide de la couleur des yeux de sa mère, et qui a le poil qui se hérisse...

Il n'y a jamais de temps d'arrêt dans la vie des Graüls, sauf pour Ékorss. Il vient de constater qu'un pistachier[1] a une sève qu'on peut mâcher, mastiquer sans la manger. C'est le seul Graül à aimer savoir que ses feuilles restent vertes et résistent sous la neige, et il regarde l'arbre chaque jour, et chaque jour, il voit de petits changements, comme sur sa peau... Mais tout ce qu'il remarque n'intéresse personne. Il apprécie le jour et l'ombre de l'arbre qui sent bon, il craint la nuit comme un requin non visible qui viendrait l'enfoncer dans le mystère des eaux qui respirent. Il ne voudrait jamais voir ce bandit qui chasse sans être vu, comme cet oiseau de nuit qui lance des pierres du ciel aux jours chauds. Boules rouges, puis noires, les galets du ciel annoncent la saison chaude. Ékorss suit le temps avec les fruits ronds du pistachier lentisque. Les fleurs rouges éclatent comme gavées de quelque chose. Digr et Guib grandissent. Ékorss maigrit et Frao le regarde, étonnée. Comment fait ce Graül pour survivre à tout, alors qu'il ne fait rien.

— Justement, je ne fais rien!

— Pas méchant, mais pas bête! lui dit-elle.

— Tu parles de qui?

— D'Ékorss, le renard paresseux. Toi!

— Ah...

---

1. Le pistachier lentisque dont on extrait le mastic. Le verbe « mastiquer » vient du grec « mâcher ».

Jald est toujours gelée par un froid qui vient d'elle. Ses mains sont glacées. Tahül les frotte et tente, comme dirait Ékorss, de se mettre à sa place : il ne chasse pas, il reste dans la caverne. Il imagine qu'il est un moment une femelle. Alors il voit l'eau qui sort des yeux de Jald comme une explication.

— J'ai choisi un mauvais nom après Gorki. Comment tu veux dire le prochain ?

— Quand il y aura un prochain. Je dirai son nom.

— Alors c'est bien. Il y aura un prochain…

Khaol devient sombre, elle craint de voir débarquer Tank à chaque instant. Le piège se referme sur elle.

Tank fait des signes et Gohr n'aime pas le voir rôder. On dirait qu'il cherche quelque chose.

Dikt pense que Tank s'adresse à la montagne.

Ékorss dit que Tank insulte Jald.

Tahül est persuadé que Tank vient le narguer.

Khaol fait la morte…

Jald reconnaît au fond de la grotte des ossements qui peuvent être ceux de n'importe quel Graülot ou Graülote. Elle pleure, puis elle sourit à Tahül :

— Tu es un bon chasseur. Tu as même chassé l'eau qui coule de mes yeux.

Elle s'essuie les paupières et renifle l'air qui sent aussi bon qu'aux jours où tout va bien au chaud.

Khaol est assise en hauteur sur un rocher et guette Tahül et Jald. Elle envie leurs signes, leurs attouchements et leurs grognements. Elle fera savoir à Tank, dès qu'il faudra… Khaol ne cherche à séduire aucun Graül et rejette le moindre regard. Elle sait qu'un jour Tank se vengera, et ce sera un peu sa vengeance à elle. De quoi, elle ne sait pas, mais elle en veut à Jald de rester belle quand elle grimace, belle quand elle a de la peine. Et Khaol ne supporte pas que Tahül la regarde avec une tension sur la face qui le rend encore plus beau.

Les rides de Tahül suivent les sourires passés, et les larmes de Jald ne laissent que du sel sur ses cils.

Le monde des Graüls est une succession de jours et de nuits.

Gorki réclame la chouette blanche.

26

Ékorss parle à Frao

C'est quand on a raison qu'il est difficile de prouver qu'on n'a pas tort.
Pierre Dac

Ékorss se sent comme un nouveau-né qui ne sait ni téter, ni s'exprimer de ses mains, de ses yeux et grognements. Pourtant il a des choses à dire à Frao, une belle Ogrre qu'il veut séduire autrement qu'avec une cuisse de cerf… Il reste perplexe, une main repliée sous son menton. Les Graüls ne sont pas muets, mais peu de mots-sons sortent de leur gorge. Les gestes prennent parfois un temps fou à être compris. Les animaux parviennent à partager des informations avec des sons très distincts que les Graüls réussissent à comprendre. Ils sont presque jaloux de voir des cuons imiter un oiseau !

Ékorss veut parler à Frao comme avec son vieux complice Tahül. Mais Frao n'a pas encore tous les mêmes signes que les Graüls partagent. Là-haut dans la montagne, les Ogrrs parlent vite et rude, de peur de se faire bouffer. Et lui, il est lent en tout.

Ékorss regarde le paysage : le paysage lui dira peut-être les images qu'il doit montrer, tout simplement.

Eau : fluide. Toi et moi, on s'entend bien comme l'eau qui coule. Ensuite, il lui montrera l'épieu qui se dresse, et comme Tahül, il choisira le jour plutôt que la nuit pour la voir dans l'espace herbeux qui longe l'abri. Mais Frao risque de très mal le prendre. Ogrres et Graüles aiment la nuit pour se faire « surprendre » et non le jour pour se faire prendre, et ce sont elles qui décident… Alors ?…

— À quoi tu penses ? demande Tahül. Tu as la tête qui va partir en miettes si tu continues.

— Je pense à Frao.

— Moi, j'ai du mal à la comprendre. Elle ne parle pas beaucoup.

— Voilà le problème. Les Ogrrs montent le bras droit pour dire « Attention nuages et pluie », et nous, quand on fait ça, c'est qu'on montre la montagne où on va.

— Frao comprend trop lentement.

— Elle comprend bien, c'est l'essentiel. Je la veux de jour…

— Et tu attends qu'elle te choisisse de jour et pas de nuit ?… Tu as peur, mon vieil Ékorss, qu'elle ne te choisisse pas.

— C'est ça. Elle me verra en entier… Je veux qu'elle vienne vers moi. Je veux aussi qu'elle ne confonde pas *th* et *kk* ; *grr* et *drr*, *chhh*, *rrr* et *hhh*… Moi-même, je me perds. Même de nuit, tu crois qu'elle me fuit ? Frao ressemble pas à Gueul.

— Va lui parler !

— Elle aime pas. Je tourne en rond.

— Touche-la où il faut et tu verras bien…

Tahül n'a pas tort. En communiquant, on peut mentir, on peut dire et ne pas être compris, faire apparaître le passé et ne pas voir le présent, alors qu'une main qui glisse sur une peau, c'est très tentant… Il faudra choisir le moment, les bonnes expressions des doigts, et peut-être qu'il connaîtra la petite caverne chaude de Frao contre qui il a dormi une nuit. Ékorss est étonné d'oublier Gueul, mais il est attiré par Frao, comme le papillon par la fleur.

Ékorss renifle l'odeur de Frao. C'est une bonne odeur d'aisselles, pas acide du tout, douce comme le miel des voleuses de fleurs.

Tahül se moque de son vieux camarade et s'esquive auprès de Gorki, de Gohr, de Kira, et de Jald. Il passe un moment magnifique en famille et fait circuler la pierre de foudre.

— J'ai prévenu Gorki qu'il aurait la pierre après moi, un jour. Vous pouvez tous la toucher. Je pense qu'Ékorss, lui, tourne autour de Frao sans oser la toucher.

— Tahül, Ékorss ne sait pas y faire avec les femelles, dit Gohr.

— Pas si sûr. Gueul est partie.

— Et Frao est ici. C'est quand même pas compliqué ! Une femelle veut de toi, il faut voir dans ses yeux qu'elle veut bien. Alors, tu demandes pas, tu la prends, tac-tac et des lunes plus tard, un joli Gorki ! Le problème, c'est que les yeux de Frao et son odeur ne disent pas grand-chose.

Frao a des cafouillages de sons et Ékorss prend peur.

Tahül le retrouve sous les pistachiers qui collent la peau de leur résine :

— Ékorss, tu ne vas pas attendre que l'eau gèle dans ta bouche. Tu vas lui parler si tu n'arrives pas à la surprendre, la prendre.

— Je lui dis quoi ? Elle comprend tout de travers.

— Trouve les expressions qu'elle seule comprendra. Quand Jald a peur de la foudre, de l'orage ou du vent qui nous ramène du sable dans les yeux, je passe un doigt où elle a peur : l'oreille, le ventre, la peau de l'œil et cela passe…

— Tu t'es souvent mis à sa place, alors ?

— Et je n'ai pas aimé. Saigner, sortir un petit de son ventre, avoir peur… Je n'aurais pas pu être une Graüle.

— Moi si, et pourtant je suis un Graül.

— C'est curieux.

— Cela me donne une idée. Je vais dire à Frao sans les sons, sans les mains : avec la langue. Je ne mangerai que des feuilles qui rafraîchissent et je soufflerai sous son nez.

La nuit se fait, le soleil s'ensommeille et perd de ses couleurs. Quand tous dorment, Ékorss se faufile et retrouve Frao qui dort et émet un petit ronflement joyeux. Ékorss s'allonge à côté d'elle, la renifle, puis de sa langue, il découvre le bras, le cou, l'oreille, la joue de Frao. Elle croit que c'est une bestiole qui va traverser son visage et donne une claque à l'intruse. Mais, sous sa main, une autre main. À son tour, elle respire l'odeur d'Ékorss et touche ses mains.

Ékorss, toute la nuit, lui dit des choses par ses bras, ses pieds, ses mains, son front et cet épieu de chair durcie qui le lie à Frao. Ouahhhhh…

Ékorss sait dire, Frao se fait mieux comprendre. Oooooh…

Le jour dépose sa buée sur les herbes et les petites bêtes qu'elles abritent. Ékorss trouve Frao allongée contre lui. Il ne pourra pas lui parler des yeux du ciel, des voleuses de fleurs, des lemmings qui disparaissent, des dents qui tombent sans repousser. Il gardera cela pour lui. Avec Frao, il va parfaire son art d'écraser les poux dans la tête, il lui trouvera une pierre transparente aux formes froides mais belles et la déposera dans ses mains. Pour elle, il cherchera un cristal de roche.

Frao et Ékorss déchirent le temps, ils entrent dedans. On entend leurs petits rires.

Ékorss s'enhardit. Il accompagne les chasseurs et cueilleurs de pierres dans leurs migrations. Il tremble de peur et se cache derrière Tahül. Une fois le cerf acculé et tué, la marche reprend en direction de la boule de lumière. Ékorss trouve niché, l'attendant, un quartz de rêve et le détache de sa roche. Il regarde au travers de la transparence et y voit comme un filament, une fumée, une tête. Ce cristal permet qu'on regarde au travers de lui ! Ékorss le fait pivoter entre ses doigts et s'extasie. Qui peut bien tailler un cristal avec un tel talent ? Quand, comment ? Pourquoi… Qui ?

Ékorss revient avec le clan et Gohr lui demande :

— Alors, comment tu as trouvé Tahül à la chasse ?

— Courageux !

— Et comment tu trouves la viande ?

— Sous ma dent…

— Qu'est-ce que tu serres dans ta main ? Je t'ai vu arracher quelque chose de la pierre, demande le chef des Graüls.

— C'est pour Frao.

— Montre… En jaune, c'est plus radieux.

— J'aime mieux tout simple.

— Tu as de ces idées, Ékorss !

Ékorss aime le simple comme l'expression du plus compliqué. Un quartz qu'on n'a pas à tailler, une goutte de rosée qui est ronde comme la coquille d'un escargot. Il songe à Gueul. Pauvre Gueul. Frao aimera la transparence liquide de cette pierre…

Les Graüles tannent les peaux de leurs dents et leurs mâchoires sont habituées à ces longs moments. Jald tient Gorki par la main pour qu'il ne parte pas vers le groupe de bœufs musqués. Ékorss s'approche de Frao :

— J'ai trouvé…

— Quoi ?

— L'audace de partir avec les chasseurs, et j'ai trouvé…

— Montre ?

— C'est ce que je veux te dire.

Il montre sa tête, son ventre, et envoie un sourire à Frao. Elle a compris. Ékorss pourra ainsi lui parler et lui rapporter des choses, un morceau de bois, une fleur, une abeille et même une fourmi.

Frao rit et tous se demandent si c'est un ricanement ou un bon rire. En voyant le cristal briller sous l'œil gourmand de Frao, tous les Graüls comprennent que les prochaines nuits d'Ékorss seront moins noires, et qu'il sera obligé de chasser d'autres pierres qui ne servent pas à la chasse !

Tahül montre sa pierre de foudre noire et brillante et la place à côté du cristal qui laisse tout voir au travers.

— Moi, je suis sombre et unique. Ékorss est transparent et unique.

Gohr n'apprécie pas qu'on perde son temps à déchiffrer ce que la nature garde secret, c'est ainsi qu'on se fait manger. Il demande à son fils de bien vouloir se taire.

— Ékorss a trouvé à qui offrir ses trouvailles qui ne feront jamais un biface. Tahül est un grand chasseur pour tout le clan. Je dis que ce ne sont pas les pierres qui font le Graül, mais le Graül qui fait la pierre ! Ce sont les nouveaux Graüls qu'il faut tailler du dedans. Ne jamais oublier que sans pouvoir se défendre, les Graüls seront pris aux pièges qui sont nombreux.

Gohr n'a jamais autant parlé. Ékorss a su se faire comprendre de Frao. Frao caresse le cristal, le lèche et sourit à Ékorss. Elle regarde les facettes qui brillent et sourit à nouveau. Tahül comprend l'image qu'a donnée son père. Il devra veiller sur Gorki, mieux que sur sa pierre de foudre.

Ékorss continue à trouver des images pour Frao et lui rapporte des plumes de chouette dans une corne creuse. Tous rient. Ékorss ne fait rien comme les autres, mais Frao le préfère ainsi…

Mah et Kira entourent Jald pour qu'elle regarde le paysage et ne garde pas la tête baissée. C'est bien connu, la tête en bas, on ne voit que ce qui se passe au sol, et ce n'est pas joyeux : araignées, fourmis ne rendent pas le sourire. D'ailleurs, les Graüles allaitent au soleil. Ce qui donne l'idée à Ékorss de leur confectionner une peau à nouer pour porter les moins lourds des petits. Il a juste rétréci la peau qui a servi à Mah à grimper pour retrouver Jald.

Chaque maman peut se déplacer avec son Graülot et garder les mains libres. Tout le clan remercie Ékorss qui a droit aux meilleurs morceaux. On le regarde comme un fou ingénieux.

Ékorss fait soudain une grimace à Frao :

— Tank est l'ennemi de Tahül. Jald est une Troms et Tank aussi.

— Khaol est comme Tank. Tu as peur ?

— Oui. Elle est comment avec les autres femelles ?

— Elle mange, elle dort, elle pète, elle ronfle. Pas intéressante.

— Très belle Troms pourtant.

— M'ennuie…

— Tu peux me dire comment les femelles choisissent les mâles ?

— Facile, quand y a du demain possible tout de suite… Chacune ses goûts et ses odeurs préférés ! Toi, tu sens les arbres ! T'y niches !

Voilà, Ékorss communique avec Frao et le clan s'en trouve plus lié. Quand chacun s'efforce à dire, à entendre et à voir, un sourire touche chaque Graül.

Ékorss fait moins rire, car on l'entend mieux. On le voit comme un cristal et un cristal ne fait pas rire. Il oublie son désir d'Alekhta, car il a le désir de Frao.

Khaol est comme un nuage, et aucun Graül ne craint qu'elle n'obscurcisse la vie du clan…

27

Les Snèks trouvent un gros poisson

Dans cette histoire, la peur naît du mystère qui habite le plus banal des éléments.
Les Dents de la mer, Steven Spielberg

Sard pense à Jald ; Mah et Poh pensent à elle. Mundt, le frère de Khaol, doit téter la peur, car Tank le garde sous son œil méchant. Tank n'aime pas Mundt. Si Mundt est en vie, c'est que Tank en a fait une peau sans tête, un corps à ses ordres fous, un Troms en creux et sans relief… Il attend que Khaol lui annonce enfin qu'il peut pénétrer le territoire graül.

Sard, à l'abri chez les Snèks, voit passer au loin des Troms sur la plage. Elle ne voit pas Mundt. Bizarrement, les Troms se dirigent vers la montagne, puis reviennent bredouilles. Sard reconnaît Tank, solitaire au milieu du groupe. C'est lui le chef maintenant. Il porte des peaux de bête de couleur fauve. L'orage se prépare, il fait chaud et très lourd. Nu, Tank ressemble à une bête velue. Sa peau est de la couleur de sa barbe. Il forme une tache reconnaissable qui disparaît dans une tempête de sable. Le vent gronde. Tank et son clan semblent évaporés. Sous le vent, les Snèks se réunissent dans une cavité, face à la Grande Bleue.

L'eau devient verte, puis sale de sable et de coquillages fracassés ; les vagues ont une force incroyable et les abris des Snèks, emportés par le vent, flottent sur l'eau qui divague plus loin et plus fort. Le ciel craque, la Grande Bleue prend sa couleur de pierre, quand elle n'est pas contente du tout!

Les Snèks n'ont jamais vu cela. Une tempête d'eau, de sable et de vent!

Sno, le chef, et son frère Sonk se sont habitués à la présence de Sard et espèrent qu'elle aura de belles et fortes fesses pour devenir une vraie Snèks. Elle reste trop à l'air et sa peau fonce, mais ils ne sont pas comme Tank à éplucher des critiques en permanence sur son dos. Ils passent plus de temps à comprendre ce qui échoue sur le sable : des bêtes qui ne vivent pas sur le rivage, ni dans les arbres, ni dans les pierres. Sans pattes, avec souvent des petits yeux ronds. Pourvu que cette ancienne Troms ne se mette pas à hurler de peur, cela attire certaines bestioles.

Des branches, des éponges, des algues jonchent le sable.

Ils n'ont jamais vu tout ce que cachait l'eau, et surtout pas cette bête informe qui s'approche et s'échoue! On dirait un tronc poilu qui souffle, l'animal est gros et gras : effrayant, immonde. Après des saccades d'expirations, le tronc poilu et immense agonise. Sa masse ne fait plus peur. C'est un grand tourbillon avachi qui siffle un énorme soupir sous leurs yeux. Puis c'est le silence entrecoupé par des coups de tonnerre.

Pas d'écailles, mais des dents à n'en plus finir dans cette bouche aux lèvres blanches! Chaque dent a la longueur d'une main au moins! Les Snèks tournent autour de cet étrange poisson sans écailles.

Sonk pense que ce n'est pas un poisson. Sno affirme qu'il n'y a que des poissons dans la Grande Bleue. Les autres Snèks disent que c'est peut-être un tigre d'eau qui aurait perdu sa fourrure, car il a des dents, oui, des dents, beaucoup et pointues, mais alors pointues! Le monde des Snèks ne parle plus que de cela. Ils ont vu les bonds et salutations des dauphins, la rapidité des requins, mais pas cette bête gigantesque qui vient des abîmes marins. Sno attend que la Grande Bleue se retire pour ouvrir ce possible repas gigantesque.

Les petits Snèks font le tour du cachalot, certains se cachent, d'autres se disent qu'ils pourraient finir à l'eau, dans une gueule pareille, plus grande que le rocher où ils sautillent. Sno décide que les Snèks vont s'allonger le long d'un côté de la bête. Sonk demande pourquoi.

— Sri, Soumn, Reth, Spou, Tri, Süth, Ssih, Sauh, Troi, Szke, Su, Zra, Skonx... Allongez-vous ! ordonne Sno.

Les Snèks dont les pieds touchent la tête de l'autre suffisent à peine à se faire une idée de la longueur du monstre marin...

— C'est pour voir comment il est grand ! dit Sno. Vous pouvez vous lever. Il est grand comme tous ceux qui viennent de se remettre debout...

Des trombes d'eau salée reviennent et bousculent les Snèks. Ils sont trempés. Et s'ils s'étaient trompés, si cette chose n'était pas un poisson, mais le chef des poissons, un pas-poisson, le chef suprême du monde de tout en bas, en bas ?...

La nuit passe sous les hurlements du vent.

Au matin, la bête est toujours là ; des animaux voleurs ont commencé à la dévorer... On voit des traces de dents et de coups de bec sur la peau encore visqueuse. Cela doit être mangeable.

Le vent se calme. Des charognards descendent des montagnes.

La masse est une masse hostile, car aucun Snèks ne parvient à la taillader. Ils ne peuvent que faire un trou dans son ventre.

Sno découpe avec difficulté la chair du monstre qui n'est plus rien et leurs éclats ne sont pas assez grands pour pénétrer au-delà de cette peau ridée, plissée, qu'aucun vieux Snèks n'a jamais vue.

— Ah ! C'est épais comme une cuisse de Troms ! Pas vrai, Sard ? Approche-toi, on va te confier les boyaux pour voir dedans. À l'attaque les autres, à la découpe !

Tous les Snèks s'y mettent et bientôt la carcasse offre un abri aux petits Snèks qui jouent entre les côtes.

Dans les intestins, Sard découvre des concrétions molles et visqueuses. Dedans, elle reconnaît des becs de calmars. Cela sent très fort et elle demande si on peut en manger.

— Jette ça dans la mer, comme ça on ne se fera pas embêter par les bestioles qui rôdent, lui lance Sno. Tout le monde préfère la viande, mais le monstre mérite au moins qu'on mange son gras...

Sard lance les viscères à la mer. Elle touche ensuite les dents blanches du cachalot qui ont dû ravager bien du monde

« là-dessous ». Très étonnée par tout ça, elle se réfugie dans une grotte marine. Elle reste les pieds dans l'eau et remue ses orteils. Elle regarde au loin puis, d'un coup, elle voit les reflets bouger. Elle pense à Jald, à ses yeux qui ont la couleur de la grande eau bleue qui se niche maintenant calmement sur la rive. L'eau est une belle menteuse. Elle fait semblant d'être gentille aux pieds des Snèks. Méchante, elle est capable de soulever un monstre d'au moins « tous les Snèks » mis bout à bout.

Un mollusque retombe à l'eau, des oiseaux piquent en direction du mastodonte déchiqueté. Les bêtes ailées se régalent et Sno les chasse avec tout ce qu'il trouve sous sa main : des cailloux, des branches. Les oiseaux repartent et reviennent comme des vagues piaillantes sur cette viande pourrissante, trempée d'eau de mer et couverte de petits champignons.

Les rapaces s'attaquent aux restes.

Les vers finissent le travail.

L'odeur de l'échoué couvre toutes les odeurs.

La bête sans poils et sans écailles a été vaincue par le vent qui soulève l'eau, et les enfants snèks jouent avec ses os ; ils défont « l'arbre plein d'os » qui soutenait le poisson à dents pointues.

Près des étangs, des grains blancs brillent. Quand on les goûte, ils piquent la langue. Ils viennent de la grande étendue d'eau qui s'est infiltrée, puis a mystérieusement disparu. Elle doit se reposer maintenant dans le sable. Les Snèks ne cessent de découvrir des choses : des coquillages, des algues, des éponges, comme si le monde des flots avait craché sa colère… Une chose pareille n'arrive jamais, elle est arrivée. Que peut-il se passer d'autre ?

Sard s'endort avec les autres petites Snèks et dans son rêve, retrouve Jald, Mah et Poh.

Où est sa sœur Jald ? Sa mère est-elle encore vivante ? Et la petite Poh se trouve-t-elle avec Mah ?… Cette grande frayeur venue des fonds marins rend Sard sans voix et sans gestes. Quant à Sno, il ne pense qu'à une chose, que les Troms ne viennent surtout pas leur voler Sard et les quelques lapins qui courent dans le romarin.

Il ne reste qu'un morceau du long squelette du cachalot. Sard regarde l'ensemble, les mains sur les hanches. Elle y voit un grand crâne d'oiseau, les côtes d'un ours, les os de petites mains et ceux du dos d'un immense serpent. Elle est horrifiée : le bec immense et les os font des ombres sur le sable. *« Ce prédateur ne manquera pas aux poissons »*, pense Sard, alors que sur l'eau endormie flottent des calmars géants, fruits de la tempête calmée.

Des lunaisons sont passées. Le froid pousse les Snèks à se faire des papouilles et à retirer la petite faune de poux et de parasites qui les démange…

— Toi aussi, Sard, tu as échoué ici comme le gros poisson. Il était énorme, inimaginable, dit Sonk. Tu peux m'enlever quelques poux ?

— J'espère qu'on n'en a pas en nous.

— J'vois pas l'rapport, lui répond Sonk.

— Eh ! Tu te doutais que la grande eau pouvait cracher un oiseau pareil ?

— Quel oiseau, Sard ?

— Le poisson au gros bec d'oiseau très très long…

— Ah, le caché sous l'eau… Nous, on est parfois caché par les feuilles et les herbes. Allez, enlève-moi quelques poux, va ! Et ensuite tu fais pareil à Sno.

Sard écrase quelques parasites, et Sonk se fait un plaisir de faire pareil dans ses cheveux.

— Les Troms nous voient et ils doivent se demander…, dit Sonk, un peu inquiet.

Les Troms, Sard n'en fait plus partie et sourit. Elle se gratte au sang : elle n'aime pas se savoir l'habitat d'insectes. C'est sans doute pour cela qu'elle aime l'eau, contrairement aux autres. Elle aime tant l'eau ! Sard écrase une punaise qui pue et se dirige vers les vagues en rouleaux. Elle se plonge jusqu'au cou et laisse flotter ses longs cheveux. Elle n'aime pas savoir que Tank peut la voir.

Le reste du squelette du monstre fait comme un abri qui attire les mouches.

Sard espère que jamais elle ne reverra Tank ou ne le sentira près d'elle.

Kruh, un petit Snèks, dort sous les côtes du cachalot et Sard le regarde dormir, persuadée que les nuages du ciel contemplent la rive.

28

Gorki et les cuons

Communiquer avec un animal ne nécessite pas forcément la parole.
Boris Cyrulnik

Je sais, quand il le faut, quitter la peau du lion pour prendre celle du renard.
Napoléon Bonaparte

Gorki a grandi malgré les gerçures et les saisons de grand gel qui raflent les plus faibles. Il regarde jouer deux jeunes cuons, deux frères de même taille et de même couleur qui se reniflent dans l'herbe. Gorki les nomme « Céki » et « Cekon ». Cekon passe sous le ventre de Céki et Céki fait de même sous Cekon. Toute la petite famille des cuons se rend au lac où de jeunes Graüls sont là à casser des cailloux. À plusieurs, les cuons peuvent attraper un lynx et même un lion des cavernes, et voilà que les cuons attaquent les jeunes Graüls qui fuient à toutes jambes. Gorki ne comprend pas pourquoi on se moque des cuons s'ils font peur. Il y a une contradiction. Ékorss l'a-t-il repérée ?...

Les cuons se secouent sous l'eau qui tombe des nuages en graines d'eau. « *On se moque d'eux*, se dit Gorki, *sans doute parce qu'ils expulsent des iiii, des oah et des haou de leur gorge quand ils chassent les oiseaux charognards qui veulent leur piquer un lièvre ou autre chose de mangeable qu'ils croient bien à eux, alors que c'est Gohr et Tahül les plus forts pour attraper de quoi manger!»* Gorki en conclut que chacun doit se mettre sous la dent moins fort ou moins malin que soi.

— Bien remarqué, lui dit Tahül, si le cuon est bon chasseur, c'est un opportuniste. Seul, il aime garder et emporter son morceau à l'abri pour l'avaler, pattes au sec. Il court comme un cheval, mais moins vite.

— Ils ne s'ennuient jamais... Pourquoi on fait pas comme eux? Ils ne chassent pas tout le temps, eux! Voilà, ils sont pas tout le temps à chasser et à tailler des pierres, à se méfier de tout. Ils jouent beaucoup!

— Ils se méfient... Gorki, tu ne vas pas faire comme Ékorss et devenir un oisif?

— C'est pas un oisif...

— Il ne chasse pas.

— C'est pas un oisif quand même. On peut aller voir les cuons de plus près?

— Si tu prends des grosses pierres avec toi, ce sera un début.

— Un quoi?

— Avant que tu apprennes à chasser les gros, tu apprendras à chasser les petits. C'est un début. La fin, c'est autre chose.

— Pourquoi nous sommes les seuls à avoir deux pattes? Et pourquoi on n'a pas de fourrure bien à nous?

— Et pourquoi il fait froid? C'est comme ça...

Jald suit l'échange entre père et fils depuis le début et soupire:

— Il nous fatigue avec ses questions.

— Fais-nous un nouveau Graül, lui répond Tahül à voix basse. En attendant, je vais avec Gorki au spectacle des cuons.

Tahül regarde son père Gohr. Gohr se tasse, il vieillit, mais il reste fort. Gohr accompagne Tahül et Gorki. Gohr a toujours regardé les cuons comme des Graüls transformés en hyènes rousses et blanches... Chaque cuon a son petit caractère, comme chaque Graül a le sien, et il faut le savoir pour bien élever un Graülot dans le partage. Gohr sait reconnaître une urine de loup, un poil de cerf, une crotte, une empreinte de cuon. Gorki fera de même, et bientôt il ne confondra pas la plainte du loup avec le cri du cuon qui s'est perdu dans les broussailles.

Entre les herbes hautes, ils se faufilent. Ils se cachent dans les pelades de forêt que le froid n'a pas rongées en entier. Quand un cuon alerté lance son *« hiii houah »* et jette sa tête en arrière, Gorki découvre que son cou est blanc comme neige.

— Gohr, t'as vu, il a mangé deux lièvres, comme ça, presque d'un coup !

— Nous on mâche, eux ils avalent tout. Quand il n'y a rien pour eux, pas même de vieux os de bison découpé par nous, ils mangent des baies.

— Pouah, des baies ?...

— On mange bien des racines, quand il n'y a plus rien.

— Justement, dit Gorki, les racines, ça nourrit pas vraiment son Graül...

Khaol fronce les sourcils, et face au lointain Tank, elle lui fait comprendre que Jald n'est pas près d'avoir un petit. Elle hausse les épaules et Tank s'en retourne.

Les yeux de Jald se grisent. Mah l'épouille et Poh lui ramène un oiseau mort.

— On peut le manger ? demande Poh.

— Trop maigre. Donne-le à Digr, que le fils d'Ékorss sache au moins ce qu'est un gobeur.

— C'est quoi comme genre de voleur ?

— Gobeur ! Laisse-moi regarder... Plumes de mangeur de poissons !

— Pouah.

— S'il trouve ça bon le gobeur, c'est que c'est bon pour lui, ça glisse tout seul, pas besoin de mâcher. Un bec, pas de dents, tu comprends, ma petite Poh ?... Il peut pas manger autre chose !

Le jour s'est levé, le froid aussi, et les cuons ont très faim. Ils sont moins dangereux que les loups qui, en meute, peuvent étriper un Graül épuisé par une trop longue marche.

— Viens, Gorki ! Tu vas voir comment ils font, les rouquins, lance Tahül.

Gorki le suit et marche dans les empreintes des pieds de son père et fait crisser l'épaisseur de la neige. Son pied est vraiment bien plus petit que celui de son père… Le froid le brûle, et la marche l'excite. Ils se dirigent vers un coin du plateau qui permet de voir loin. Tahül commente pour son fils :

— Tu observes que la meute ratisse d'abord le terrain.

— Y a rien à bouffer pour eux, pour l'instant.

— Que tu crois.

— Y a ?

— Y a… C'est pourquoi, la meute progresse comme une branche unique. Une ligne de poils. Tu les vois ?

— Oui, ça y est, je les vois. Ils ont repéré un mouflon. Je vois une de ses cornes !

— Tu as de bons yeux, Gorki, tu sais. Apprends une chose : un cuon peut attraper un lapin tout seul. Moi aussi, je peux le faire. Mais là, tu vois bien, pour une bête plus grande qu'eux, les cuons doivent s'y prendre à plusieurs. Comme nous. Ils attaquent de tous les côtés et la proie va se fatiguer. Tu vas voir.

— Ils mordent à la croupe et aux flancs. Une mâchoire de plusieurs cuons ! Allez, plus vite que ça, sinon, le mouflon va filer !

— Nous on fait exactement pareil mais avec des épieux, c'est nos dents qu'on tient à la main quand il s'agit d'un ours !

— Sinon, on est comme une fourmi sous le sabot d'un cheval. Vite, regarde ! Ils mordent. Le sang sort du mouflon, il s'agite fort !

— Quand le sang sera parti tout à fait, alors seulement les cuons le mangeront. Ils grignotent s'ils sont sûrs d'avoir vaincu, pas avant ! ponctue Gohr.

Tahül regarde le visage subjugué de son fils. Il entre dans sa vision pour lui apporter ce qu'il sait de plus.

— Regarde bien. Que ne fait pas le cuon quand il s'attaque à sa proie que le loup fait ?

— Pas… J'sais pas…

— Les cuons ne mordent jamais à la gorge. Ils attaquent toujours par-derrière. Les loups attaquent par-devant et par-derrière !

— Même un Graül ?

— Même… Et là, qu'est-ce que tu vois ?

— Les flancs du mouflon sont cisaillés et maintenant y a des trucs longs qui traînent par terre. Ils n'y touchent pas, les cuons.

— C'est quoi, Gorki ? Des, des…

— Des morceaux de peau du dedans ?…

— Pas mal. On appelle ça des boyaux.

— Ils sont pas mal violents, les cuons. Pourquoi on se moque d'eux ?

— Parce qu'ils attendent que le lapin soit bien raide pour le bouffer.

— C'est ce que je disais, ronchonne Gohr qui se sent vieux depuis que son fils s'exprime mieux que lui…

— Gorki, écoute ton père. Alors que le loup affamé n'attend pas de savoir si le lapin est mort ou un peu mort, le cuon est capable de jeter sa proie pour qu'elle se fracasse loin de lui ; comme ça, il est sûr de ne pas se faire mordre. Nous prenons plus de risques que lui. Tu comprends ?… Le cuon n'est pas valeureux.

— Et quand Gohr accule un mouflon au bord d'un précipice et attend qu'il panique et tombe, c'est lui qui fait comme le cuon, ou le cuon qui fait comme Gohr ?

— Je vois que tu fréquentes beaucoup trop Ékorss en ce moment… Pour toi, il est plutôt anguille, ou plutôt escargot Ékorss ? demande Gohr.

— Ékorss ne ressemble pas aux autres Graüls, mais c'est un bon gentil Graül. Il m'a appris à attraper un poisson à la main.

— Ça ne sert à rien… Comment il fait ? s'enquiert Tahül.

— Il met un morceau de viande dans une main, met la main dans la vase et attend que le poisson passe, il l'attrape de l'autre main. Parfois, il fait même passer son doigt pour de la viande.

— Il perd son temps. On ne mange pas de poisson ! Je ne le comprends toujours pas.

— Les poissons, c'est que pour les ours ? interroge Gorki.

— Il bouffe tout, l'ours. Je n'ai pas terminé avec les cuons. Ils peuvent chasser comme nous en deux camps.

— Ah bon ? Ils font comme nous ?

— Et on fait comme eux… Le premier groupe renifle la proie de loin et la rabat vers l'autre groupe.

— Oui, j'ai déjà vu. Y a ceux qui attendent et guettent en bordure des arbres. Les autres foncent sur la bestiole, ils la poussent. La bestiole ne sait plus où se cacher et elle va du côté qui la perd… On sent qu'elle s'affole.

— Même quand notre nez coule, ou que cette satanée buée se pose partout, on sait où est notre place. Et comment ils arrivent aussi à s'entendre les cuons, alors qu'ils n'ont pas les pattes libres pour s'expliquer par signes ?

— Pas. J'sais pas…

— Les groupes communiquent entre eux.

— Ah ouais ? Y s'envoient des grimaces ? J'te crois pas…

— Si, tu peux ! Chaque groupe communique avec l'autre aussi avec des sifflements très courts. Demande à ta mère de te nettoyer les oreilles. Tu as une bonne vue. Je me demande juste si tu n'as pas les oreilles de Mah. Elle entend de plus en plus mal, Mah…

— Encore ! Raconte les cuons qui sont plus forts que nous en bruits, sons, en voix quoi !

Gohr met ses mains sur ses oreilles, excédé. Malgré tout Tahül continue d'expliquer à son fils que le cuon a des expressions très riches : il geint, il glapit, il pleurniche, il siffle, il couine.

— Chose que Frao ne saura jamais faire, dit-il avec un certain embarras, voyant Ékorss s'approcher…

Cependant Ékorss n'est pas là pour l'entendre, mais pour ramasser du romarin bleu pour Frao qui adore ça, même gelé, et il laisse Tahül continuer l'instruction de son fils :

— Gorki, le cuon est vif et bavard ! Moi, j'envie le cuon. Bon chasseur et beau parleur… Il réussit à faire sortir des sons extraordinaires que nous, on n'arrive pas bien à extraire du gosier. Le cuon glousse ou miaule.

— Pour attirer ses proies ?

— Je ne sais pas…

— Tu ne sais pas tout alors ?

— Ékorss non plus.

— Pourquoi ?

— Tu lui demanderas, ça l'occupera ! conclut Gohr.

À la saison des fleurs-insectes, et au même endroit, un cuon mange un lézard et le recrache. Ensuite, il pose sa tête sur ses pattes et regarde face à lui.

À la saison des fruits et des pierres de foudre, Gorki tire Tahül vers ce lieu apprécié des cuons. Ékorss les suit.

Bientôt le froid et la neige recouvriront la steppe et il faudra se méfier des ours qui recherchent des cavernes quand l'eau devient dure et transparente comme un cristal. Ékorss a un avis sur les cuons et le partage avec Gorki.

— Gohr, Tahül, Berr, Rar et les autres pensent en chasseurs, ou en cuons. Moi pas.

— Tu penses en quoi ?

— En moi-même. Les bandes de cuons sont pas des vrais chasseurs. C'est pour manger qu'ils attaquent. Parfois pour se défendre.

— Les Graüls aussi, c'est pour manger ! Ce sont des chasseurs, même sans les dents !

— Et ils se défendent et chassent, que c'est incroyable à voir de loin ! Les cuons chassent autrement.

— C'est parce qu'ils ont des instruments de chasse, eux.

— Des quoi ? Ékorss, des quoi ?

— Des branches, des pierres taillées en pointe. Cela veut dire qu'on peut décider d'être chasseur. Le lapin n'est pas chasseur. Nous, on remplace les griffes et les crocs, la force par des bâtons et des galets. Moi, ça me dit rien d'attaquer plus gros que moi et plus féroce, je suis plutôt comme le lapin. La panthère chasse, le Graül chasse, je suis pas un chasseur, je me demande parfois si je suis un Graül. Un instrument c'est un ajout pris aux arbres ou aux pierres.

— Les femelles cuonnes sont des chasseuses, pas les Graüles car elles osent pas utiliser les instruments, dit Gorki en regardant son père. Et c'est des Graüles !

— Tu as compris. Chez les loups, les lions, les ours ou les cuons, tout le monde survit en chassant. Et chez les Graüls, les femelles et les enfants ne chassent pas… C'est fou, non ? répond Ékorss.

— T'es pas une femelle ou un Graülot, et tu chasses pas… Tu es un Graül pas chasseur en tout cas, remarque Gorki. Tu préfères regarder vivre les cuons ou les Graüls ?

— J'aime voir gambader les cuons, on dirait de tout petits petits chevaux. Petits, ils ont un nez tourné vers le ciel. Ils sentent la moindre bestiole.

— Même un lemming de là à là ?

— Oui. Ils résistent à tout, aux poux, au froid, à la faim et ils ne se plaignent pas comme les loups ouhhhhh, ouhhh.

— Encore, raconte.

— Ils connaissent tellement le paysage, qu'ils feintent ceux qui ont les yeux plus bas que terre.

— Je ne comprends pas.

— Pas toutes les bêtes se rappellent que là, il faut pas mettre une patte!... Les serpents qui n'ont que des épaules et pas de pattes voient aussi bas que terre... Tu vois? C'est pas le même monde...

— ... Un jour, j'ai vu un jeune cuon acculer un jeune mouflon qui a chuté tout seul, là en direction de la rivière à jambes comme des veines bleues. Il a juste fait *yak yak* d'entre ses babines, le cuon, et le quatre pattes a sur le rocher sauté.

— Sursauté quoi! Exprime-toi simplement, Gorki! implore Tahül.

— Après avoir sursauté sur le...

— Rocher. Finis tes phrases.

— Après avoir fait hi qu'est-ce qui se passe?

— Le mouflon est tombé tout seul au fond.

— Ça fait un de ces boucans un mouflon qui s'écrase dans les pierres, dit Gorki.

— Pas mal, Gorki, comme tu décris... Une chute de cheval, ça te ferait encore plus sursauter.

— Et un bruit de cuon qui chute?

— Plop... La seule chose qui me dérange avec les cuons, c'est les cuonnes. Pas toutes les femelles ont des petits. C'est le chef qui choisit. Et il y a toujours un frère qui domine l'autre... J'aime observer les Graüls à cause de ça. Nous, on ne met personne de côté, et on s'offre de bonnes côtes de bison pour tous, dit Ékorss.

— T'as pas faim? Qu'est-ce que tu manges ce soir, Ékorss?

— Ce qui reste d'hier... Qu'est-ce que tu veux savoir d'autre sur les cuons?

— Pourquoi ils tirent la langue?

— Quand ils n'ont pas bu ou trop couru, ils tirent la langue. J'espère que cette fois, le reste d'hier ne les fera pas venir...

Ékorss se tait. Il ne dira pas que certains marcheurs-coureurs ont des mâchoires, d'autres pas, des ongles ou bien des griffes, des yeux qui se ferment ou pas. Comment en vouloir à un Graülot qui n'écoute que les chasseurs qui font preuve de courage, il ne va pas gratter le sol pour découvrir un ver de terre...

Ékorss raconte d'autres histoires à Digr, car Digr veut tout connaître des Graülotes.

— Petites, elles regardent autour des seins de leur maman. Grandes, elles ont d'autres formes qui les empêchent d'avoir trop froid, là et là.

— Nous, on les protège. Et toi, t'as fait quoi pour les Graülotes et pour Frao ?

— Je suis pas bon à la chasse ni à la force. Je protège autrement. Je partage.

— Quoi, des éclats, des pieux ?

— Digr, ton père est faible en plein de choses, mais je partage en éclats de rire, en bouts de groles ratées, en bouchées de cuir et débris de pierres. Ta mère Gueul aimait mes éclats de voix.

— Et ça protège ça ?

— Oui ! hurle Frao. Oui, ça protège de l'ennui et ça protège au plus court, à cause de la vue longue d'Ékorss.

Frao épouille vigoureusement Ékorss... Elle ne dit pas grand-chose, ne se moque jamais de lui. Quand elle parle, c'est pour défendre Ékorss qui protège le lien entre tous les Graüls. Aucune neige ne dure en plaine, le soleil finit toujours par disparaître. Le soleil revient toujours, comme la neige, les lézards, les moustiques, les naissances et les disparitions. Ékorss reflète la force qu'il n'a pas.

Le repas sera agrémenté d'un bon gras inattendu. Jald a retrouvé sa mère, Mah, raide comme un gros glaçon accroché à de la pierre. Dans la grotte, Mah, sous une nichée de chauves-souris, n'a plus bougé. Elle est devenue bleue. Khaol se réjouit de goûter à la moelle et peut-être à la cervelle de Mah, parce qu'elle est une Troms, elle aussi, comme Mah. Khaol aura peut-être droit à cette chose laiteuse qui déborde des mains si on l'extrait d'un coup de la tête. C'est fou ce qu'il y a dedans : le contenu d'une bonne grosse fesse ! C'est plus ferme, mais absolument délicieux.

Jald a les yeux de plus en plus gris.

Khaol se régale.

Jald baisse la tête.

Khaol passe ses doigts contre le crâne de Mah, pour ne rien perdre de son gras.

Jald n'en veut pas. Jald a en horreur l'appétit de Khaol pour sa mère.

Ékorss met sa tête entre ses cuisses et grignote une racine qui nettoie les dents. Il se demande s'il n'existe pas une tribu qui en saurait plus que les Graüls… Trop de choses ont l'air d'aller, mais ne vont pas, mais alors pas du tout. Il n'ose même pas s'interroger sur le sujet. Mah n'est plus. Il ne sera jamais qu'un songeur dont on peut se moquer pour détendre la peur après l'orage…

29

Mah n'est plus là et l'ours géant apparaît

Qu'est-ce que la vie? C'est l'éclat d'une luciole dans la nuit. C'est le souffle d'un bison en hiver. C'est la petite ombre qui court dans l'herbe et se perd au coucher du soleil.

Crowfoot, chef indien

Jald s'épuise. Tahül lui envoie des grimaces de joie. Jald ne réagit pas; elle cherche sa mère partout et croit même la voir flotter dans les nuages ou glisser sur des coulées de neige. Les Graüls n'ont guère de menton, et leur bouche bien visible dit des choses sans nom avec de drôles de sons… Ils se réfugient dans la Grotte-Mère et mangent. Jald voit marcher Mah sur le plateau. Ce sont des images qui reviennent du passé, que seul Ékorss comprend. Mah ne reviendra pas. Il est même gêné de voir, au milieu de la grotte, le tibia de Mah qui chevauche celui d'un cheval. Desk aussi va finir par vieillir et se faire avoir à la course… La période blanche et froide se poursuit. Dikt craint pour lui, il maigrit et les peaux de bêtes ne parviennent plus à le réchauffer.

Un matin, Tahül distingue les empreintes géantes d'un ours. La bête a dû passer par là quand tous les Graüls entraient se protéger du froid. Il se demande si ce n'est pas Tound, l'ours géant dont lui a parlé Gohr, son père. Tound croit se cacher dans un taillis ou sous une roche, mais il est tellement grand qu'on le repère toujours. Au moment des grands froids, il va dormir, on ne sait dans quelle caverne. L'ours mange tout ce qu'il trouve. Si Tound se sent en danger, il devient redoutable. Les jours devenus si petits font dire à Ékorss que, depuis le temps, on ne doit plus se méfier du grand Tound, car il doit dormir quelque part et perdre sa graisse ; et avant que la neige ne fasse fondre son eau, il sera devenu tout maigre… Ékorss a raison, on ne retrouve plus les crottes de Tound, ces amas où s'agglutinent noyaux et pépins de baies, poils et restes d'insectes. Le grand blanc recouvre tout, jusqu'aux oiseaux perchés, jusqu'aux cuons affaiblis.

Au début du jour, la lumière fait briller le paysage et une vieille chouette s'endort épuisée de sa nuit…

La neige devient fine et le blanc diminue. C'est l'annonce des amours. Des loups passent devant des bisons : ils cherchent l'aventure. Des louves viennent renifler les nouveaux loups. Des couples se forment. La neige, la glace fondent et les oiseaux habitent le ciel et les branches. Sur la glace du lac se trouve la carcasse d'un vieux cerf. Les loups craignent d'y laisser leur peau, car la pellicule se craquelle. Tound se réveille. Efflanqué, mais bien vivant, il fonce, il ne craint pas l'eau et arrache à tous la dépouille du cerf ! La sortie de l'eau de Tound amaigri par le froid annonce les beaux jours ! Les Graüls l'ont vu de très loin. La fourrure encore trempée, Tound déguste une chicorée. Tahül observe le paysage qui était là avant lui et qui sera là après lui. Tound est en fait une grande ourse qui ouvre la bouche et retrousse ses lèvres pour sentir où trouver un jeune faon pour combler sa faim sans fin. La carcasse n'avait presque que des os, et Tound continue son chemin, elle mange des champignons et les premières fleurs qu'elle trouve sur son passage. Tound renifle tout ce qui lui passe sous le nez.

Aux jours plus longs et plus chauds, Gohr apprend à Gorki le décodage des empreintes :

— Le lemming, c'est facile à reconnaître. Mais ça, c'est qui ?

— Pas un loup ! Gohr, c'est un rat d'eau, car j'imagine la peau qu'il a autour des doigts.

— Oui. C'est un palmé. Et ça ?

— Un lapin, il a un doigt de moins que l'ours.

— Bien, et là qu'est-ce qui s'est passé ?

— Un loup : quatre doigts. Et un ours cinq doigts. Ouahouh ! Ils se sont battus. Jamais un loup n'attaque un ours, ni un ours un loup. Alors ?… Jamais vu…

— Alors ?

— Là, je vois les deux doigts de devant d'un sanglier. Ils se sont battus pour un sanglier ?

— Possible. L'ours et le loup, ils faisaient quoi ? Regarde bien… Il y a d'autres empreintes. Un cerf poursuivi a blessé un loup de la meute. Tu vois, là, c'est des poils de loup avec du sang de loup. Cela va bientôt s'effacer et la boue va cacher l'histoire du combat. Plus loin, là, le loup se retourne, et qu'est-ce qu'il voit : un ours immense ! Il prend peur, tente de retrouver la meute. Mais l'ours a faim. Voilà l'histoire.

Gorki se demande comment on peut voir ce qu'on n'a pas vu, pourtant il imagine la scène.

La chaleur s'élève du sol et tombe du ciel, les chasses se font répétitives et faciles. Khaol guette si le ventre de Jald gonfle. Jald ne sera jamais ronde ! Tank va croire qu'elle ne montre pas de peaux blanches au sommet du plateau parce qu'elle est devenue une vraie Graüle, plus une Troms. Elle regarde le corps musclé de Tahül, il ferait un excellent chef de clan… C'est une force de la nature ce Tahül, les sauts, les attaques donnent du relief à ses muscles jeunes ; et aux beaux jours, il est tentant de le regarder de près ! Khaol remue ses épaules, montre sa poitrine et ses fesses avant d'enfoncer ses regards dans les yeux de Tahül. Ses œillades tombent à plat, ce qui nourrit sa jalousie envers Jald.

Gorki a son racloir, ses pierres en pointe auprès de lui. Il s'est même fait des beaux bifaces pour « bientôt », et parade devant son père qui le surveille.

— L'épieu bien en avant, il faut pouvoir le lancer, le ficher. Comme ça, pas comme ça.

— Comme ça ?

— Comme ça, Gorki.

Les lunes roulent dans le ciel et Tahül apprend à son fils que le cerf change sans cesse de direction pour brouiller les pistes. Le cerf aux très longs bois plats craint les Graüls, et les Graüls le craignent aussi.

— Il retourne sur ses pas pour ruser. Son odeur va dans le sens opposé.

— Il mord ?

— Pas la peine, il peut transpercer n'importe quel ventre de loup avec ses branches…

— Et les rats à grosse queue, ça se mange ?

— Non. Sauf si tu as très faim. On peut en faire des poches à pieds. Ne t'amuse pas à marcher avec, tu glisserais ! Demande à Ékorss de t'en faire, qu'on rigole !

— Et les œufs, c'est quoi ?

— Des œufs. Dedans, un oiseau attend pour sortir.

— Il attend quoi ?

— Que tu souries ! dit Tahül en riant.

— Un oiseau, il attend après les vermisseaux. Les gros voleurs à plume, ils craignent d'attaquer des grosses bêtes. Pourquoi les Graüls, ils s'attaquent à plus gros qu'eux ?

— Parce qu'il y a plus à manger pour tous. Parce qu'ils attaquent à plusieurs.

— Je comprends mieux, nous on n'a qu'un grand nid de pierre et un manger à partager !

Ce seul fils vivant lui plaît. Tahül doit encore dire : *« Aouh, aaho »* pour glapir tel un renard, ou *« rrrrr »* pour annoncer la présence d'un lion.

Avant que les froids n'endorment les ours, les ours font leurs dernières provisions de gras, et mangent n'importe quoi. Tound a eu deux petits et cela l'a affaiblie ; elle cherche, elle renifle, elle avance lentement. Au lieu de chercher une grotte, elle se hisse dans la neige. Tound surplombe bientôt Gohr et Gorki, prête à attaquer le plus petit des deux. Tahül, qui guettait un mouflon, se trouve au-dessus de son père et de son fils. Il sait ce que veut faire l'ourse, alors il saute, l'épieu bien en avant, quitte à se fracasser les jambes. Gorki crie à l'arrivée de son père sur le dos de Tound. Gohr comprend immédiatement et transperce la bête qui se défend. Ses hurlements font venir les Graüls les plus proches. L'ourse a le poil sale et les pattes encore sûres, elle s'apprête à donner des coups de griffes à Tahül tombé à terre. Tahül tient sa pierre aiguisée et vise le poitrail. Les Graüls encerclent courageusement l'ourse et l'achèvent.

— Elle voulait prendre notre grotte, et c'est nous qui avons pris sa peau, dit Berr.

— C'est Tahül qui l'a empêchée de prendre Gorki dans ses griffes, hurle Gohr.

Gohr est fier. Enfin fier de son fils. Gorki tremble encore de peur. Il a failli tout perdre...

La neige devient bleue sous la lune et dans la Grotte-Mère, la peau de Tound est donnée au plus vieux et au plus vaillant : Gohr. Il la place sur les pierres avec précision, s'assied et regarde son fils. Tahül saura le remplacer... Les chauves-souris tapissent les parois comme des jours passés qui ne reviendront plus. Gohr sait qu'ils n'iront pas chercher les têtes vertes. Il faut les oublier... Tahül a été assez fort pour vaincre la plus rouée des ours.

30

Sous le regard du soleil, Ékorss et Tahül comparent leur vie

Celui qui a commencé à vivre plus sérieusement de l'intérieur
commence à vivre plus facilement à l'extérieur.
Ernest Hemingway

Tu sais ce qu'est la mélancolie ? Tu as déjà vu une éclipse ?
Eh bien, c'est ça : la lune qui se glisse devant le cœur,
et le cœur qui ne donne plus sa lumière.
Christian Bobin

Gorki se sent seul ; sa mère, Jald, ne s'occupe plus de lui, et Tahül, son père, se désespère. Gorki ne parle plus qu'à Ékorss…

— Une araignée grande comme mon pouce ! Ékorss, viens voir ! Là ! Ici, sous la pierre…

— Je sais, je sais. La mère transporte les araignons sur son dos, elle les garde tant qu'ils ne se débrouillent pas seuls. Après, elle les vire, comme ta mère. Elle a la couleur de la terre, c'est ça, ton araignée ?

— Oui, comment tu sais ça, Ékorss ?

— Elle est à mon niveau, la bestiole, elle fait des trous pour se cacher. Et moi parfois, je la chasse. Elle est à mon niveau, voilà !…

— Tahül, Tahül ! Ékorss est un chasseur d'araignées !

Tahül hausse les épaules. Jald ne réagit pas. Alors, Kira trouve en elle une chose sans nom qu'Ékorss appelle l'avertissement-conseil qui arrive sans prévenir ; bien une façon de femelle de se mêler de tout, mais qui peut avoir du bon…

Kira vient des montagnes, là où les Graüls disent que le sommet est fait de dents blanches toute l'année. Kira avait suivi le jeune Gohr qui s'était égaré chez les descendants des Ogrrs, les Pogrs. Là était son clan, là, elle vivait. Et soudain, Kira a une idée qui la traverse. Depuis que Jald a perdu ses petits, ses yeux bleus rendent bleues même les petites grimaces de Tahül. Kira conseille à Jald de partir avec Tahül et la moitié du clan là où aucun Graül ne va plus. Ékorss espère que ce sera Alekhta, mais Kira est liée à un autre territoire et il rêve pour rien. Kira explique à Jald par où elle doit passer pour retrouver de la force.

— Jald, tu dois escalader beaucoup de pierres. Moi, je les ai descendues pour Gohr. Il me plaît encore ce vieux Graül. Moi, je suis une Pogre… Escalade ma montagne qui est aussi aux Ogrrs. Au retour, tu te sentiras très forte, très bien.

— C'est des histoires de Graüles et de Pogres, rouspète Gohr. Tu ne vas pas envoyer Jald loin de nous, c'est trop dangereux, autant aller à Al… Rappelle-toi, nous avons failli être mangés par une ourse suivie de ses oursons là-bas, dans une dent creuse de la mère Montagne !

— Et si elle part avec les plus forts ? Toi, tu connais le chemin ! Va avec eux.

— C'est bien une idée de femelle. Tu te rends compte des risques ?

— Avant que Tahül ne vienne d'entre mes cuisses, c'est bien toi qui m'avais trouvée là-bas, dans ce trou de forêt qui dégèle la peau.

— Et tu es venue vers moi me toucher partout. C'est juste pas un bon endroit pour chasser. Trop dangereux, alors, on n'y va plus.

— Peuh, peuh, peuh…

— Je ne suis pas un mollasson. Il faut être fou pour aller là-haut. Y a trop d'ours. Et puis, c'est aux limites de notre territoire.

— Jald, si tu veux faire du bien au clan, tu dois aller dans la dent de la montagne ! Tu veux ou tu veux pas ?

— Je veux bien…

Jald et la moitié du clan voudraient obéir à Kira. Gohr finit par accepter cette décision qu'il n'a pas prise… Gohr se souvient de l'endroit. Kira était très jeune et sa peau sentait l'herbe qu'aiment les bisons. Mais l'endroit n'est peut-être qu'un rêve ? On voit des choses parfois qui n'existent que quand on dort. Ils avaient peut-être trop dormi ensemble, trop fort, et fait le même rêve, Kira et lui, couchés dans une eau peu profonde, limpide et délicieuse… C'est pour cela qu'il accepte d'y retourner. Ékorss lui demande si c'est Alekhta. Gohr répond, furieux :

— Non ! C'est moins bien. L'eau dont parle Kira, c'est pour Jald, pas pour toi, Tahül…

Plus ils avancent, moins Jald comprend pourquoi Kira veut qu'elle se trempe dans l'eau de sa montagne. Elle est dure, pentue, et il faut grimper à s'en couper les pieds, les bras et les mains. Jald s'accroche aux racines ou aux jambes des arbres ou à celles de Tahül. À chaque pas, son cœur s'emballe. Et soudain des mousses caressent ses pieds et des arbres forment une grotte sombre… Cela devient effrayant.

Des petits lacs sont cachés et une terrible odeur[1] se dégage du lieu où Gohr a rencontré Kira !

— Pouah ! Pourquoi Kira veut que je sois ici avec toi, Tahül ? Nous y sommes et c'est une puanteur affreuse qui nous accueille. Pouah…

— C'est vrai, ça sent la hyène. Gohr ! Explique-nous !

— Non, répond Gohr, un large sourire sur sa face brunie et ridée.

— Je ne sens jamais comme ça, enchaîne Tahül, dépité. C'est vraiment le goût de pourri qui entre dans ma bouche. C'est un endroit tout pourri ! Je ne comprends pas Kira. Gohr ? Tout sent mauvais !

— C'est là que j'ai connu ta mère… Je reconnais le lieu à l'odeur ! Elle voulait savoir si j'étais un Ogrr.

---

1. Odeur d'œuf pourri due au soufre. On trouve ce genre de lieu près du Canigou. Ces eaux jaillissent de terre à une température maximale de 75,7 °C. Il existe au moins 50 endroits de ce genre et ces sources sauvages permettent donc de se baigner en plein hiver.

— Approchons-nous quand même, disent les autres Graüls qui sont à la traîne et qui se bouchent le nez.

De l'eau fume, des cascades rebondissent et les Graüls n'en reviennent pas, l'eau est chaude ! Même la peau vivante n'est pas si chaude !... Jald ose la première se glisser dans l'eau entièrement nue. Tous la regardent, affolés ! Plus elle monte d'un petit lac au suivant, d'une cascade à la suivante, plus l'eau est chaude, vive de sa chaleur. Les pieds des Graüls suivent, aucun n'ose se tremper dans cette eau qui pue. Jald se plonge dans le dernier bassin et voit ses poux et parasites quitter son corps. Les arbres camouflent le reste du monde. Tous se trémoussent bientôt dans l'eau qui réchauffe. Ils rigolent de plaisir. C'est la première fois que des Graüls ont marché autant en compagnie d'une femelle. Des éclats de lumière jouent dans les reflets des arbres, et malgré la fraîcheur, personne n'a froid.

Kira avait raison : Jald retrouve des gestes doux avec Tahül et Tahül retrouve sa joyeuse puissance. Ils s'asseyent tous les deux dans le dernier ventre creux. L'eau fume sur leur peau. Gohr les voit et demande à son clan de redescendre et d'attendre plus bas Jald et Tahül. Il a senti à leur odeur que c'est ce qu'ils voulaient, être et faire comme d'autres sont et font de nuit, rouler entre l'eau et le ciel. Il sait que Tahül préfère le jour pour être plus fougueux qu'un lion avec sa lionne. Contrairement aux bêtes, les Graüls choisissent leurs moments, alors il faut en profiter. C'est quelque chose qui dépasse Gohr et même Ékorss, mais les Graüls aiment leur « louve » à n'importe quel moment des trois temps – glacial, frais ou chaud – d'un cycle de saisons.

Tahül et Jald font ce que Gohr et Kira ont fait au même endroit. Dans l'eau, ils se sentent différents, lavés de tout, nettoyés des insectes et des souvenirs malveillants. Ils s'unissent en regardant le ciel, ils s'enlacent en regardant la terre puis l'eau, et ils se sentent bien au chaud. Ils se regardent, étonnés, nouveaux. Le lieu, l'instant sont uniques, comme la taille des ours qui se profilent plus haut encore.

Gohr invente divers signaux pour dire qu'il est temps de repartir. Tout le monde grelotte et le passage d'un « repas » qui dégringole la pente apaise les Graüls lavés mais affamés. Jald assiste à une chasse de très près. Sa peur s'estompe, elle est très fière de Tahül qui mène l'attaque contre un gros thar. Ils mangent une partie de l'animal et gardent deux cuisses et sa peau. Tahül enlève les deux cornes, on ne sait jamais, elles peuvent toujours servir à Ékorss !

Tahül est régénéré et Jald ne s'inquiète plus de Tank. Kira avait raison, prendre un bain chaud a un effet remarquable. Tahül se met alors à rêver aux fleurs de pierre verte et à l'endroit magique d'Alekhta. Il ne voudrait plus vivre qu'au bord d'une source d'eau chaude. Ces lieux sont fréquentés par des loutres, non des mammouths ou des bisons. Prendre de la hauteur a du bon !

La montagne est couverte de boutons de pierres étranges autour d'un étang[1] des hauteurs, on les dirait parfois griffées par un géant, pire, on dirait des griffes d'aigle à la taille inenvisageable ! Puis la marche se fait aisément vers le plateau.

En vue de son territoire, Tahül trouve celui-ci rude et sans cette moelle de la vie que sont des cascades qui remplacent la plus chaude des fourrures… Comment le chaud vainc-t-il le froid et le froid le chaud ? Les choses sont ce qu'elles sont.

Tahül retrouve Ékorss et ils se parlent avant le coucher du jour.

— Alors, ça a marché, la combine de Kira ?

— Imagine, là-haut, au fond de la dent, il y a de l'eau chaude !

— Chaude ? Comme à Alekhta ! Tu as vu quoi d'autre ?

— Une roche griffée !

— Heureux Graül qui peut faire un long chemin sans craindre les féroces aux dents longues et qui enfin savoure l'idée de futur.

— Oui, c'est bien de ne pas avoir peur. Non, le futur n'est pas une bonne chose, il fait faire des faux pas. Tu sais, parfois j'aimerais être un jour entier comme toi à ne penser qu'à après la chasse, après le froid, après la douleur, après après…

— Ah bon, pourquoi ?

1. L'étang de Lers, ou Lherz, a donné son nom à des pierres rares, les lherzolites, où des fragments colorés, en réalité des restes de lave éruptive, sont inclus dans la pierre. Les différents minéraux donnent des teintes qui vont de la couleur rouille au vert olive. (Voir les études de la Société géologique de France.) Ces pierres sont considérées comme des « espèces disparues » car non reproductibles. Pour les marcheurs curieux de ces phénomènes géologiques, on peut observer autour de l'étang une roche qui représente « 2 milliards d'années d'archives de l'histoire géologique qui a façonné les Pyrénées ».

— Nous, nous chassons. C'est juste un moyen pour survivre aux vents, aux trombes d'eau, aux féroces des cavernes. C'est tout. On ne fait qu'absorber ce qui réchauffe à l'intérieur, on ne fait que boire, dormir et mourir. On ne vit que pour bouffer, dormir dans une caverne pleine de souris volantes, on ne vit que pour avoir des petits qui boufferont ou se feront bouffer et que les vers boufferont. Parfois la chasse, ça fatigue de trop…

— On a la même vie. Tu chasses, je chasse pas. C'est pas grave qu'on soit différent pour la vivre la vie de Graül.

— Ah bon ? Pourquoi ?

— Tahül. Tu dis finalement qu'on se demande ce qu'on fout là. Moi je me demande si les chevaux se posent des questions, s'ils partagent des réponses ? Notre clan, lui, partage tout. Toi, tu chasses, moi je me dis plein de choses et, quand j'arrive à me calmer, j'ai mal entre les oreilles. Ensuite je te donne une idée de grole ou de têtes vertes. Mais on partage ! Ce qui n'est pas le cas de Khaol. Elle ne partage que la viande qu'on lui donne. Elle, elle ne donne même pas un sourire. Quand elle montre ses dents, c'est qu'elle a peur, pas qu'elle sourit. Depuis que vous êtes rentrés, elle guette. Elle guette !

— Elle voudrait être aussi belle que Jald. Et aucun Graül n'a sa préférence.

— Frao me dit la même chose, que c'est le chaos dans la tête de Khaol.

— Tu es bien avec Frao ?

— Belle de nuit, poilue de jour. Je préfère la sentir, la renifler, la toucher que la voir dans les herbes toute velue…

— On n'est pas fait pareil. Moi j'aime voir Jald de jour. Et tu sais quoi ? Parfois, je vois mon reflet dans ses yeux clairs.

— Et alors ?

— Je me sens bien. Elle aussi se voit dans mes yeux. Sans peaux sur le dos, elle était magnifique dans le petit lac réchauffant.

— Peut-être. Depuis, elle pue, toi aussi, tu pues… Pouah… Qu'est-ce qu'elle pue ! J'ai du mal… Toi aussi ! Pouh… Tu peux pas t'écarter ?…

— C'est l'eau qui pue là-haut. C'est incompréhensible. L'eau du haut est chaude et elle pue.

— On ne peut pas tout avoir… C'est comme Frao, elle s'exprime de travers. Frao agit pourtant comme il faut. Quand elle fait le signe de « Je veux pas t'épouiller », en fait, elle veut dire : « Je veux bien t'épouiller. » À part ça, elle est vraiment comme il faut.

— C'est quoi pour toi, « comme il faut » ? Eh ! Ékorss, tu me réponds ?

— …

— Vas-y, accouche, nom d'un cuon !

— Bon… « Comme il faut », c'est quand ça dérange ni Frao, ni moi, ni personne, et qu'en plus, cela rend plus fort et plus joyeux tout le clan. Frao ne fait rien qui soit un danger en herbe.

— En herbe ?

— Je veux dire une bagarre qui va pousser. Elle est… euh, comme une pierre bien taillée, quoi. Et Khaol est taillée de travers… Tout de travers. Elle guette !

— Tu as raison, on devrait se méfier de Khaol. Elle me regarde comme je regardais Loul. Elle n'aide personne à mâcher la moindre peau et on ne sait pas quoi faire pour qu'elle arrête ses grimaces.

— Ou ça lui passera, ou il faudra la surveiller de près. Nom d'un cuon, qu'est-ce que tu pues. Dégage ou va te précipiter sous une cascade glacée, c'est épouvantable cette odeur. On dirait un œuf pourri… Tout le monde pue !

— Il fait trop froid pour me passer sous une cascade. Depuis que j'ai goûté à l'ennemi du froid, j'aime encore moins l'eau… Tiens, je t'ai apporté ça, deux belles cornes…

Ékorss passe sa main sur les demi-lunes et souffle dessus, pour imiter l'éléphant…

Tahül trouve les activités de son ami de plus en plus folles. Au lieu de s'accrocher à maintenant, tout de suite, à attention, un rhinocéros peut débouler, un éléphant se taper les défenses contre un Graül, lui rêvasse toujours à la possibilité de marcher les pieds au chaud et à trouver de la force en buvant une eau particulière. Tahül lui fait comprendre que tout est vain quand on ne peut pas se défendre, qu'avant d'admirer les formes de Jald et ses yeux de cristal bleu, il doit pouvoir la défendre contre un lion. Ékorss se souvient de Gueul à la jambe à moitié dévorée par un fauve et se sent visé, abandonné. Il abandonne ses recherches d'instruments qui ne servent à rien, car même Tahül, son presque frère, se moque de ses tentatives : les poches à pieds, les os troués, la colle d'abeille sur la peau pour lutter contre les brûlures d'insectes...

Le ciel s'ambre d'une lumière mystérieuse et la pluie fait naître un arc-en-ciel. Les Graüls se demandent ce que c'est. Tahül se dit que tant que cela ne pousse pas sur terre, il n'y a pas à s'en préoccuper. Gohr fait des gestes qui montrent la rondeur du ventre de Jald allongée sur une peau de panthère.

Kira a compris que Jald attend un enfant, elle lit immédiatement dans ses yeux couleur de pierres rares qu'elle aura un petit ou une petite, car un éclat tout neuf qui fascine s'est installé. Son odeur a changé...

Ékorss repense à l'arc-en-ciel que les Graüls appellent dans leur langage « le ventre de "la" ciel ». Pour eux le ciel est féminin, il accouche de pluie, de nuages, de grêle. La ciel a un compagnon qui lance des coups de tonnerre et même des pierres ! Pour Ékorss, il s'agit de trouver qui lance la foudre, le feu, les pierres de foudre, la neige. Il sent d'ailleurs que quelque chose d'étrange se prépare et que le Géant qui niche avec « la » ciel donnera d'autres signes...

Jald a une autre interprétation de l'arc-en-ciel : pour elle, la montagne ne sait pas s'exprimer autrement que par une expression qui leur est destinée :

— Le rond, c'est pas un ventre, c'est un sourire à l'envers pour s'excuser de toute la neige qui dévale sur nous !

— Moi je dis que c'est un géant qui donne des couleurs aux pierres ! dit Dikt, un sourire ironique sur sa face burinée. Il profite de l'eau qui tombe...

La peau de Jald se métamorphose et son ventre s'alourdit visiblement.

Tahül n'a jamais été aussi fort et sûr de ses jours à venir. Il ne comprend pas Ékorss, mais il l'apprécie car il fait sourire Jald. Le reste ne lui importe pas, sauf Tank. On ne sait pas quand une vie s'achève, sauf quand c'est son propre épieu qui transperce une proie pour lui prendre sa vie et sa chair. Il sait que Tank reste dangereux. Mah a disparu sans prévenir, on l'oublie peu à peu. Khaol est présente à de nombreuses occasions et elle apparaît sans prévenir. Elle furète comme un vautour. Tahül se rapproche de Jald et renifle sa peau pour savoir ce qu'elle en pense. Il fait un petit bruit de langue et Jald un gros, suivi d'un souffle qui veut tout dire :

— Qu'est-ce que tu sens l'odeur de la chasse aux bisons ! Reste longtemps comme ça...

Des nuages passent, il pleut et les oiseaux font avec le temps qu'il y a.

La terre donne une odeur nouvelle. Le ciel change, les oiseaux se taisent soudain.

La panique naît en chacun des Graüls, et elle grandit dans leur cœur qui tambourine. Le soleil qui apaise et réchauffe est mangé bouchée par bouchée ! La nuit se fait en plein jour[1]. Tous les Graüls se bousculent et se mettent à claquer des dents. Est-ce un serpent, un fauve qui mange le soleil ? La nuit va-t-elle glacer tout le monde ? Tous les animaux sont pris de panique. Vont-ils tous être grignotés par cet animal géant qui ressemble à un ver dont on ne distinguerait à peine que la tête ?

Tahül sait maintenant se mettre à la place de Jald et exprime l'après-éclipse :

— La force du jour et de la chaleur est partie. La force du soleil a lutté pour revenir. Mah est avec nous. Pense à ton ventre. Bientôt il nous donnera un nouveau Graül-Troms !

Jald fait comme l'eau qui s'enroule aux rochers et au sable puis retombe en elle-même. Son sourire n'est pas joyeux. Elle pose sa main sur celle de Tahül.

— Je me méfie. J'ose pas me réjouir. J'ai eu si peur !

L'éclipse de soleil a été un choc pour tous, oiseaux, chevaux, cuons, Graüls, même les rongeurs étaient apeurés. Gohr a perdu

---

1. Avant qu'ils ne maîtrisent le feu, les hommes préhistoriques connaissaient l'aspect unique du soleil qui éclaire, qui offre donc lumière et aussi chaleur. Les éclipses devaient les terroriser. Sur des milliers de générations, leurs répétitions ont dû devenir les bases de la protoastronomie. Les phénomènes célestes plus que terrestres ont dû provoquer bien des questions et bien des réponses farfelues avant que la science de Pythagore, de Copernic, de Kepler, de Galilée, de Halley et de bien d'autres n'aboutisse à envoyer des fusées dans l'espace ! Les croyances liées aux phénomènes célestes ont laissé place à la logique et non plus à l'effroi ou à l'émerveillement. Le « ciel » garde une part mystique, depuis que des bipèdes ont affronté son mystère.

de son prestige, car il ne sait pas expliquer pourquoi le soleil a refusé le jour ni pourquoi.

Les mammouths continuent à brouter, les chauves-souris à dormir. Gohr n'est plus sûr de rien.

Ékorss a bien une petite idée, elle est si étrange qu'il n'en parle à personne. Il y a un autre soleil noir qui en veut à l'autre, le vrai!... Il y a Tahül, mais il y a aussi Tank. Il y a les rires, mais il y a aussi la peur. Il ne faut pas avoir peur de Tahül qui s'en va, mais de Tank qui arrive. Ékorss reste prostré et Frao a beau l'épouiller pour montrer sa tendresse, il ne bronche pas. Quand la Lune est mangée et revient, personne ne s'inquiète, et si la Lune ne revenait plus, les nuits seraient effrayantes!

L'eau n'arrête pas de couler, les troupeaux de passer, les oiseaux de voler, les aigles de piquer vers leurs proies et les Graüls de partir à la chasse. Le soleil allonge ses visites.

31

Sard se rend laide

Il faut toujours prendre le maximum de risques
avec le maximum de précautions.
Rudyard Kipling

L'éclipse a fait peur à tout le monde et les réactions sont diverses. Tank explique aux Troms que c'est de leur faute, Sno dit juste à son clan qu'enfin la peur doit cesser, car la lumière est revenue. Après l'éclipse, les Snèks sont attirés vers leurs femelles. Sard devient « mangeable », disent Sno et Sonk en riant. Alors, Sard, qui ne veut être « grignotée » par personne, se rend « immangeable ». Elle part à la recherche d'une odeur désagréable. Elle préfère qu'on l'oublie… Elle a très peur de voir le ciel s'obscurcir à nouveau et elle revient après son « éclipse » à elle.

— Je me demande d'où ça vient, demande Sonk à son frère Sno, le chef des Snèks, cette odeur ? Bèèè… C'est Sard ! Elle pue le vieux poisson pourri !

— Elle est peut-être malade ? répond Sno.

— Non, elle se débrouille pour mâchonner toutes nos peaux. Pourquoi elle devient abominable comme ça ?

— Elle pue parce qu'elle pue. On va pas en parler jusqu'à ce qu'elle pue plus… On a d'autres soucis ! Pourvu que la nuit ne s'attaque plus à notre territoire en plein jour ! Et si Sard ne pue plus, alors, on verra bien si on lui plaît.

Il n'en faut pas plus pour Sard qui a l'ouïe très fine. Tous les matins avant que la lumière éclaire le monde des Troms et des Snèks, elle s'enduit d'un jus qui provient de poissons en putréfaction. Elle aime cette odeur de vagues.

Elle pense à sa sœur si belle et elle entre dans l'eau immense. Il n'y a plus que sa tête qui dépasse de l'eau. Ses pieds touchent des cailloux ronds et un sable qui râpe ses pieds. Elle est si triste.

Elle revient vers le rivage. En sortant de l'eau qui frémit, Sard s'enduit à nouveau de ce jus qui pue. Elle ne veut aucun Snèks auprès d'elle, elle désire rester seule la nuit… Elle ne veut aucun Troms. Elle se sent feuille détachée de son arbre, coquille écrasée, alors sentir mauvais la fait au moins exister loin de ses peurs… Sard se dégage des habitudes des deux clans qu'elle connaît. Elle ne craint pas de disparaître ; elle craint de perdre son plaisir à marcher les pieds dans l'eau, insouciante, jusqu'aux genoux…

Les couleurs changent, les plantes sont brûlées et signalent que le froid va investir le territoire des Snèks, que la mer va devenir terriblement froide. Sard cache alors le jus qui pue dans une cavité minuscule, loin de la grotte des Snèks. Après avoir camouflé l'endroit avec des herbes sèches, elle aperçoit Tank et se met à trembler. S'il la voit, il est capable de la fracasser contre un rocher. Tank est entouré de tout le clan des Troms, et elle entend Tank prononcer souvent « Khaol ». Khaol a trahi, Khaol, il va la fracasser aussi… D'après les signes qu'il fait, elle n'a toujours pas donné le signal vengeur. Il est furieux et balance sa main sur un petit Troms qui grogne et se met à couiner. Sard voit, Sard entend. Elle ne sait qu'une chose, elle doit attendre un signe sans prendre de risque. Quel signe ? Elle ne sait pas. Le petit Troms reçoit un coup si fort qu'il se tait.

Tank se bouche le nez et fait demi-tour, Sard respire…

La mer salée semble couler de ses yeux et Sard goûte à ses larmes. Mah, Poh, Jald ont définitivement disparu du paysage, ne restent que les animaux, les Snèks et elle, petite Troms enlaidie. Elle marche sur le sable, partout où elle ne risque rien, ni d'être vue, ni entendue ou reniflée ! Sard veut perdre la rondeur de ses fesses et de son ventre, pour qu'aucun Snèks ne s'aventure vers elle. Sard garde les yeux baissés. Elle grogne toute seule…

Sard ferme un instant les yeux pour imaginer Mah, Jald et Poh autour d'elle. Elle ramasse des coquilles vides, celles de la terre et celles que la Hrande Bleue rejette. Elles sont fragiles et cassent sous les doigts, sauf les plus grosses et les très épaisses.

Au loin, des dauphins, Sard a dans sa main un objet qui ne sert à rien qu'elle trouve beau. Comment font les mollusques pour vivre là-dedans ? se demande-t-elle. Sard fait de sa vie une coquille vide qu'elle emplit de puanteur. Quelque chose la pousse à agir ainsi. Elle ressent les choses et ne trouve le moyen d'exprimer ses peurs ou ses joies qu'avec des gestes, des attitudes ou des odeurs. Cette coquille de mer sent exactement comme elle !

Sard avale son intérieur. Elle croyait que ce serait dégoûtant, c'est délicieux et soudain amer. Sard recrache ce qu'elle croyait finalement bon. La vie, ce serait des vagues bonnes, mauvaises, bonnes, mauvaises…

Sard trouve un nouveau coquillage, il est plat et brille de l'intérieur, il est long comme ses jambes !

Des filaments restent accrochés à la grotte vaseuse et complètement vide de son animal mou. Le coquillage est très laid de l'extérieur, poilu, velu ; de face, on dirait une bouche. Sard passe un doigt dedans et le contact lui dit que c'est très lisse. Elle sera comme cette coquille, affreuse de l'extérieur, douce et saumâtre à l'intérieur. Elle a choisi, elle choisira. Qui saura la toucher à l'intérieur apprendra qu'elle n'est pas laide… À l'intérieur, la coque de mer a les couleurs du ciel juste avant l'éclipse. Sard tâte les deux ailes jointes et dures du coquillage et les dépose précieusement dans l'abri dédié à sa puanteur. *« La Grande Bleue a vu tant de disparitions*, se dit Sard, *que dessous cela doit ressembler à un carnage de mammouths ! » « Sur terre, il y a aussi des flots de dangers, et vivre vieux est rare »*, songe-t-elle en observant le paysage à travers le flou de ses larmes.

« Il y a tant et tant d'animaux et si peu de Snèks ou de Troms », se dit-elle, mais ce n'est pas une raison pour devenir la femelle d'un Snèks ! Elle essuie ses joues et marche fièrement… Les Snèks ne sont pas méchants, mais elle ne se sent bien ni chez eux, ni chez les Troms…

Pour copier la nature, Sard se barbouille le visage de saletés et gratte sur sa peau les piqûres faites par des insectes. Bientôt, Sonk et Sno prennent leurs distances. Quand tout le clan mange au bord de l'eau ou dans un abri, chacun s'éloigne de la puanteur qui émane de Sard. On la laisse marcher dans les vagues. Au fond, c'est une réfugiée, pas une vraie Snèks… Au fond, elle est juste dérangée par sa vie d'avant. *« Si elle se noie, ce ne sera pas une grande perte »*, se disent certains Snèks.

Sard glisse sur un galet visqueux et soudain voit un dos sombre avec autant de pattes qu'elle a de doigts. Deux pinces l'intriguent. C'est un charognard hideux des bestioles de mer. Elle sera aussi laide et maigre que cette bête qui marche sur ses pattes et vit dans l'eau. Sard met des algues dans ses cheveux. Bientôt, tous les Snèks disent que les Troms femelles sont folles et que Tank a échappé à une algue vivante !

Bientôt Sard se déteste aussi.

Elle s'accroche aux paroles de la mer et entend Mah qui lui siffle qu'un jour, elle ira loin des Troms, des Snèks et des Graüls.

Sard, alors, ne pense plus à elle, à rien, et elle regarde les Snèks avec bienveillance. Elle ne leur veut aucun mal, eux non plus.

Tank ne doit pas la sentir, ni les Snèks la connaître. Elle doit rester laide et continuer à exhaler une mauvaise odeur pour cacher sa propre sueur si forte et si attirante.

Sous son fumet de poisson pourri, se cache un parfum, qu'elle peut sentir sur elle et qui l'encourage. Un jour, elle enlèvera les algues sèches, la boue, et mangera, mangera, mangera…

Les jambes de Sard sont très maigres et Sno se moque d'elle :

— Sard, tu as les pattes trop fines et l'odeur du gros tronc poilu qui s'est échoué avec la tempête. Ne fais pas cette tête !

— Je fais la tête que je peux.

— On t'apprécie, sauvage comme tu es, tu sais, dit Sno en bougeant la tête pour bien affirmer ce qu'il dit.

— Pourquoi, Sno, je te plais sauvage ? Je pue si fort, que moi-même, j'ai du mal à me supporter…

— Tu es l'ennemie de Tank. Voilà plusieurs cycles de sinistre neige que tu le détestes aussi fort, et ça c'est bien.

— Pourquoi, toi aussi, tu as peur de Tank ?

— Non. Les Snèks n'ont pas peur. Ils se méfient. Un œil qui voit tout et une langue de serpent : c'est Tank ! Il cherche à conquérir du pays. Les Troms ont plus d'épieux qu'il n'en faut ! Moi, j'ai vu ! C'est idiot. On dort pas dans deux cavernes, on mène pas deux chasses en même temps !

— Tu crois qu'il veut me reprendre et vous faire du mal ?

— Tank est trop malin. Il attaque par surprise. Il se montre de loin, pas pour nous faire peur. Il nous ignore…

— C'est vrai, je l'ai vu traîner : il nous ignore comme le lynx qui a bien mangé… Parfois le lynx fait semblant d'avoir bien mangé… Quand il n'est pas content, même un papillon, Tank l'attaque par surprise !

— Même un papillon ? Pourquoi ? Personne ne mange des papillons !

— Tout ce qui bouge est l'ennemi de Tank. C'est tout.

— Et les femelles, qu'est-ce qu'il leur fait ?

— Dès qu'une jolie Troms sort de ses pattes, elle a des griffures aux fesses, la tête en bas et l'œil terni.

— Non ! dit Sonk.

— Si. Jald mordue au sang, je l'ai vue ! Elle a fui la hutte de Tank, car Tank l'a tirée dedans, par les pattes, comme un lapin. Elle a grondé comme une bête, le jour où elle a quitté notre clan.

— Elle avait peur de Tank ? Tu sais ce qu'elle est devenue ? Il l'a mangée ?

— Elle a disparu.

— Tu veux dire qu'on a fracassé ses os pour sa moelle ?

— Non, je vous dis ! Elle est plus revenue, voilà. Je me souviendrais si j'avais mangé du gras de dedans de sa tête. C'est ma sœur, tout de même !

— Alors, c'est elle qui le rend fou, dit Sno en se grattant la tête.

— Ne crains rien petite Sard inexplicable qui pue. On te fera pas le coup du lapin comme Tank, dit Sonk. Nous, on est des Snèks, on sait se tenir ! Nous on sait : les bisons, les chemins, les rives se partagent. Ton Tank est fou, il veut le vent rien que pour lui !

La petite sœur de Jald se réfugie dans le regard de ces deux frères qui n'agiront pas comme Tank le furieux. Elle regarde dedans leurs yeux très loin en profondeur. Elle n'a plus peur d'eux. Cependant, elle continue à se méfier de tous et de tout, comme d'un serpent qui dort. Si l'on marche sur un serpent, il se réveille de travers et cela peut très vite devenir terrible, à cause de ses dents qui endorment…

— Eh ! Sard, tu peux aller te plonger dans l'eau et sentir que ta sueur. On t'a comprise, va !… Nous les Snèks, on roule des muscles, mais on n'attaque jamais nos femelles. C'est elles qui décident. Sinon, ce serait une vraie bataille, dit Sno. Une bataille entre Snèks, et c'est la fin du clan… La pagaille… La fin…

— J'y vais.

Sard marche avec plus d'aisance. Un instant elle appartient au sable, à l'air et un peu aux vagues adoucies. Sonk dit à son frère qu'il a bien parlé et que les Snèks peuvent être fiers d'être des Snèks. Jamais un Snèks n'ira pénétrer la caverne d'une femelle si elle ne le veut pas. Ce serait terrifiant car le clan serait désuni, et, comme chacun le sait, dans un clan détruit, la vie se retire et ne revient pas comme font les vagues.

— Ce qui perdra Tank, c'est son besoin de conquête. Attendons-nous à voir d'autres jolies Troms continuer le chemin de sable jusqu'à nous. Elles seront chez elles, ici ! Elles deviendront snèks, et voilà !

— C'est ce que je dis à Burok, mon grand fils… En plus, si elles ont toutes les yeux couleur ciel-dans-eau, on aura vaincu la folie de Tank sans rien faire !

Les deux frères, Sno et Sonk, regardent Sard, assise dans l'eau verte, les cheveux trempés, se frotter les bras avec du sable. Elle est l'image de la femelle avant qu'elle ne cède à l'appel du ventre, pas celui qui grogne quand il a faim, mais celui qui enfle et délivre des lunaisons plus tard un chiard gluant qui tète pour calmer sa faim toute neuve.

32
Tank arrête les langues

Meuf, ne sors pas ta langue si elle est pâteuse.
La chanteuse Cher

C'est dans le vide de la pensée que s'inscrit le mal.
Hannah Arendt

Nos vrais ennemis sont en nous-mêmes.
Bossuet

Du côté des Troms, l'hiver rapproche et l'hiver sépare. Tank n'en peut plus d'entendre et de voir les Troms se demander s'il est un bon chef. Il est trapu comme doit l'être un meneur, mais son œil n'effraie pas autant qu'avant. En plus, ce globe oculaire survivant le gêne et cela se voit, car Tank boit comme un cuon en lapant l'eau des ruisseaux et l'avale de travers quand il se penche sous une cascade : il voit à côté, il boit à côté ! Ce qui entraîne des moqueries qu'il ne supporte pas. Tank voudrait que les gestes, que les langues se taisent, que les grognements à son sujet cessent et tombent comme des branches mortes. Être chef devrait le protéger des ricanements, mais non, c'est tout le contraire ! On dirait un troupeau de hyènes dans son dos !

— Arrêtez tous de siffler comme des dauphins ou de couiner comme les cuons ! Pouk, fille de Krah, donne l'exemple !

Pouk baisse la nuque, mais garde les yeux en alerte, on ne sait jamais, Tank pourrait bien la frapper.

Tank est persuadé qu'avec Jald il aurait des fils et jamais de filles.

Le temps passé à mûrir sa vengeance rend le chef des Troms irascible. Au lieu d'assurer une bonne chasse, il décide d'une chasse aux pierres et aux lapins. Les femelles devront suivre. Souvent, quand les Troms troquent les grottes pour les huttes, les fauves en profitent pour croquer les plus faibles, les plus vieilles ou bien les jeunes qui traînent la patte. *« Avant l'hiver, cela passera inaperçu*, se dit Tank, *et bon débarras ! »*

C'est ce qui arrive. Tout le monde se régale des fesses remplies de graisse d'une jeune et d'une moins jeune. Ça rend maussades certains, mais c'est comme ça. L'ambiance est maussade, mais il faut bien que les Troms acceptent ce qu'ils ont toujours accepté…

Le clan se tait pendant que Tank grommelle dans sa barbe. Le silence s'instaure.

— On n'entend plus que les chevaux ! Enfin… lance-t-il au clan.

Les chevaux émettent peu de sons et Tank sait de loin exactement ce qui se passe entre eux. Un cheval femelle passe, et le chef du clan cheval va lui grimper sur le dos. Il sait que le troupeau va partir, qu'un petit fait des siennes. Avec les Troms, c'est plus difficile de savoir ce qu'ils échangent car ils ont plein d'astuces pour communiquer derrière lui. Et dans le dos de Tank, ils ont oublié de se taire ! Tank sait si un petit Troms pleure, rit, hurle d'un cri aigu ou demande un os à ronger ! Il sait qui se moque de son œil unique. Tout le monde tourne sa pique contre lui. Alors, le silence, Tank l'apprécie. Il tire la langue lorsqu'il comprend qu'un geste ou qu'un son vient d'être inventé et copié par tous les Troms pour se moquer de lui, de son œil bêtement crevé par un jeune Graül. Il grimace alors furieusement et indique de ses bras que les Troms sont là pour couper le bois et que leurs mains existent pour tailler une pierre avec précision, pas pour ricaner, pas pour communiquer comme ces cuons qui chapardent leurs restes de repas et imitent les animaux qui volent, nagent ou traversent la steppe. Avec tous ces gestes-mots inventés par les Troms, une chose arrange bien Tank, c'est qu'on peut, comme les cuons, s'attaquer à plus gros que soi, même à un mammouth affreusement haut : sans faire de bruit, on peut communiquer ! Il trouve un nouveau signe pour dire qu'il va sévir : le bras droit lancé en arrière fait ensuite semblant d'envoyer un épieu ! Ses doigts s'écartent et disent : silence !

Un petit Troms le surnomme « N'a-qu'un-œil-atroce » et ajoute :

— Tank se mange un œil ! Tank fait rien comme y faut. C'est lui tous les bruits.

Tank l'entend. De rage, il craque un os de cheval qui fait *« crac »* et suce la moelle qu'il trouve dedans. Ce geste le calme. Le petit Troms recommence et fait le signe du dérangé qui n'a-qu'un-œil-atroce ! Cela signifie que Tank n'est pas un vrai chef !

Tank se lève et assène un coup de pied au moqueur qui se tait, des dents en moins dans une bouche sanguinolente. Pouk semble moins effrayée par Tank en le voyant s'intéresser à autre chose qu'à sa pauvre carcasse encore vaillante.

Après cette brutalité qui a parlé, Tank explique calmement ce qu'il compte faire pour trouver un terrain en hauteur. Les Troms fuient son œil, croisent les bras et certains communiquent par des gestes par « en dessous »… Tank surveille leurs mimiques, leurs postures, et il perçoit leurs grondements de gorge. Un menton qui bouge, des dents qui grincent : tout l'insupporte ! Que des Troms échangent devant lui pendant qu'il explique sa stratégie le rend totalement fou :

— Vos sourcils parlent ! Tout parle ! Taisez-vous. Gardez vos mains tranquilles ! Ne me narguez pas assis ou debouts ! Les Snèks nous narguent, les Graüls nous volent nos femelles. Debout les Troms ! Debout bande d'inquiets ! On va gagner ! On va gagner la grosse grotte des Graüls ! À vos épieux, en marche ! Vive mon œil qui voit tout !

— Elle est à tout le monde la Grotte-Mère, soupire Pouk.

— Elle est à qui je veux ! hurle Tank.

— Vive l'œil de Tank, disent les plus trouillards.

La colère monte dans son globe oculaire rougi et ses bras s'agitent. Les Troms se disent qu'au moins, ils auront un bel abri avec ce mangeur de fesses énervé qui fait preuve d'intelligence mais pas de répartition. Chaque fois qu'une femelle arrête de bouger et devient raide, Tank se régale de ses fesses bien rondes et bien grasses. Il ne partage jamais, surtout pas les globes oculaires qu'il savoure. Aucun respect… Il veut tout pour lui, sauf s'il doit demander quelque chose à un Troms.

— Quand tu veux qu'on prenne un bout de montagne? demande Ksiss qui le suit comme son ombre pour être au courant de ce qui se passe.

— Arrêtez tous de bouger quand vous parlez. On y va quand j'aurai décidé. Ksiss, tu t'exprimes quand je te le demande.

Tank regarde ses pieds sales, prêt à attaquer le premier Troms qui bouge.

Tank n'a pas de nouvelles de Khaol, sa bouche se tord, alors il dit:

— Aux beaux jours, quand ils seront loin, on se cachera dedans leur grosse grotte et on les attendra…

Tank n'a pas persuadé grand monde, car les Troms comme les Graüls ne se voient pas dans le futur, et n'imaginent pas d'actions à venir, à part vivre au mieux. La voix de Tank ne dit pas qu'il est vraiment prêt. Tous les Troms savent qu'il est le seul à pouvoir commander. Ksiss regarde Tank d'une certaine façon, les mains coincées entre les jambes… Après un long silence, il propose une chose incroyable:

— On pourrait s'associer aux Snèks?

— Je t'ai pas demandé de donner un avis. Quel est ton avis sur les Snèks?

— Le fils de Sno raffole d'une viande, celle du dauphin.

— Je vois pas en quoi ça m'intéresse.

— Si. Si tu tends un piège à Tahül, rien que pour un dauphin pourri, Burok le fils de Sno, il te dira quand les Graüls viennent tailler les parois et becqueter les arbres à baies d'en bas de leur montagne, pas loin d'ici.

— C'est moi qui décide! Ici, c'est moi! C'est pas Tahül que je veux! Encore que… Bouk, tu dis?… Laissez-nous. Ksiss, tu restes avec moi. J'ai à te parler!

— Burok, le fils de Sno…

— Le grand aux jambes écartées? Ksiss, c'est lui?

— Oui.

— Je vais décider quelque chose que les autres ne doivent pas savoir…

Il attend que chacun retourne à ses occupations. Les Troms adorent et haïssent leur chef. Il est en train de mettre au point une chose qu'il ne partage pas.

— Je ne veux que des obéissants qui ne décident pas.

— Pourquoi ?

— Pour mon plan.

— Et c'est quoi ton plan ?

— C'est le mien, et je le partage pas.

— Et je fais quoi ?

— Tu obéis et tu vérifies que personne ne moufte.

Pouk voit Tank face à Ksiss faire les gestes de la puissance et de la découpe des chairs. Elle n'en peut plus de Tank et de ses manies. Elle traverse la barrière d'épineux qui sépare les Troms des Snèks. Elle sait quand Sard vient seule à l'aube se tremper dans la grande eau. Elle se rapproche de cette Troms fugitive. À l'abri des regards des Snèks et des oreilles des Troms, Pouk explique :

— Sard, Tank est fou, très fou ! Il mange de plus en plus de langues. Il voudrait nous couper la nôtre, pour qu'il soit le seul à dire ce qu'il y a à faire ou pas faire… Il mange tout ce qu'on parle ! Il est fou-ribond.

— On dit « furibond » d'abord, comme le bond que fait un fou ! Pourquoi tu me dis la méchanceté de Tank ? Je ne vis plus avec vous.

— Il manigance…

— Quoi ?

— Je ne sais pas.

— Et c'est pour ça que tu es venue ?

— Aussi pour savoir… si une Troms de plus chez les Snèks ?…

— Je vais demander… Tu t'es fait griffer par un lynx ?

— Non.

— Tank ?

— Tank.

— Il faut tenir bon avant la réponse.

— Tu demandes au chef des Snèks ?

— Si je sens que je peux demander.

— Les Snèks sont comme les Troms ?

— À quelques poils près. La chose qui est bien ici, c'est que les femelles sont tranquilles et elles prennent toutes de grosses fesses à force de manger…

— T'es à peine grasse. Tu ressembles à une racine !

— Pouk, la racine te dit de retourner vite avec Tank. J'ai trop peur qu'il te cherche par ici.

— Pourquoi ta sueur sent le poisson pourri ?

— Pour pas qu'on m'approche.

— C'est une idée, ça !

— Reviens quand les mâles dorment encore.

Pouk repart et marche le long de la mer

Sard retourne auprès des Snèks, les pieds dans l'eau.

— Celle-là, y a que la Grande Bleue qui l'intéresse, on dirait qu'elle est née dedans, se borne à dire Sonk, en voyant Sard onduler sur le sable.

Tank regarde en direction de la montagne, puis du plateau. Khaol, il faudra qu'elle dise si, oui ou non, Jald est enfin ronde, bientôt à l'écart pour accoucher, une proie facile à cueillir… Tank redresse son torse et se gratte la moustache. Il sent en lui la fatigue l'envahir et un vieux reste de douceur, celle qu'il aura pour embrocher Jald de son épieu personnel…

Un lapereau s'est perdu et termine sous sa dent. Les arbres ne sont pas à l'abri de sa colère. Il se bat contre eux et veut les arracher pour faire partir les oiseaux qui l'énervent par leurs piaillements. Seules, une épine mal placée, une pierre, une tempête résistent à Tank. Les Troms ne le comprennent pas et obéissent.

Les nuages continuent de filer, les crabes de crapahuter, les petits Troms d'avoir peur du plus terrible d'entre eux, celui qui n'a qu'un œil atroce et gronde comme un tonnerre strident.

33

La danse des chasseurs

Pour chasser le lion, pensez en termes de lion, pas de souris.
Thomas Drier, entraîneur de base-ball

La méditation est l'art majeur de l'être humain.
Krishnamurti

Les grands Graüls se donnent du courage en imitant l'ours. Ils font peur aux petits Graüls pour les prévenir du danger, avant de les faire rire de leur blague. Ékorss se croit obligé de taper sur des pierres, uniquement pour que le bruit rythme les pas des Graüls. Gohr lui demande de laisser les pieds seuls faire le bruit de l'ours, c'est-à-dire presque rien… Les apprentis chasseurs ne doivent pas être perturbés par le message donné : un ours ne fait pas de bruit !

Les Graüls restent immobiles après la chasse. Or, Ékorss, en plus des chocs des pierres les unes contre les autres, aime le mouvement pour le mouvement. Quand il pleut, il remue ses mains et ses jambes. Quand le ciel tonne, il lance ses bras au ciel, quand il vente autour d'eux, il tourne sur lui-même. Tahül parle à Frao.

— Ékorss devient fou, il bouge sans raison maintenant. Frao, tu ne trouves pas qu'il est fou, de plus en plus fou ?

— Il veut entrer en contact avec le vent, la pluie, et même le ciel…

— C'est bien ça, il est dingue.

— Non ! Il imite aussi les animaux qu'il observe plus longtemps que n'importe quel Graül. Vous imitez bien l'ours ! Lui, ça le calme de bouger. Il aimait bien Mah, et il a pas eu le temps de s'approcher d'elle. Il a inventé le mouvement de partir sans revenir en lançant les mains vers la terre.

— Frao, Ékorss imite maintenant le saut du cabri ! Je ne le reconnais plus...

— Non, là, il imite le cuon et là, il ose imiter l'oiseau à barbe[1].

Les bras ouverts, Ékorss saute puis se met à tourner sur lui-même. Il tournoie sans la grâce de l'aigle et pourtant son mouvement est beau. Il ouvre les yeux et voit Tahül :

— Essaie, Tahül, ça tourne tout seul ensuite, même quand tu t'arrêtes.

— Tu n'es pas un oiseau ! Personne !

— Je sais et alors ? Je ne suis pas un serpent ou une chouette non plus ! Je sais ça !

Une fois assis, Ékorss explique certaines choses à Tahül :

— Les chasseurs bougent quand ils attaquent et c'est beau à voir. La chasse c'est une chose, les mouvements sans la bête et sans les chasseurs aussi, c'est beau à faire !

— Arrête, Ékorss, tu divagues. Tu vas bientôt être à part de nous...

— Mais non, essaie.

— Quoi ?

— Personne te voit... Tu tournes sans t'arrêter ! Gohr n'est pas là, il est au bord du petit lac avec Dikt et Rar. Essaie au moins un peu !

Tahül vérifie l'absence de Gohr et tourne sans s'arrêter. La sensation ressemble aux grains rouges pourris qui font tourner la tête, ceux qui agissent comme certains champignons qui rendent autre ou comme la salade à piquants et au suc blanc. Tahül refuse de continuer à tourner, il s'arrête net. Pourtant, Ékorss a raison, le mouvement continue sans que son corps bouge ! Ékorss insiste pour qu'il tourne encore. Tahül ne veut

1. Certains gypaètes portent des plumes sous le bec. En Corse, le plumage de ce charognard est de couleur très claire et noir et blanc, alors que dans les Pyrénées il est plutôt orangé. Les eaux dans lesquelles le gypaète se baigne ou qu'il boit contiennent de l'oxyde de fer et c'est ce qui donne sans doute une couleur rouille à son plumage.

pas se sentir léger comme un tourbillon de vent ou de rivière… Vaincu par celui qui continue sans lui, il gronde contre son ami. Alors Ékorss s'énerve :

— Tu ne comprends rien au mouvement ! Même les cuons ont leurs pas, leurs courses ! C'est beau. Et pourtant tu as croisé leur piste et tu n'as rien vu…

— Pourquoi tu fais ça ? Pourquoi tu imites le cuon qui se mord la queue et pas la meute qui s'attaque à un félin à dents longues ?

— C'est trop dur, je ne peux pas être nombreux. C'est déjà assez dur comme ça tout seul…

— Et à quoi ça te sert de copier un oiseau, un cheval, un lapin, un mouflon ! Hein ?

— J'ai suivi le vol des chouettes, entendu avec toi l'aigle qui crie et qui vole au-dessus de nous. Je l'ai vu plonger. J'ai vu plonger l'oiseau qui mange les poissons ! J'ai vu l'oiseau se faire dévorer par le lynx. J'ai écouté la neige sur le lapin, les cascades du ciel dans la montagne. Voilà, ça rentre en moi, comme le sable dans les yeux et ça ressort. Quand j'arrête de danser, il n'y a plus ce que j'ai vu…

— Et ensuite ?

— Je me sens moins seul quand même.

— Tu as Frao, tu as nous !

— Oui. Quand les Graüls sont à la chasse, que Frao dort, j'essaie de faire le saut du thar, le rire de la hyène, le bond de la panthère, le pas de l'ours. Et ça rentre en moi, quand c'est bien fait.

— Et tu n'as pas moins peur !

— Quand tu voles, sautes, bondis, pour de faux, t'as ton petit exploit à toi. Tu peux pas comprendre, toi le chasseur si courageux…

Tahül ne comprend plus Ékorss et prévient Gohr que son ami se prend pour une proie ou pour un vorace. Gohr ne veut pas d'un fou dans son clan, d'un dingue qui adore le pas lourd de l'ours sans mesurer la force phénoménale de l'animal. Mais le chef, lui aussi, a remarqué l'aisance de l'ours à se mettre debout… Quelle puissance ! Alors il réprimande un brin le « fou » avant de l'implorer dans une mimique de femelle qui réclame une autre fourrure pour l'hiver :

— Ékorss, tu arrêtes de faire tous les oiseaux, fais-nous la marche de l'ours… Pour Digr, Gorki…

— Fais l'ours sur ses pattes, et moi je ferai le chasseur ! dit Tahül avec un beau sourire plein de dents parfaites.

Khaol est la seule à ne pas rire. Pourtant, le maigre Ékorss mime le pataud quadrupède. Puis Tahül fait semblant de le transpercer. Ékorss sort un bruit de gorge qui panique les vieux Graüls.

Kira regarde Gorki aux pieds de Jald qui a le ventre rond. Gorki se lève pour faire l'ours et le chasseur. Sa voix suraiguë fait rire tout le monde. Jald se lève avec douleur. Elle regarde Ékorss qui refait l'ours, les bras qui se dressent, avant de retomber à quatre pattes.

Ékorss prend Tahül par le bras :

— Le mal naît avec nous, regarde, Tank fait encore peur à Jald, personne ne lui a appris à faire confiance au groupe. Peut-être que les maladies, c'est pareil.

— Tu es vraiment fou ! Personne ne veut tousser ou cracher du sang. Personne ne veut se fracasser contre un rocher et personne ne peut vouloir être mauvais !

— Nous sommes entourés par la mort, nous mangeons de la mort. Nous pouvons être mauvais.

— Tu trouves pas ça bien ? Tu voudrais manger un lapin vivant ?

— Tu trouves ça bien de manger une fesse parce qu'elle est bonne ? La fesse d'une Graüle ! Et gober une tête ? C'est bon, c'est bien ?

— Je ne sais pas… C'est par égard, pour pas traiter moins qu'une bête la tête d'un Graül qu'on apprécie…

— Tu t'entends ?

— Tes histoires, c'est fait pour tourmenter, on dirait le bouillonnement d'un chef torrent. Voilà, tu es lâche et tu bouillonnes ! Voilà pourquoi on ne te comprend pas. C'est toi qui veux nous rendre méchants. Personne n'est méchant ici. T'as trop de questions mauvaises…

— Et toi ? Toi, tu es courageux, cela ne te donne pas la force de voir au-dessus ou dedans les choses. Et ce qui nous est donné à voir quand même, c'est beaucoup le moche, la bidoche, les boyaux, les charognards, les vers, les plaies, les boutons, les charognes !

— Voir autour, moi, cela me suffit. Je ne dis pas que c'est moche. C'est! C'est!

— Beau! Quand tu te mets à la place de Jald, tu te mets dedans et ça c'est pas moche.

— On résiste à presque tout, la glace, le vent, quand même, voilà qui est bien.

— Tank voit la même chose, et il agit autrement que nous les Graüls, et même les Troms. Lui est fou… Tu vois qu'il y a aussi du pourri dans le vivant. Voilà pourquoi je bouge, je prends l'allure de l'oiseau, je surplombe le moche. Quand je chasse les images noires, je les bouscule plus loin en bougeant.

— Plus loin, où? T'es fou!

— Elles m'embêtent plus, je veux dire. Elles partent ailleurs… Mes peurs!

— Je te comprends pour une fois: quand tu bouges, tu penses à bouger et pas à tes peurs, et je sais que tu en as plus que de dents dans nos bouches! Et si on inventait tous les deux la danse des chasseurs?

— C'est comme les groles, ça va pas marcher. Ce serait pire que la danse des oiseaux qui sortent de l'eau pour se dandiner, on serait ridicules…

— J'ai compris, tu penses trop les demains, alors que les Graüls peinent à n'en prévoir qu'un seul. Je serai ton porte-parole.

— Mon quoi?

— Ce que tu dis, je le porterai comme un bon morceau de viande et peu à peu, j'arriverai à ce que Gohr et tous les autres Graüls t'écoutent, et «goûtent» à tes morceaux de demains… On fera au moins ta danse de l'ours et ça nous donnera du courage!

Ékorss s'assied sur un pin putréfié et attend la nuit en paix. Les Graüls ont fait la ronde de l'ours. Ils se sont regardés et leurs yeux ont brillé.

Tahül fait un songe différent. Tank, toujours, le guette, mais Ékorss danse dans la peau d'un ours. Il n'y a que ses mains qui le rendent ridicule. Tahül est dans ce rêve avec la force de la réalité. Ékorss est un ours qui vit dans les ombres de sa caverne mais Tank est un vrai ours, suivi par des oursons cyclopes monstrueux. Tahül sait dans son rêve pourquoi il est si proche d'Ékorss et pourquoi Tank est une menace pour tous, bipèdes, quadrupèdes… Jald marche seule, son teint est clair, lunaire. Le soleil brille comme avant l'éclipse. Tank court derrière Jald et veut lui tirer les cheveux pour qu'elle ne tombe pas sous le soleil noir. Tahül est trop loin. Il voit Khaol apparaître près de Jald aux yeux limpides. Un vrai ours s'avance. L'ours se jette sur Tahül qui se réveille en sursaut. Il crie, puis sourit immédiatement à Jald.

Le temps est froid, la chaleur a du mal à le combattre avant d'éclater en colère, en coups de tonnerre, de pierres de foudre, pluie, grêle… Tout se mélange comme une danse de chasseurs invisibles. Les rafales sont effrayantes. Le ciel crépite, gronde, rugit !

— Si ça continue, on va devoir encore changer d'endroit, marmonne Ékorss.

La glace s'installe, il veut prévenir les Graüls :

— Encore faut-il qu'ils comprennent. Bon, si les arbres s'en vont, alors, ils comprendront…

— Qu'est-ce que tu marmonnes, mon vieux Koko ? demande Frao en se frottant à lui.

— Rien ma Frr…

— Si, tu as dit « Dron » ! Tu n'as pas une autre femelle que moi ?

— « Comprendront », j'ai dit…

— Et ça veut dire quoi « prend Dron » ?

— Justement… Personne n'y comprend rien.

— À quoi ?

— À l'éclipse, aux glaces envahissantes, aux pattes à poils et pattes sans poils, aux poissons sans écailles, aux écailles des tortues, aux nuages, à la pluie, au soleil, aux cris des oiseaux, aux eaux chaudes.

— Aux eaux chaudes ?

— … C'est presque un secret.

— Dis !

— Quand un clan va mal, il se rend loin, bien loin à A…

— Ah ! Ah ? Et pour quoi faire ?

— Pour retrouver la force et l'unité du clan.

— Et pourquoi on irait pas tous là-bas ?

— C'est qu'en vrai, c'est pas vivable, trop abrupt. Rien de bon à chasser comme par ici ou par là.

— Ah… Et qui connaît l'endroit ?

— Personne… Les Pogrs ont des eaux chaudes qui réchauffent et c'est tout. Les sources qui soignent, seuls Dikt et Gohr les ont vues. Le répète pas…

— Et pourquoi on n'insiste pas pour y aller ?

— Parce que tu n'es pas censée le savoir ! Frao, c'est un secret.

— À quoi ça sert « un qui se crée » ?

— À servir au bon moment. Il y a toujours un jaloux pour le voler. Alors un bon secret, c'est quand personne ne le connaît…

— Ah ? Comme ?

— Les champignons qui donnent des images dedans soi. Le champignon ne le sait pas, qu'il donne le tournis, le premier Graül qui y goûte non plus, et pourtant cela est resté un secret longtemps.

— Des eaux chaudes, j'y crois pas, c'est ridicule ! Des eaux chaudes par ce froid ! J'y comprends rien !

— Tant mieux !

— Elles existent ou pas ? Quand est-ce qu'on y va ?

— Quand Gohr le décidera. Quand ça sera le moment. Trop de trucs à faire avant.

— Alors on peut attendre que les mammouths s'envolent et que les poissons marchent. J'te crois plus.

— Non. Rigole pas. Tahül, Dikt et moi on est trop liés par le secret. Il va falloir qu'il sorte de son œuf. Hiiiii.

— Tu t'exprimes drôlement. Et ça veut dire quoi le cri aigu, que t'as poussé après œuf ? *Hiiii ?* Aïe !

— Tais-toi, répond Ékorss, mettant la main sur sa bouche. Gohr pourrait nous voir et le ciel s'énerve déjà…

Tahül observe la scène et sourit. Il se laisse bercer par le tambourinement des grêlons sur le sol… Tout le clan va rester à l'abri, bien au chaud, bien au calme, sans le vol de ces satanées souris volantes qui chient partout la nuit et même après en dormant.

34

L'orage et les œufs du ciel

Garde-toi de considérer les fruits de la Terre,
après leur découverte, comme moins bons que des glands.
Johannes Kepler

L'observation est l'investigation d'un phénomène,
et l'expérience est l'investigation
d'un phénomène modifié par l'investigateur.
Claude Bernard

Quand ils tombent, les œufs de glace coupent comme des silex. Ils font mal aux plantes et assomment parfois un lapin mal planqué ! Les Graülots jouent avec et sont immédiatement rattrapés par leur mère. Partout, on entend les cris des Graüles.

Khaol regarde le sol, les fruits ronds tombés du ciel ne l'intéressent pas, uniquement le ventre de Jald. Elle vient de comprendre qu'il faut très vite prévenir Tank. Jald a l'air en forme, elle accouchera. Tank lui revaudra sa trahison. Immédiatement, Khaol jette un œil à la caverne basse de la falaise d'en face. Personne. Tank n'est pas là. Il ne passe que rarement à cet endroit avec sa troupe. Pourtant, les œufs de glace indiquent le moment parfait pour accomplir ses basses œuvres sans qu'on la remarque… Tank doit avoir le même instinct propre à la trahison.

Khaol regarde Jald, somptueuse avec son sourire, avec son Gorki et son Tahül à ses côtés. Alors, il suffit d'avoir les yeux bleus pour plaire au fils du chef? Khaol part prévenir Tank comme il était prévu. Elle laissera des peaux de lapins. Quand la grêle cessera, il les verra dans les arbres.

Khaol se prend des grêlons sur la tête, le dos, les bras, les pieds. Pourtant elle trouve en elle la force et la joie d'affronter cette pluie solide. Elle s'agenouille devant une cachette naturelle, un ancien terrier, et en sort une peau sombre, la déplie et y saisit quatre fourrures blanches qu'elle accroche à un arbre mort. Elle se bat contre les boules de glace qui tombent sur elle pour que les peaux de lapin ne soient pas emportées par le vent. Pas un cuon n'ose sortir, aucun loup ne se profile ; les oiseaux se taisent. Khaol n'entend plus que ses pieds sur le tapis de boules blanches qui roulent. Elle s'étale de tout son long et se relève. Elle retombe, se relève. Khaol sait que personne ne peut la voir. En relevant la tête, elle reçoit des coups de gros œufs sur la mâchoire et voilà qu'elle a peur de Tank comme s'il la voyait de derrière les nuages. Elle finit d'installer le signal avec la dernière peau de lapin : après autant de lunaisons que de peaux, Jald accouchera. Lorsque Tank passera s'asseoir dans la caverne d'en face, il saura quand Jald s'isolera, et où il pourra la guetter des jours durant. Khaol souffle un grand coup.

Lorsque Khaol a bien accroché toutes les peaux face au point de vue d'espionnage de Tank, elle s'en va et se rend compte de la violence des petites boules de glace qui se jettent sur elle. On ne transige pas avec la glace en boule, on ne transige pas avec Tank. Khaol glisse de nouveau sur ces choses qui lui brûlent les pieds de froid. À son retour, Khaol semble très énervée. Jald veut la calmer :

— Tu es trempée. Alors ça cogne si fort dehors ? Il ne fallait pas sortir. Khaol, pourquoi tu es sortie ?

— J'voulais voir, car même les fauves détestent ça !

— C'est dangereux ! Tu aurais pu tomber. C'est très dur, ces œufs du ciel. Tu aurais pu te fracasser en morceaux, tout en bas.

— Je ne suis pas restée longtemps dehors et je suis bien dedans, maintenant.

— Assieds-toi.

— Jald, tu as un ventre bien rond. C'est quand le soleil a disparu que tu as attrapé ça?

Jald tressaute de rire face à Khaol qui fait semblant de découvrir qu'elle attend un Graülot.

— Non, j'ai attrapé ça après la grande marche vers les Pogrs.

— Ah?...

Khaol se glisse sous une vieille fourrure et frotte ses mains horriblement rouges. Son corps est une souffrance taillée par le froid et la glace. La neige est bien plus douce...

Tank est fébrile, agité. Il doit passer sa colère sur quelqu'un:

— Femelle, nous sommes tous des animaux ratés à deux pattes! Et toi, fille de Krah, la plus ratée des deux pattes! Pouk, tu ne sais même pas me mâcher une peau pour mon dos. Tes dents sont bonnes pourtant! Je vais vous apprendre à tous à être des féroces dans les cavernes des Graüls. Ensuite, je remplacerai Pouk! Pouk dégage! Tu m'énerves...

Tank veut Jald comme lorsqu'il a soif. Il la veut comme un chasseur désire sa proie, il échafaude une chasse particulière, celle qui le mènera à la possession de Jald! Il trouve soudain un message qui fédère les Troms, tous les Troms:

— Une chose n'arrive que si on la veut tous! Vous voulez plus de bisons sous la dent?

Des hochements acquiescent et Tank se sent plus terrifiant que jamais. Il aime terrifier, diriger, faire croire. Pour que Jald le désire, il veut porter des peaux de renards gris. Il veut qu'on lui obéisse:

— Tiens, Pouk, voilà une vieille peau pour toi.

— Que veux-tu que j'en fasse?

— Tu mâchonnes jusqu'à ce que je te dise d'arrêter, ça t'apprendra.

Son œil vif est rouge et ses grandes mains font peur à Pouk. Sans son père et sans sa mère, elle n'est rien que la chose de Tank. Pouk est une herbe mâchée, une Troms grignotée de l'intérieur. Pouk ne vaut rien aux yeux de personne. Disparaître dans les flots doux ou caresser la peau douce d'un petit Troms à elle, lui semble identique. Pouk voudrait que ce soit une fille qui reste avec elle ou un garçon géant qui la défende un jour contre Tank. Elle voudrait se fondre avec la mer qui se répète sans perdre patience, sauf les rares fois où elle est poussée par un vent terrible. Pouk mâche une impossible peau sombre, pleine de pustules, c'est du rhinocéros…

Des araignées ont trouvé leur territoire près de l'abri des Troms. Tank les trouve à son goût, pas pour les manger, mais parce qu'il admire leurs toiles invisibles et leur manière de chasser qui ressemble à la sienne : attendre, n'avoir l'air de rien, et attraper tout ce qui passe… Il attendra Jald et ses beaux yeux.

Tank se dirige avec une petite troupe à la caverne espionne, mais un flot d'œufs de glace s'abat sur les Troms. Tank revient. Pouk n'a aucune graisse, elle n'a pas les formes requises… Tank s'assoupit et ronfle de fatigue.

Les grêlons sont de plus en plus gros, les coups de tonnerre aussi ! Tahül se réveille, marche et se perd. Il reçoit une boule sur le nez. Il avance et se perd à nouveau. Plus d'odeurs, plus de cris d'oiseaux pour se diriger…

Tahül ne connaît pas cette grotte, il tâte la paroi, il passe par un trou. Un clan se sent fort s'il possède sa grotte des mains et des pieds, et par son odorat. Le nez flaire toujours la sortie. Ékorss a peut-être raison, on n'est pas forcément décrépit en ne mangeant pas le gras de son plus proche ami graül. La déformation des mains et des pieds n'est pas forcément liée au fait de beaucoup marcher ou de courir. Tahül est bien content d'avoir une épaisse corne aux pieds qui le protège des entailles. Cette grotte est dangereuse, il se fait piquer par des bestioles inconnues. Cela enflamme sa peau.

Il se retourne, s'assied et regarde.

Les œufs du ciel continuent de tomber. Ils sont opaques et bientôt la nuit se fera dans un endroit inconnu où des ours ont séjourné, peut-être Tound ?

Quand les grêlons fondent, Tahül retrouve les siens inquiets de sa disparition, et il assied Jald sur ses genoux. Il se gratte les bras, elle l'épouille. Khaol mime les boules de glace avec ses mains. Il n'y a jamais eu autant de phénomènes liés au ciel et Gohr s'en préoccupe sans en faire part aux jeunes Graüls. Dikt hausse les épaules. Lui a déjà vu des phénomènes[1] encore plus fantastiques : des mammouths pris par les glaces, des petites montagnes crachant de l'eau, et de plus grosses crachant du feu. Khaol ramasse un œuf de glace qui a roulé jusque dans la grotte. Elle grimace un sourire qui signifie qu'il faut bien partager au moins les désagréments… En réalité, elle espionne Dikt, il va peut-être parler des têtes vertes, ces fleurs de pierre qui fondent dans l'eau et qui donnent le pouvoir de vaincre. Elle se verrait bien vaincre Jald et gagner Tahül.

Tank, face à la grotte des Graüls, a vu, a compris. Il agira, lorsque le temps chaud déclinera, il enlèvera Jald et si c'est un garçon qu'elle donne, il prendra Jald et son fils. Si c'est une fille, il laissera la fille se dessécher là où galopent les chevaux en direction des lacs et des étangs. Il veut Jald.

1. Le relief change sous le gel permanent et on l'appelle « thermokarstique ». Le thermokarst ou karst thermique a créé de petits lacs, des ravins, des vallées sèches lors de la fonte de certains glaciers. On appelle « pergélisol » (*permafrost* en anglais) la couche de sol gelée en permanence. À l'inverse, il peut se former des pingos qui apparaissent lorsque des eaux souterraines sous pression remontent jusqu'au contact du pergélisol. Au fur et à mesure que ces eaux gèlent, la lentille de glace distend le sol qui se soulève pour former une butte de plus en plus grosse. Il y eut des cycles glaciaires au pléistocène et des glaces épaisses ont raboté le sol. Certains paysages actuels comme les laquets d'Arrémoulit ou de Port-Bielh dans les Pyrénées, et certaines végétations sont des héritages de ces épisodes climatiques.

35

L'enlèvement de Jald

Jupiter autrefois se changea en taureau pour enlever
sur sa croupe une jeune fille de Tyr ; son front déguisé
s'arma de cornes menaçantes. D'une main la jeune fille
a saisi le cou de l'animal, de l'autre elle retient ses vêtements…
En descendant sur le rivage, les cornes de Jupiter ont disparu ;
le taureau est redevenu un dieu.

Ovide

J't'aime j'ai la haine j'te souhaite tous les malheurs du monde.

Orelsan, rappeur

Ékorss essaie quelque chose de nouveau, il souffle dans ses mains pour obtenir un son. Gohr hausse les épaules. Dikt retrouve quelques images du temps où il courait, marchait, découvrait. Il oublie Alekhta, il se souvient de son premier mammouth et de son premier caprin, un genre de bœuf musqué facile à attraper. Puis ressurgit l'envie de se tremper dans l'eau aussi brûlante que le soleil qui frappe. Alekhta… Dikt ferme les yeux. Tahül ne peut pas comprendre encore… Boire l'eau d'Alekhta ne suffit pas si l'on attaque les nuages en place de rennes… Dikt ne veut pas délivrer son secret pour ne pas vieillir trop vite… Il ressemble à Gohr.

Une belle chasse aux chevaux se prépare. Gohr reste un chef admiré, il arrête un galopeur dans sa course ! Maintenant, Tahül l'aide avec des gestes précis. Ils auront bien assez à manger et seront fiers de partager avec tous !

L'odeur de sueur sur le poil des chevaux change. C'est la peur qui les rend fous. Gohr et Tahül en attrapent un, c'est le vieux Desk. Au moins, il finira avec le respect de ceux qui l'ont vu fier et brave. « *La vie, c'est cela,* se dit Ékorss, *un jour fort, une nuit faible...* » Un jour là, l'autre pas.

— Pauvre Desk, se surprend à exprimer Tahül dans la caverne.

— Tu ne mérites pas ce que je veux te donner, réplique Dikt. Non.

— Quoi ? demande Khaol aux aguets.

— La moelle ! répond Dikt en l'avalant goulûment.

Tout le monde se régale, même Khaol. Elle commence à faire de l'œil à certains jeunes Graüls très beaux et très velus. Elle veut que rien ne transpire, que personne ne s'aperçoive de sa traîtrise. Elle protège son pacte avec Tank en étant plus graüle que troms.

Elle ne sait pas si Tank a remarqué les peaux de lapins, mais elle a entrevu quelques Troms après les grêlons. Comme elle mange de plus en plus de gras, ses formes deviennent appétissantes ; elle en profite pour laisser espérer quelque chose, une nuit, bien à l'abri, à quelques Graüls qui veulent cesser d'être des Graülots...

Tank respire fort. Il a l'accent du bison qui souffle et bave. Il agit en chef des Troms. Quand la chasse est finie, il se moque des railleries sur son œil, il sait qu'il attrapera Jald par les cheveux et qu'il lui volera son fils et la ramènera là où elle doit être ! Il est plus fort que tous les Troms réunis.

Jald s'épuise vite.

Tahül aime poser sa tête sur son ventre et il entend le petit *tac-tac-tac* qui annonce la venue d'une petite vie.

Jald est très belle, ses cheveux ont encore poussé, et elle les enroule avec dextérité autour de tiges en fleurs.

Tank sait qu'elle accouchera vers la montagne ou vers la mer. Il y a peu de cavités proches de la Grotte-Mère. Il faudra se tenir prêt et agir vite. Ksiss et une petite troupe partent pour l'observer de loin.

Une fois que certains animaux disparaissent et que d'autres apparaissent, Tank sent qu'il est près de réussir. Il part avec les Troms les plus costauds. Après s'être plongés dans de la glaise verte, ils se rendent vers le lieu où, lui, restera sans bouger à attendre.

Tank attend avec force. Son œil ne saisit pas les reliefs. Chaque mouvement qu'il perçoit le fait réagir. Il sursaute au moindre vol, au moindre passage de thar ou de mouflon.

Un matin, les Graüls secouent leurs peaux, certains vont à la chasse. Kira et Jald restent ensemble. Quand les chasseurs reviennent, les deux femelles se traînent vers la cavité la plus proche pour Jald, la plus lointaine pour Tank. Dans le silence, lui et ses Troms rampent, même là où l'on peut marcher debout et sans risque. Ils se hissent difficilement sous la caverne où s'est réfugiée Jald. Ils entendent qu'elle se met à geindre. Des sons caractéristiques annoncent l'accouchement. Tank veut un garçon. Il monte seul, à pas de loup. Puis il agit en lynx. Il renifle. Il sait, il attend. Lorsque Kira sort en portant une horrible petite fille aux yeux clairs dans ses bras, il se précipite à l'intérieur de la grotte, saute dans le dos de Jald et il fait ce qu'il a toujours voulu faire, il tire Jald par les cheveux. Tank la traîne sur des cailloux avant de la hisser sur son dos. Il tient fermement ses bras et ses jambes comme les pattes d'une bête. La fille de Jald est dans les bras de la vieille Kira qui crie. Elle peut crier, personne ne l'entendra !

Les tiges fleuries qui retenaient les cheveux de Jald tombent par terre. Jald hurle de douleur et de peur. Kira se retourne et voit des Troms se précipiter autour de Tank. Jald est dans ses bras comme une dépouille, elle agite le bout de ses jambes et son corps crie : Tahül ! Tahül ! On ne l'entend pas. Tank jette Jald par terre et empêche de ses mains qu'aucun son ne sorte plus de sa bouche charnue. Jald le mord. Tank lui envoie un coup, puis un autre.

Tank est fier : il a blessé Tahül sans combat, sans même l'approcher !

Les Troms reviennent en bord de mer, avec une Troms blessée. Jald est en sang. Tank la dépose face à la Grande Bleue. Quand elle entend les cris de Jald, Pouk se retourne et la regarde longuement.

Jald ne mange pas, ne dort pas. Et Tank en fait de la viande molle qui ne communique plus. Jald n'est que haine rentrée, Jald n'est plus à Tahül. Elle n'a pas eu le temps de donner un nom à sa fille. Tank pénètre le corps de Jald avec la fougue du chasseur, il n'a de cesse de répéter son forfait à l'abri de tous, car chez les Troms, comme chez les Graüls, c'est la femelle qui décide.

Jald ne décide plus rien. Elle fait des signes de détresse. Tank ne voit qu'avec son œil crevé :

— Tu n'es pas contente d'être à nouveau chez toi ?

— Chez moi, c'est partout où est Tahül. Tu es un monstre ! Tank, tu n'es pas un chef, un chef ne fait pas ce que tu fais !

— Ne cherche pas à t'enfuir, Ksiss et moi on te fera la peau et on donnera ta peau à Tahül !

Jald accepte l'horreur car elle espère l'attaque des Graüls venus du plateau pour la sauver.

Khi a survécu. Tahül l'a appelée Khi. Il devient sombre et Ékorss est le seul à pouvoir le calmer.

— Ne te mets pas à la place de Jald avant d'aller la chercher parmi nous, restons unis. Jald quittera Tank et retrouvera Khi ! Elle n'appartient plus aux Troms.

— Pourquoi Tank a fait ça, l'enlever ? Gorki la cherche partout. Aucun Troms n'a fait une chose pareille. Jamais !

— Tes anciens rêves te disent pourquoi. Tank ne supporte pas que sous son œil, il n'y ait pas de peur ; ta peur lui est précieuse. Il veut la renifler ta peur, avec des narines grandes comme ça… Il veut Jald à la place de son œil mort.

— Jald, c'est ma vie ! Si je ne la vois pas, je suis pire que Tank… Je la laisse tomber… Il va la prendre pour lui. Il l'a déjà prise pour lui, il me fait encore plus peur…

— Tu commences à suivre ce que veut Tank. Tahül, montre-moi ta pierre de foudre.

— Pourquoi ?

— Si je la prends, ta pierre, tu ne l'as pas perdue ! Elle reste à toi… Dans le futur !

Tahül ne sait pas pourquoi Ékorss lui demande vraiment cela, mais même son père lui fait signe d'accepter. On ne sait jamais, s'il pouvait se calmer. Quand il y a du trouble dans le clan, que les chasses sont mauvaises, les femelles retrouvent les mâles et quand elles ne sont pas présentes, les mâles comparent leurs plus beaux silex.

Tahül tend la pierre chauffée par son corps à Ékorss qui prend le temps d'une idée :

— La pierre est tombée du ciel. Elle est là, et tu la gardes sur toi tout le temps. Jald est tombée du ventre de Mah, et elle a roulé jusqu'à toi. Tu la retrouveras, même si elle a roulé jusqu'à Tank…

— C'est lui qui nous a roulés… Tank doit la garder comme cette pierre, justement, contre lui ! Il est plus furieux qu'un ours ! Il va la fracasser !… Je vais retrouver Jald ! Tous, nous devons la reprendre à ce fou.

— Il ne faut surtout pas aller vers les Troms, ils nous tueraient comme une sale bande de cuons, proclame Gohr. Il faut oublier Jald et bien nourrir Khi.

— Non ! Gohr, je m'oppose !

— On ne s'oppose pas à la décision du chef ! Quand tu auras mangé le dedans de ma tête, tu pourras décider, si tu deviens chef. Maintenant, je dis à tous les Graüls : que personne ne se risque à affronter les Troms ! Tank a ce qu'il veut. Laissons-le croire qu'il a gagné. Ensuite, on trouvera une façon d'attaquer.

Ékorss se gratte la tête, ce serait le bon moment pour boire l'eau des têtes vertes… Il regarde Khi qui agite ses petites mains douces.

— Gohr a raison. Il y a le temps du froid, du moyen froid et du chaud. Laissons le froid s'installer entre les Troms et nous. Au temps du moyen froid nous aurons mûri l'attaque la plus forte.

— Et c'est toi qui dis ça, toi Ékorss, qui n'aimes ni chasser ni te défendre ? souffle Tahül.

— Nous trouverons comment reprendre Jald sans crainte. Tahül, ton père a raison. Tahül, tu dois faire le hérisson !

— Oui, je sais, je pique, je me hérisse ! Je craque, je suis mal ! Il ne faut pas m'approcher.

— Ce n'est pas ça. Tu dois pas te mettre en boule sur le dos. Un hérisson sans piquants, on l'attrape. Qui mange du hérisson ? Personne. Si, les voraces, Tank ! C'est Tank qu'il faut rendre hérisson sur le dos. Le prendre sous le ventre !

— Le hérisson a un doigt de plus à ses pattes de derrière ! Où est maman ? Jald ? dit Gorki. J'm'en fous des hérissons ! Jald !

Un silence se tisse, puis Gohr demande à Ékorss de continuer.

— Te précipite pas vers Jald, tu es vul… vulnérable.

— Moi ? Une proie facile ? Je veux délivrer Jald tout de suite !

— Tu as Khi et Gorki. Il faut d'abord s'occuper d'eux, dit Kira qui ne s'exprime pas souvent.

Kira place Khi dans les mains de Tahül, il la monte en direction du ciel et dans un cri suraigu lance :

— Je te ramène ta mère !

Renfrogné, Tahül n'a plus que cette idée en tête.

— Cette fois, il me faut la force de l'eau, père !

— Non !

Gohr résiste. La force de l'eau ne se prend que dans la paix d'un clan… Il faut faire comme le hérisson qui vit près des arbres, des dunes ou des montagnes, qui résiste à tout, au chaud, au froid. Les hérissons font comme les Graüls, ils changent d'endroits, mais jamais trop loin… Les femelles sont moins à vagabonder que les mâles. Ces animaux piquants n'hésitent pas à prendre un trou de lapin abandonné. Ils mangent des cadavres, des limaces, des chenilles, des œufs, des oisillons, des lézards. Ils ne s'attaquent pas à plus gros qu'eux ! Ékorss les a regardés vivre. Certains se gavent de champignons et de petites baies. Sans les pattes, la mâchoire servant à tout, les hérissons se débrouillent très bien. Ékorss craint pour Tahül, il a été protégé de tout jusqu'ici. Il a appris à se battre, à vivre avec une femelle, mais il n'a pas appris à vaincre sa peur d'un seul Troms, Tank. Tank n'a peut-être enlevé Jald que pour faire sortir Tahül de son trou…

— Tu devrais faire comme le hérisson. Il chasse la nuit. Toi, tu dors. Si un jour tu veux t'attaquer à Tank, agit la nuit quand l'œil jaune du ciel est fermé.

— Ékorss a bien dit. Les Graüls ne tomberont pas dans le piège de Tank, dit Gohr.

Khaol se cure les dents pour sortir un morceau de viande resté coincé depuis trop longtemps. Elle regarde Tahül avec appétit. Tahül ne supporte pas que cette Troms ne partage pas l'émotion du groupe et encore moins l'odeur qui sort de sa bouche. Il répond à son père :

— Gohr a raison de dire qu'Ékorss a raison. J'attendrai. Je serai si fort que Tank aura peur de moi, de nous tous. Jald, pauvre Jald.

— Tu dors, la tête pleine de poux, et t'attends pas qu'on te les cherche. Jald, un jour, te les écrasera tous ! Tu dors. Fais un peu de gras en attendant d'être prêt pour délivrer Jald ! lance Ékorss. Tu ressembles à un tronc d'arbre sec…

Les Graüls rient et cela détend l'atmosphère. Khaol ne rit pas, toujours à chercher le vieux filament de viande de cerf coincé entre ses dents. Tank n'est pas venu la chercher. Khaol enrage… Elle fait une tête fâchée. Tahül lui lance une petite pierre qui tombe à ses pieds :

— On t'a sauvée des griffes de Tank, on dirait !

— …

— Et tu ne t'inquiètes pas pour Jald ?

— Si, je m'inquiète.

— On ne dirait pas.

— Tout le monde me traite en Troms, pas en Graüle, alors je vois pas pourquoi tu me jettes ça à la gueule, Tahül !

— Silence, Khaol ! hurle Gohr. Tu ne vis pas comme nous et on te laisse tranquille. Ici, tu ne t'exprimes pas comme ça avec Tahül !

— Ailleurs, je peux ?

— Repars chez Tank si tu veux retourner dans ton trou. Personne ne te retient. Et si tu te fais bouffer en route, tes fesses et tout ce qui va avec, par un lion des cavernes, ce sera pas une grande perte pour nous ! Tu fais les yeux doux à mon fils, mais tu n'as pas l'odeur qu'il faut pour qu'on te croie. Dégage… Dégage !

Ékorss, qui retarde d'un temps, parlera des amours du hérisson une autre fois.

Jald est là sans être là, Tahül est là sans être là, tout le monde est là sans être là.

Frao qui n'aime pas que le silence plane trop longtemps surprend tout le monde en demandant :

— Ékorss, raconte les hérissons qui font *lion-lion*. Il raconte bien.

— Pas le moment ! Frao, non…

— Siiiii. Bon, je vais le dire, moi. Le mâle n'a pas peur des piquants de la femelle et grimpe dessus, il se trémousse et elle se trémousse.

— Suffit Frao, c'est pas le moment ! assène Ékorss.

— Toi et Jald, vous ferez plus les hérissons, dit Khaol, dont la mâchoire ne se referme pas.

Tahül sort sa tête de ses mains et se lève.

— Tu vas arrêter de dire des choses, Khaol ! Avant que Khi tienne debout toute seule, mon petit Gorki, tu reverras Jald. Nous reverrons tous Jald ! Moi, je vais vous dire les hérissons ! La hérissonne danse et étire ses pattes, et couche ses piquants. Qu'est-ce qu'ils sont bruyants hérissonne et hérisson ensemble ! Ensuite, chacun son chemin… Voyez, je suis loin d'être aplati par la méchanceté de Tank ! Et Khaol ne va pas tarder à ne plus savoir où se mettre avec les piquants qu'elle a dans sa bouche qui pue ! Dégage. On a dit dégage !

Ékorss est content. Tahül ne se laisse pas écraser. C'est alors que Khaol, noire de saleté, décide de faire très mal :

— T'as qu'à faire comme le hérisson, tu te trouves une autre hérissonne. Tahül, t'as la tête qui recule ! T'as peur ? Je sais que Tank t'a pas attendu pour faire à Jald ce que tu lui fais en plein jour. Je vous ai vus près de la cascade !

— Tu vas la fermer ! hurle Ékorss.

Tahül est tout ce qu'Ékorss n'est pas, et Ékorss admire son courage et le fait qu'il ne se moque pas de sa « lâcheté ». Les deux Graüls se dressent et cognent leurs mains rugueuses pour indiquer qu'ils sont prêts à chasser l'intruse.

Khaol retire la fibre de viande faisandée de sa bouche et la crache par terre à leurs pieds.

Gohr lui indique la vallée, on ne veut plus d'elle ici. Khaol fait semblant de partir et reste devant la caverne à réfléchir si elle descend ou si elle attend Tank. Elle craint les grands fauves plus que les cris des Graüls…

Tahül s'en va seul regarder au loin. Le vent souffle et Khi se met à pleurer. Une Ogrre qui vient d'avoir son petit lui donne le sein et tout s'apaise. Cette Ogrre n'a pas de nom, mais elle est aussi douce que ce que les abeilles fabriquent. Elle n'a pas de nom parce qu'elle ne peut émettre aucun son. Mais tous les Graüls la considèrent comme une Graüle et la surnomment « Kuan ».

Tahül revient, prend sa fille dans ses bras et se tourne vers Gohr :

— J'attendrai que tu nous dises quand. Je dois délivrer Jald. Dis-moi quand nous allons à Alekhta !

— Nous devons délivrer Jald. On ne le laisse pas faire, Tank. Les Graüls attaqueront quand Tank pensera qu'on a oublié, répond Gohr.

— Il ne faut pas oublier.

— Khaol va tout lui dire. Il faut inventer une parade, comme quand on prend un mammouth à revers.

Khaol revient et se cache au fond de la grotte. Elle mange les restes de viande. Elle se tait.

Jald devient la proie de Tank. Seule, Pouk la défend à peine. Finalement, elle n'est pas mécontente de ne pas être aux côtés du chef des Troms à supporter sa violence. La voix de Tank porte, ses gestes et ses coups portent. Ils tombent sans prévenir. Pour Pouk, être le plus loin possible de lui est une aubaine.

Jald redécouvre la grande eau qui respire, mais ne trouve pas sa sœur Sard.

— Si c'est ta sœur que tu cherches, elle a fui chez les Snèks, lui lance Tank. Essaie de faire pareil et tu verras ! Et ton frère, il s'est fait boulotter. Tu es toute seule avec moi avec tes yeux troublants qui comblent le silence. Mummmm. Tu parles pas. J'aime bien.

Jald pense à sa fille, Jald sent son corps meurtri. Elle attend que les Graüls viennent la délivrer.

Elle n'attend plus. Ses yeux sont gris.

L'eau indifférente continue ses rouleaux et dépose ses coquillages.

Jald serre les dents, une nuit, elle serre trop fort et se casse une molaire, sa langue saigne, son corps l'abandonne.

36

Tahül croise le frère de Gueul

Si tu veux pouvoir supporter la vie, sois prêt à accepter la mort!
Sigmund Freud

Khi est vive et n'a encore que très peu de fesses. Elle pleure peu et Tahül tourne en rond. Il se décide à descendre avec un petit groupe chez les Snèks, voisins des Troms. Ce sera une manière d'apprendre des choses.

Les Snèks sont reniflés comme étant pacifiques et les Graüls s'asseyent entre le sable, l'eau et le vent et s'épouillent les uns les autres, en signe de paix.

Tahül découvre que Sard, la sœur de Jald, est chez les Snèks. Il doit apprendre à Sno que Gueul n'est plus avec les Graüls, et que ses os disent qu'elle n'est plus avec personne…

— Elle a été très bien. Malheureusement elle a été dévorée, attrapée par les jambes.

— On l'avait presque oubliée. Nous, c'est les noms des grands chasseurs qu'on retient. Qu'est-ce qu'on fait de Sard, on vous la rend?

— Vous nous aidez d'abord à récupérer Jald!

— Pas question. On veut pas se brouiller avec les Troms. C'est nos voisins très voisins. Pas vous. Vous, c'est vos voisins lointains. Tant que Tank est vivant, on bouge pas.

— Pour Sard, on fait quoi?

— Elle peut pas se passer de l'eau bleue. Elle décide.

— On pourrait prendre Tank ensemble et faire l'union des Snèks, des Troms et des Graüls. Tant que c'était Krah, ça allait, pas de confrontations, des échanges, du troc…

— Pourquoi c'est pas le chef des Graüls qui est venu ? Tahül, pourquoi c'est pas Gohr ? Il est pas d'accord ?

— Je suis venu pour Jald. On vous a apporté un peu de viande.

— On refuse pas ça. On refuse de tuer Tank.

— Je veux récupérer Jald !

— Si tu réussis, tu crois que Tank va nous laisser tranquille ? Nous, on n'habite pas les hauteurs ! souffle Sno.

Jald n'est peut-être qu'à peu de marche de là. Sard pue de loin et se demande qui est ce Graül aux cheveux sombres. Sonk hurle à Sard que Tahül est là. Tahül s'approche de Sard et lui demande si elle veut rester ici ou repartir avec les Graüls.

— Jald est à côté, je veux rester. J'apprendrai peut-être quelque chose. Pouk, la compagne de Tank, cherche une issue pour elle, elle franchit souvent les limites par ici. Je reste.

— Tu restes. Mais pourquoi tu pues comme ça ?

— Je ne pue pas, c'est le poisson pourri qui pue.

— Si fort ?

— Je m'en mets dans les cheveux. Je veux pas appartenir à un Snèks, ni à un Troms. J'ai compris avec Tank. Quand on a les yeux et les fesses qui attirent, on choisit pas avec lui. Jald a été enlevée parce que sa sueur sent bon et qu'elle a les yeux clairs.

— Tu t'entendrais bien avec Ékorss, lui aussi, il a des raisonnements… Pour moi, il fait froid. Pour lui, il fait froid parce qu'il n'y a plus de chaleur.

— Pas faux.

— Tu pues au point de me voir repartir, je crois qu'on s'est tout dit.

— Vous allez revenir pour reprendre Jald ?

— Je ne dormirai pas sans rêves affreux avant d'avoir accompli cette chasse à ma femelle.

— Vous avez un esprit mal tourné chez les Graüls aussi !

— Je guetterai ma sœur.

— C'est embrouillé pour la reprendre à Tank, reste avec nous.

— Emmêlé comme les cheveux. Et toi, tu sais couper dans l'emmêlé ? Repars, va, c'était pas la peine de venir pour savoir que je pue. Les Snèks veulent pas de conflit. Débrouille-toi.

— Je ne savais pas que tu étais là. Fais dire à Jald qu'on va venir la retirer de ce piège. Qu'est-ce que tu sens mauvais ! Pouh…

— C'est fait exprès.

Les Snèks saluent et ricanent. Les Graüls repartent. Au loin, la silhouette de Tank apparaît. Jald aperçoit Tahül et se lamente : cela excite Tank qui lui roule dessus sans entendre ses plaintes.

— Et maintenant, tu porteras mon fils et les Troms seront les plus forts ! Ton Tahül, il est bon que dans les taillis. La frousse d'affronter les Troms le cloue au talus. Il est venu chez les Snèks. Un trouillard, ce Graül ! Et c'est lui que tu préfères ? Ses deux yeux ronds lui servent à rien. Il essaie même pas de te reprendre.

— Tank, un jour, comme tout le monde, tu ne seras qu'un tas d'os. Que ce jour arrive !

— Sale femelle ! Cesse de gronder ou je te crève un œil, et tu seras comme moi. On saura que tu es à moi !

Jald se tait et regarde loin, très loin. Puis elle ferme les yeux et regarde très loin en dedans avec la force qui lui reste.

Ékorss a vu son ami anéanti et n'a rien pu faire.

Khi ennuie Tahül qui devient impossible.

Tahül chasse pour oublier. Il n'oublie pas ; au contraire, il devient impatient.

Les beaux jours sont revenus, les petits oiseaux boivent la pluie sur les feuilles en forme de main. Ce monde fascine Gorki. Sa sœur Khi sourit de le voir. Il manque Jald. Gohr et Tahül deviennent d'excellents complices dans la chute des bisons au bout du plateau.

— Il faut que les Graüls partis chez les Ogrrs reviennent ! Tu iras les chercher, c'est le moment. Il faut être très nombreux pour attaquer Tank, finit par dire Gohr. Les Snèks ne vont pas t'aider…

— Tu es d'accord pour délivrer Jald. Enfin ! Je partirai avec Gorki.

— Non. Gorki restera ici avec Khi, Frao et Kira. Il est trop impatient et malhabile. Gorki est comme un petit cuon ! Personne ne peut le surveiller. Il faut prévoir que les Troms, même s'ils le détestent, seront du côté de Tank. Pas avec nous.

Tahül suit le chemin qui mène aux Ogrrs. Plus il monte avec sa troupe, plus le froid augmente. Il imite l'ours pour faire comprendre aux jeunes Graüls qu'ici chaque rencontre peut être mortelle.

La neige est visible de loin. Elle ne fond jamais et les Ogrrs vivent à ses pieds.

Tahül va se baigner dans l'eau chaude qui ne soigne pas et ne donne pas la force. Il revoit Jald dans les branches. Jald n'est plus avec lui. Elle est dans l'antre de Tank. Ce moment de rage donne à Tahül la force de continuer son chemin. Les Graüls comprennent ce qui le tourmente, accroît sa peine et ses rides. Des coulées de neige obligent les Graüls à revenir vers la Grotte-Mère, ils ne sont pas habitués au froid des hauteurs. Tahül suffoque de rage contre les siens…

37

La trahison des Snèks

La lâcheté tend à projeter sur les autres
la responsabilité qu'on refuse.
Julio Cortazar

Vous n'en avez pas connu de ces gens qui sont tellement occupés
à être malins qu'ils n'ont pas le temps d'être autre chose.
John Steinbeck

Sno a trop peur que les Troms attaquent les Snèks. Ils vivent les uns près des autres et ils se partagent les berges des étangs et de la mer. Alors il fait ce qu'il ne pensait pas faire. Il fait allégeance comme un loup qui a peur d'un loup plus fort que lui. Il se rend penaud chez les Troms pour prévenir Tank que Tahül est passé avec sa bande.

Tank se courbe et se redresse :

— Je sais. Tu as bien fait de venir. Préviens-moi quand il revient.

Sno regarde l'œil de Tank qui bouge dans tous les sens quand il essaie de s'exprimer. Il voit Pouk mordue à la joue, et Jald assise, abattue de fatigue.

— C'est qui celle-là ?

— Elle ? Une Troms aux yeux clairs.

— C'est pas Jald ?

— C'est plus Jald. Maintenant je l'appelle ma cuonne.

— Non !
— Si. Elle a pas intérêt à réagir celle-là. Un coup dans les côtes et elle se tait ou je lui crève un œil. Comment vous supportez Sard, sa sœur ?
— Très mal, elle empeste.
— On va bien s'entendre Sno, parole de Tank.
— On va bien s'entendre Tank, parole de Snèks.
— Ah, toi tu dis « parole de Snèks » ?
— Oui. Je dis « parole de Snèks » et je représente les Snèks !
— Moi, c'est les Snèks qui me représentent !
— …

Après quelques grimaces d'allégeance, Sno retrouve Sonk.
— J'ai bien fait d'y aller. Tu vois, rien ne m'est arrivé. Leurs petites Troms sont superbes et cela ne moufte pas autour du chef.
— Alors ?
— On n'a rien à craindre d'eux, et on peut même aller jusqu'à leurs huttes. Par contre, si on voit Tahül ou n'importe quel Graül, on doit imiter le loup, ouhhhhh pour leur signaler.
— T'as pas fait ça ?
— Bien sûr que j'ai fait ça. On va pouvoir faire comme les lézards, sans craindre une attaque de Troms.
— Remarque…, répond Sonk en regardant un gros lézard vert qui ne bouge pas.

Ce lézard, comme tous les lézards, aime les endroits secs et bien ensoleillés. Il ne fait rien de précis sous la chaleur et se cache entre des cailloux quand il fait trop chaud pour son dos.

Celui que Sonk observe, allongé sur une belle pierre nichée dans les broussailles, lève soudain la tête. C'est un solitaire, pas comme les Snèks. Les Snèks se regroupent pour des tas de raisons qui les aident à survivre.
— Tu as vu ce gros lézard ? Les lézards sont très agressifs lorsqu'ils s'accouplent, autant que Tank. Ce gros vert et noir a été mordu par un rival, déclare Sonk.
— C'est ce qui attend Tahül, la morsure de Tank…

Sno imite les gestes de Tank et dit :
— Tu vois, je vais lui jeter des pierres à ce gros paresseux de lézard, et il va se mettre à courir vite, en se dressant sur ses pattes, la queue relevée. Tu vois, il fait du bruit dans les feuilles et ça me

fait du bien d'être craint et obéi. Ici, c'est moi qui commande. Au moins aux bestioles…

— Sno, tu vas pas devenir aussi méchant que Tank?

— C'est plus tentant qu'un bout de gras: commander!

— Comprends pas…

— Regarde, ça marche, il a tellement peur ce lézard, qu'il grimpe sur un arbre! Il a des griffes d'oiseau… Les lézards attendent la mouche qui passe, voilà ce que j'aime chez les lézards. Celui-là a plein d'yeux encore plus bleus que ceux de Jald sur sa peau.

— Et toi, tu as l'œil de Tank sur la tienne.

Deux lézards verts au ventre jaune montent sur une même pierre plate et se retrouvent nez à nez. Sonk voit d'avance ce qui va se passer. Le plus costaud fera fuir l'autre. Le gros ouvre sa gueule rose. Sonk parie sur celui-là.

— Moi non. Il a peur, dit Sno. Il ouvre grand sa bouche de rien du tout pour rien! Tu verras que c'est le plus mince et le plus malin qui va gagner…

Sno voit juste. Les écailles du plus massif sont mordues par le plus rapide! Ce n'est pas tout d'être fort, il faut être agile et prévoir les coups.

Prévoir, c'est une chose que les quatre clans aux quatre coins ne savent pas bien faire, à part pour la chasse qui empêche la faim.

Chez les Graüls, on va cueillir du sec à grignoter pour les mauvais jours. C'est tout.

Khaol a choisi de ne pas descendre par peur de se faire bouffer par une panthère. Elle continue à espionner et joue l'apaisement. Elle se décide à ne plus montrer ses dents à tous les mâles et sa grimace est plus avenante. Elle finit par se trouver bien dans le voisinage de Prah, qui lui montre toute sa force et lui propose de dormir au fond de la grotte, là où niche le hibou.

Les pierres sont trop dures pour Khaol et elle prend des poses de lynx.

Ils trouvent un endroit sablonneux proche de l'entrée de la grotte et pas trop venté.

Khaol se sent forte et elle oublie les quatre peaux de lapins qui ont envoyé Jald dans les griffes de Tank. Elle oublie la tristesse de Tahül. Prah lui convient.

Un petit lézard hors de sa caverne à sa taille chope un papillon, et retourne dans son trou. Un lièvre se fait prendre par un aigle.

Une biche se fait attaquer par des loups. Les chevaux broutent et galopent.

Le vent souffle. Rien ne semble changer.

Tahül voit des animaux préparer les temps où ils dorment pour fuir le froid. Ils engrangent. Le temps se radoucit. Tahül peut repartir avec la moitié du clan en direction des dents blanches de la montagne.

Tahül arrive chez les Ogrrs.

Il parle avec de grands gestes. Il explique à Aghir qu'il doit lui redonner ses chasseurs avant la fin des pierres de foudre.

— On en a reçu une énorme. C'est d'accord, on vient t'aider avec tes Graüls pour sauver Jald.

— Elle était énorme comment, la pierre tombée du ciel ?

— Comme ça !

— Tant que ça ?

— Tu veux la voir ?

— Oui ! Oui.

— Pourquoi tu dis : « Oui » et « Oui » ?

— Oui, parce que je réponds à ta question par « Oui », et « Oui » parce que je veux la voir.

— C'est curieux, curieux, de répondre, répondre !

— Pas tant, pas tant… On dit les choses souvent pour être sûrs ! Après, on redit.

— Les Graüls sont très curieux. Je vous ai vus monter et redescendre, affolés par un ruisseau de neige de rien du tout.

— On n'a pas les mêmes habitudes.

— Je te prête tes Graüls et tu me débarrasses de Maho. Un bon troc. C'est une vieille Ogrre. Elle s'occupe bien des petits. Ici, on n'en attend pas avant un bon moment. Alors…

— Comme tu veux, Aghir. Maintenant, montre-moi la pierre tombée du ciel…

— On l'a laissée ici, où elle est tombée, tombée du ciel…

Aghir lui montre une énorme pierre qui a la couleur d'une bouse de bison.

Autour, très peu d'herbe pousse.

Tahül sort la sienne, beaucoup plus petite et qu'il garde toujours sur sa poitrine :

— Kira, ma mère, m'a nommé « Ta ! Hull ! ». C'est le bruit qu'a fait la pierre en tombant sur une autre pierre, puis sur un os qui traînait dans les herbes quand je suis sorti d'elle…

— Moi, j'ai appelé ma fille « Poung », car elle est née une nuit de poung, poung, poung. Quand ça tombe après avoir éclairé le ciel, même de jour, les pierres font *poung* chez nous, pas *tah* ! À cause de la glace qui reste…

— *Poung*, quel drôle de nom. Quelle drôle de chute ça dû être.

— Cela faisait *ping* selon les autres Ogrrs. Moi, j'ai bien entendu *poung*.

— Et qu'est-ce que vous en pensez, vous, de ces pierres ?

— Que si tu es en dessous, tu te relèves plus.

— Non, je veux dire d'où elles viennent ?

— D'au-dessus ! Tu poses des questions étranges. À demain… Demain.

À la nuit tombée, Graba, un Graül bien dégourdi, vient chuchoter à l'oreille de Tahül.

— Je ne te comprends pas, Graba.

— Foudre. Ah…

— Demain tu me diras.

— Non. C'est urgent ! Comme les pierres de foudre.

— Demain, Graba, tu ne vas pas faire ton Ékorss…

— *Fffff*…

L'air pique de froid et les Ogrrs s'agitent. Aghir vient voir Tahül avec une démarche qui indique qu'il hésite. Une fumée sort de sa bouche et de ses narines.

— Tahül ! Nous avons un souci. Ton Graba a couché avec notre Fuen. Il ne veut plus repartir et Fuen ne veut pas qu'il parte. Qu'est-ce qu'on fait ?

— Je ne peux pas repartir sans Graba. Et on va pas séparer mon Graba et ta Fuen. Qu'est-ce qu'on fait ? C'est la bonne question…

— À la place de Graba pars avec notre Grub. Il est fort, très fort. Graba reste ici. Grub ! Tu remplaces Graba qui descend avec Maho !

L'arrangement fait naître des sourires qui durent. Les Graüls dégringolent de la montagne et Maho rechigne. Elle n'a pas le choix, Grub la pousse. Le clan des Ogrrs ne veut plus d'elle. Finalement, sa curiosité l'emporte : elle sera plus près de cette étendue qui brille, dont l'eau fait des grosses vagues, comme des écailles géantes, paraît-il.

— Y a beaucoup de petits chez vous ? demande Maho à Tahül.

— Oui. On n'est jamais assez à voir s'ils font une bêtise dans notre dos.

— C'est quoi « une bêtise » ?

— Un truc raté des bêtes…

— Je vois pas.

— Un cuon qui glisse sur de la glace et qui peut plus s'arrêter et se gèle la queue dans un trou, a fait une grosse bêtise. Un mammouth qui tombe dans un étang qui gèle, a fait une énorme bêtise. Un hérisson qui croque plus gros que lui et qui recrache son manger, une souris volante qui se cogne contre un mur pour voir ce que ça donne, ça c'est des bêtises qui font rigoler tout le monde.

— Ah ! Vous appelez ça des « bêtises ». Nous, on appelle ça « balourdise » ou « cuonnerie »…

— … Tu surveilles nos petits et tu manges avec nous. Pareil que là-haut. Qu'est-ce qu'il fait froid dans ton coin !

— Tahül, si j'ai compris, tu as besoin des hommes du froid pour lutter contre ton vrai ennemi. C'est quoi un vrai ennemi ? Nous, on n'en a pas. Je sais pas ce que c'est !

— C'est quelqu'un qui, au lieu de s'occuper de lui, ne pense qu'à te piquer quelque chose, alors que tout le monde sait qu'on n'a rien, sauf faim, froid, soif ou envie de dormir. Mon ennemi m'a pris Jald. Depuis, Gorki, mon fils, appelle sa mère !

— C'est tout comme ennemi ?

— Oui. J'ai un ami, son ennemi, c'est lui-même, il croit pas en ses groles, parce qu'avec les poils elles glissent et dévalent sans s'arrêter, surtout sur la neige.

— Des groles, c'est quoi ?

— C'est des poches à pieds, pour pas avoir froid aux pieds.

— C'est pas une bêtise, c'est pas possible, ça se saurait… Et ton ami, il peut pas être son propre ennemi, ça se saurait aussi !

— C'est à mon ami de décider, d'aimer ce qui en lui le pousse à faire des choses. On le comprend pas toujours, mais c'est un vrai ami ! Et lui, il est son ennemi, car il a plus peur de lui que de Tank !

— Vous êtes compliqués, les Graüls !

La troupe descend et passe par une immense langue pleine d'herbes. Le ciel rapetisse. Rien ne submerge plus le regard. Il faut faire attention aux cailloux qui roulent, aux eaux qui imprègnent la terre. Depuis que Jald n'est plus là, les Graüls sentent qu'un orage se prépare, un orage entre hommes !

Maho et Grub sont accueillis froidement.

Ékorss et Frao viennent toucher et renifler Tahül. Il sent la montagne. Il sent bon, et sa sueur s'est apaisée. Ékorss est celui qui décode le mieux les odeurs[1], non pour la chasse, mais par amitié…

1. Sur le site hominides.com et selon le magazine *Nature*, les bulbes olfactifs et les lobes temporaux plus développés d'*Homo sapiens* auraient contribué à son évolution dans un contexte social. Ces facultés auraient pu contribuer à la reconnaissance de parenté, à améliorer les relations familiales, à renforcer la cohésion du groupe et l'apprentissage social, ce qui aurait permis aux hommes modernes de progresser et de devenir la seule espèce humaine survivante. Ékorss est dans ce roman le début possible de l'embranchement vers l'*Homo sapiens*. J'en profite pour dire que les dialogues écrits au présent actuel remplacent l'impossibilité de dire les sensations et communications du présent des prénéandertaliens du pléistocène moyen et inférieur. Le flair et l'olfaction ont dû permettre des échanges entre hominidés. Nous disons bien, aujourd'hui, qu'on « ne peut pas sentir quelqu'un ».

38

Les vieilles Graüles et les vieilles Ogrres

Ces deux mots fatals: le mien et le tien.
Miguel de Cervantes

Fuen vit avec un Graül avec bonheur et Graba s'habitue aux sommets.

Grub ne s'habitue pas à la vision d'une plaine et Maho préfère la douceur du plateau, sa graisse qui la protège du froid fait d'elle la plus ronde. Ékorss se moque d'elle, car lui grelotte souvent.

— Tu n'as pas chaud parce que tu ne te démènes jamais et que t'as pas de gras. Moi, j'ai trop chaud ici.

— Maho, il fait froid ici. Les petits, tu leur cours après tout le temps, voilà pourquoi t'as pas froid.

— Chez les Ogrrs il fait froid-froid-froid. Ici il fait seulement froid-froid, je te dis!

— Tu parles trop dans le dur, et tes ordres sont souvent plus durs à suivre que ceux du vieux Gohr. Nos petits Graüls, tes piaillements les effraient.

— Toi, tu n'as pas dû recevoir d'ordres. Alors tu m'en donnes pas! Pas un!

— Pas de parents, pas d'exemples. Toi, Maho, tu dois répéter autant de fois qu'il y a de cailloux aux petits, gratte jusqu'à l'os. Grogne pas, c'est tout. Montre des exemples aux petits. Toi, on dirait un vieil ours pas content quand tu couines dans leurs oreilles.

— C'est quand je ne suis pas contente. On ne joue pas avec la nourriture ! Jusqu'à ce que ça rentre, je crie hiiiiiii.

— Vois ça avec Kira. Elle a l'habitude. C'est elle qui m'a protégé.

— Je croyais que tu n'avais pas eu de parents.

— Je ne sais pas leur tête. Je ne sais pas leurs yeux, leurs mains, leurs cris. Kira m'a eu avant Tahül. Elle m'a donné au monde. Elle crie pas. C'est Gohr qui m'a trouvé en bas...

— On voit le résultat. Il paraît que tu fabriques des poches à pieds ?

— Et à mains, et je me les garde.

— Je vais voir Kira.

Kira se rappelle les vieilles Graüles et les vieilles Ogrres qui s'étaient rencontrées après une neige qui avait duré le temps de mettre un petit au monde. C'était un temps plus tranquille, qui se recopiait de lune en lune, de lézard en lézard. Aujourd'hui, Tahül met en danger tout le clan à cause d'une Troms aux yeux bleus. Il devrait oublier Jald. Maho est pénible. On n'entend que ces cris : « Jette pas ça, mange pas ça ! Reste tranquille. Bouge pas. »

— Eh Maho ! Tu nous casses les oreilles ! Parle aux miens avec les mains, lui dit Kira.

Tahül devient fou.

Il veut Jald, comme les poux veulent se chauffer dans les poils, comme les chevaux qui galopent aiment pénétrer ensuite l'eau fraîche des étangs, comme le vent qui ne s'arrête pas de souffler.

— Oublie, Tank, oublie Jald ! Kira est inquiète, dit Gohr à Tahül. Accepte. Tank a Jald. Jald n'est plus la même. Ça sert à rien de la chercher. Elle est changée. Tu veux pas une autre Jald ?

— Je suis dans ma tête à sa place, là-bas. Et si elle a changé, je change avec elle. Je suis fort, et je peux répliquer à Tank.

— Pourquoi ?

— Gorki doit avoir la chasse en tête, et être comme moi : fier, brave.

— Tu es brave ! Ne retourne plus vers les Troms et les Snèks. La grande eau bleue fait peur car personne ne sait où elle finit ! Attends qu'on aille à Alekhta.

— L'histoire d'Alekhta, je n'y crois pas ! Autant me montrer un bison blanc.

— Détrompe-toi, ça existe !

— Je ne crois pas qu'une eau rende invincible. Tank y serait déjà allé.

— C'est un Troms habitué au monde des lézards, il n'est pas fait pour la montagne et Alekhta, il ne connaît pas.

— Tank ne doit pas avoir le dessus et se mettre à la place de tous ! Et toi, ne te mets pas à ma place ! Jamais !

— Tahül, pauvre Tahül, tu ne peux rien changer, faire remonter les pierres de foudre d'où elles viennent ! La pluie mouille, et le froid gèle. Contente-toi de savoir ça…

— Et si Tank te prend Kira ?

— Il n'a pas essayé. Il ne veut pas Kira ! Il veut une Troms, sa Troms. Tu as volé une Troms !

— C'est toi qui m'as dit de partir en chercher une !

— Et alors ? Alors, ça a fâché Tank, que tu choisisses la plus belle.

— Il n'est pas fâché, il est *foum*.

— « *Foum* » ?

— Fou-méchant.

— Déjà qu'on n'a pas beaucoup de sons pour se comprendre ; ne complique pas les choses. Ce ne sont pas ceux qui se battent qui savent parler du combat, ils se battent. Toi, tu compliques, tu compliques tout, même avec nos petits sons. Pourquoi ?

— Gohr, père, chef, tu veux subsister ?

— Oui.

— En moi subsiste l'envie, l'envie de Jald veut subsister en moi. On n'enlève pas l'envie comme on jette une carcasse… L'envie reste avec nous tant qu'on est en vie.

— Tu as des Ogrrs pour t'aider. Alors ne tarde pas à les convaincre ! Je te laisse faire… Ce que ça donnera ?…

Tahül connaît tous les lieux du plateau où des bêtes sont tuées pour être mangées ensuite. Il ne connaît pas le lieu exact où se trouve Jald, ni comment il la délivrera. Avec l'aide des Ogrrs qui n'ont pas froid aux yeux, il y parviendra. Il le veut.

Tank préfère la charognerie au combat de face, il faudra ruser avec lui, essayer de prévoir, essayer le futur… Ne pas demander quel Graül a crevé l'œil de Tank…

Épuisé, Tahül s'endort sur des genoux de pierre et entend Maho et Kira raconter leurs vieilles parlotes. Il sait leurs gros seins sur leur gros ventre, leurs fesses si rondes qu'elles peuvent rester assises longtemps sans avoir mal. Jald était ronde, ronde et belle, jeune, puissante, une vraie marcheuse-coureuse. De son ventre est sorti Gorki, puis Khi.

Des bouches des deux vieilles sortent de vieilles histoires de femelles :

— Et alors tu crois que les vieilles Graüles sont plus malignes que les Ogrres ? Laisse-moi ricaner. Crr, crr crr... Arrête tes mimiques, je les connais. Nous, on va à la chasse avec les hommes, on reste à regarder, parfois on répare les épieux. On est mieux chez les Ogrrs qu'ici. Et nous d'abord, on porte les petits sur nos fesses, et ils s'agrippent. Nous, on n'a pas vos poches à chiards par-dessus le ventre.

— Nous, on a Ékorss qui nous fait des peaux pour les porter devant, quand ils sont petits, et après ils marchent tout seuls.

— Et nous en montagne, on est plus grosses et on a moins froid que vous.

— Nous, vous, nous. C'est tout ce que tu as à dire Moâ ?

— Maho ! Moi, c'est Maho !

— Tu n'as pas encore nourri de tes seins ! Et tu es vieille et tu conseilles...

— J'ai trouvé un Graül qui trouve ça bien.

— Celui qui a une tache sur le ventre ?

— Manka.

— Manka, c'est ça. Ne t'occupe pas de Gorki. C'est moi uniquement. Tu le surveilles de loin, c'est tout.

— Gorki est comme Tahül : il bondit, il agite ses yeux en tous sens et renifle. Il ne tient pas en place. Les Ogrrs, ils ne supportent pas ce genre de petit !

— Ne viens pas te fourrer dans mes pattes quand Gorki est avec moi. Avec moi, il me suit, parce qu'il me connaît. Je crie pas, moi !

— Nous on descend, on monte, on grimpe partout ! Même pas peur ! On crie si on veut.

— Maho, nous, les Graüls, on a les plus beaux galets, les plus belles pierres noires et les plus beaux éclats. On n'a pas besoin de se cacher en permanence à craindre une armée d'ours ! Manka te dira et tu verras qu'on est mieux ici. Tu ne m'as même pas épouillée pendant la conversation !

— On n'est pas des proches !
— On ne le deviendra pas, tu as l'odeur de Khaol.
— C'est qui Khaol ?
— Une jeune Troms.
— J'ai l'odeur d'une Troms ? Moi ?
— Je peux pas la sentir, comme toi. Je préfère encore la viande qui a passé plusieurs jours dehors, que ton odeur sous le nez…

Tahül fait une petite grimace de satisfaction. Kira est ferme et ses expressions empêchent le clan de se défaire comme une vieille peau laissée sur la glace qui se craquelle. Il pense que la nouvelle Ogrre se fera aux Graüls, qu'elle perdra son aspect rugueux. Manka est de bonne volonté, il la calmera. C'est lui, Tahül, qui a du mal à se calmer.

La nuit, il fait un rêve terrifiant.

— C'est par toi qu'arrivent le partage et le sang. Tu as volé Jald. Jald a été revolée, tu veux re-revoler Jald. Cela ne s'arrêtera jamais. JAMAIS ! Les Graüls seront détestés pour les lunaisons à venir. Les Troms gagnent toujours. Tank fait peur, Tank est plus fort que toi ! La peur est plus forte que tout !
— Qui es-tu ?
— Les oreilles et la bouche de la montagne. Tu peux me gravir ? Tu ne peux pas atteindre mes dents. Jald est le fondement !
— Quel fondement ?
— Jamais tu ne comprends !

Tahül gravit une montagne qui n'existe pas, toujours la même, celle de ses cauchemars. Lorsqu'il dépasse les pieds de la montagne, des ours se dressent et montrent leurs dents qui sont en silex. Tahül veut se cacher dans une grotte, et il voit à l'intérieur des fleurs vertes prises dans les glaces. Ékorss apparaît, l'air triste de celui qui a échoué à faire des groles ou des porte-vieilles Graüles ou Troms. L'eau d'Alekhta coule derrière lui. Il suffirait d'arriver à la source, de se baigner, puis de boire pour gagner. Tank tient Jald par les cheveux d'une main et boit à la place de Tahül. Il devient fort, si fort, que la montagne frémit sous ses pas. Ékorss se met à courir. Tank est devenu un géant ! Tahül se réveille, il y a plein de vieilles Graüles et de vieilles Ogrres qui se font face et se lancent de vieux champignons mous et malodorants. Gorki appelle son père.

— Les champignons, je n'aime pas les champignons ! Je veux de la viande de mouflon !

— Gorki ! Je suis là !

— Pas Jald. Prends sa place.

— Mets-toi à sa place, on dit. Ékorss dit.

— Je veux ma maman.

— Tu la retrouveras.

— Un ours haut comme deux Graüls est derrière toi.

— Je ne le sens pas.

— C'est Tank ! Tu as peur, devant moi, Gorki, le petit.

Une pluie de pierres de foudre s'abat sur Tahül. Elles fondent. Ce n'est que de la glace. Tout se glace, les fleurs, les visages, les mains, les peaux. La glace envahit tout, les veines, les rivières, les bouches, les grottes, les nez. Les Graüls pleurent ; leurs larmes se glacent.

Tahül rêvait encore dans son rêve !... Il prend peur. Il a peur de lui-même.

Il se réveille trempé de sueur. Jald n'est pas là pour l'épouiller et Gorki dort comme une pierre. La lumière du jour pénètre peu à peu dans le ventre de la terre qui les abrite tous. Gohr ronfle, Kira a des soubresauts. Ékorss dort dans une drôle de position auprès de Frao.

Tahül respire mal. Il sort pour cracher dehors où les excréments de tous font des taches au sol. Tahül hurle :

— Sans toi, tout est laid !

Les vieilles se réveillent, puis les vieux Graüls. Ce sont les Graülots qui peinent le plus à commencer la journée.

Maho grogne plus gentiment. Un aigle repère la vallée. Un lynx attend sur sa branche, le ciel est sans nuages.

39

Ékorss, Frao et la pierre de foudre

Près d'un millier de blessés après une pluie de météorites en Russie.
La Dépêche du 20 mars 2012

L'esprit libre et curieux de l'homme est ce qui a le plus de prix au monde.
John Steinbeck

Frao craint l'eau, même celle des cascades. Ékorss a trouvé plus faible que lui, Frao est fragile, sauf par sa voix caverneuse qui tranche avec toutes les autres voix très aiguës. Il lui montre qu'elle ne doit pas s'approcher du lac trop profond, qu'elle peut juste marcher au bord, dans l'eau, et qu'elle peut s'enduire d'argile. Ékorss prend Digr, son fils, pour témoin. Ékorss partage ce qu'il sait. Frao doit craindre la foudre et les bolas de glace qui tombent sur la tête, mais pas lui, Ékorss, ni toutes les questions qui peuvent arriver. Ékorss aime les questions, il n'a pas de réponses à décortiquer, que des questions sans fruits…

Il regarde et renifle la caverne molle de Frao. L'odeur le fait revenir de ses questions. La réponse : c'est l'odeur de Frao, du monde ! Frao n'est pas Gueul, mais elle vit ! Frao vient vers lui sans ricanement. Ékorss se sent bien. Il s'approche du clan où se sont installés les Ogrrs qui prennent des forces et avalent des rennes entiers. Digr voudrait les suivre.

Ékorss voudrait calmer Tahül. Il ne sait que faire. Son ami enfonce sa tête entre les épaules, tel un vieux rapace. Même prêt au départ, il guigne le sol. Lors d'une attaque de bison, Gohr s'inquiète et place Tahül à l'arrière. Un jour Tahül oublie sa pierre de foudre et Ékorss ne peut s'empêcher de la regarder et de s'en saisir. La pierre est lourde. Il la regarde comme une question. D'où vient-elle ? Pourquoi brûle-t-elle en l'air ? Pourquoi ne brûle-t-elle plus sur terre ? Pourquoi toutes les pierres de foudre vont-elles plus vite que n'importe quel cheval ? Certaines éclairent le ciel en pleine nuit. Cela effraie tous les Graüls. Certaines pierres de foudre sont énormes et pleines de trous, d'autres sont lisses. La pierre de Tahül est particulière, on dirait de la peau de cerf pour la couleur, mais elle est devenue froide comme le temps. Quel vent l'a décollée et d'où ?

Ékorss place sa tête entre ses mains et ne regarde plus la pierre de Tahül. Il la sent sous ses doigts ; il la voit en la touchant. Il la pose devant lui, entre les herbes qui fléchissent. Aucun vent ne pourra soulever la pierre de Tahül, car elle est très lourde. Pourquoi là-haut, c'est possible ? Frao, qui s'approche d'Ékorss, s'empare de la pierre de foudre.

— Touche pas à ça ! C'est Tahül, qui l'a oubliée.

— Qu'est-ce que c'est ?

— De la pierre fulgurante. Tu en verras aux jours qui brillent. Elles tombent sur nous, sur tout. Il faut pas être en dessous.

— Je sais. Et pourquoi il en a une, lui, Tahül ?

— Parce qu'il aime les pierres de foudre. Il est venu au monde avec ! C'est des pierres qui viennent de là-haut, on ne sait pas comment, on ne sait pas pourquoi ?

— Tout ça te bousille la tête. Tu ressembles à un vieux Graül quand tu fronces les sourcils.

— Donne-moi cette pierre.

— Non, je veux la garder, la regarder.

— Donne-moi cette pierre ! Frao !

— C'est vrai qu'elle n'est pas comme les autres. C'est un œuf ? Elle est douce, avec des trous doux dedans.

— Elle est à Tahül !

— Il n'est pas là, il n'en sait rien ! Et une pierre est à personne ou à tout le monde.

— C'est vrai. Ce qui n'empêche, va remettre la pierre de Tahül, là où il a laissé sa fourrure de renard.

— Non. Je trouve que cette pierre, elle serait bien pour écraser la viande pour les petits, pour faire des petites bouchées.

— Frao, tu es très gentille de penser aux petites dents des petits. N'oublie pas que Tahül porte cette pierre sur lui.

— Elle est autant à la terre qu'à moi, qu'à lui, qu'à tous. On n'a rien à soi.

— Vrai. Il y a une ex...

— Une ex quoi ?

— Je dois inventer l'idée... Une exception, voilà... Je te montrerai une plus grosse pierre, qui se trouve sur le chemin des silex, mais laisse celle-là tranquille.

Frao semble obéir. Son geste dément sa résignation.

— Il faut qu'elle reparte d'où elle vient !

Frao lance la météorite vers le ciel et celle-ci retombe en contrebas. Ékorss hurle. Quelle trahison à son ami ! Il ne devait pas sortir la pierre de sous les peaux de renards. Frao ne devait pas la prendre dans ses mains. Tahül a volé Jald aux Troms et depuis, rien ne va comme avant. Tahül n'a pas enlevé Jald, Jald est partie. Pourquoi elle ne repart pas du territoire des Troms ?... Ékorss craint le pire... Avant, c'était toujours simple. La vie était dure, mais il n'y avait pas de choses insurmontables. Avant, un jour était un jour. Maintenant un jour contamine les autres. Tous les jours toussent, malades d'hier... Les jours forment comme une pelote de chouette[1], et chaque pelote n'appartient pas au futur avant d'être au présent. En fait, les pelotes grossissent et on ne les voit pas. Elles contiennent de bons et de mauvais souvenirs, quand on a le temps d'y penser. On est souvent coincé dans la pelote et on dit qu'elle n'existe pas.

Ékorss descend à grand-peine vers la vallée, pour retrouver la pierre de Tahül. Ses yeux captent chaque chose non habituelle. Mais la pierre du ciel ne brille pas, la pierre sombre continue peut-être de rouler. Jusqu'où ? Un tourbillon de vent roule en

1. Les pelotes de réjection sont des boulettes de régurgitation de forme ronde, que les rapaces ou les oiseaux comme les goélands, les corvidés recrachent sans les digérer. Ces pelotes sont très intéressantes pour étudier les contenus alimentaires et indiquent les proies par les poils, les os, les coquilles, régurgités. On retrouve ces pelotes près du nid.

boule quelques herbes et du sable pénètre dans les yeux d'Ékorss. Il pense à Tahül. A-t-il oublié qu'il a oublié la pierre du ciel ? Faut-il qu'il lui dise que Frao l'a jetée en l'air et qu'elle a roulé sans s'arrêter ? Jusqu'où ? La pierre est quelque part. On ne la voit pas, mais elle existe, bien plus que la pelote des jours et des nuits. Comme lui, Ékorss, elle est quelque part ; même si on ne le voit pas.

Ékorss ne peut aller où vont les monstres à quatre pattes qui ne feraient qu'une bouchée de lui. Il espère retrouver la pierre en remontant : elle se sera coincée entre des racines, au fond d'un creux. Le souffle d'Ékorss fait un bruit de renâclement. La peur monte en lui, en même temps que celle qui naît lorsqu'il découvre ce qui reste à gravir jusqu'au plateau. Sans protection, sans épieu, il se retourne pour regarder dans une autre direction. La pierre de foudre restera perdue. Perdue comme Jald !

Frao crie. Elle ne voit plus Ékorss, et sans lui, elle redevient une étrangère au clan. Elle se mord les doigts. Elle a peur. Peur de retourner chez les Ogrrs et leur grand froid. Elle se mord les ongles. Frao se cache.

Ékorss, les mains ensanglantées, retrouve les Graüls qui pactisent avec les Ogrrs, et Tahül qui n'en peut plus d'attendre d'aller délivrer une Troms aux yeux bleus, pour qu'elle se sente libre chez les Graüls.

— Où étais-tu passé ? ronchonne Tahül.

— Là où les pieds se défilent…

— Tu es parti à la chasse aux papillons ?

— …

— Tu trembles et tu saignes. Qu'as-tu fait ?

Ékorss ne dit rien.

Sa nuit est un cauchemar.

Sa journée est un cauchemar.

Ékorss n'ose plus regarder ni Tahül, ni Gohr, ni Frao.

Tahül cherche sa pierre, et ne la trouve pas ; il n'en parle à personne.

C'est Frao qui n'en peut plus et qui dénoue la raideur qui serre la gorge d'Ékorss, et elle se précipite vers Tahül :

— Je n'en peux plus !

— Moi non plus, Jald et ma pierre de foudre, toutes les deux ont disparu.

— Il faut que tu saches…

— Quoi ?

— Ékorss va mal. Il referme son corps sur lui-même, tu as vu ?

— Oui, j'ai vu.

— Tu veux savoir pourquoi ?

— Frao, dis ce que tu as à dire, on doit partir chasser.

— Il a vu ta pierre.

— Ah oui, où ça ?

— Dans la vallée, elle a roulé.

— Comment, elle a roulé ?

— Il l'a vue dépassant de ta peau de renard.

— Et ?

— Et il l'a regardée de très près.

— Et ?

— Et il l'a posée à ses pieds.

— Et ?

— Et, j'ai voulu la prendre. Elle est à personne cette pierre, et j'ai lancé la pierre de foudre pour voir comment elle s'enflamme, si elle sait remonter au ciel…

— Tu ne devais pas !

— Et toi, tu ne devais pas enlever Jald. Voilà où cela nous conduit. Ékorss a cherché partout. Toi, Tahül, tu n'as peur de rien, alors tu peux aller plus loin que lui, que la fin des épineux et des hautes herbes, là où passent les troupeaux… Plus loin.

— Pour retrouver ma pierre ?

— Oui, pas pour ramasser des salades !

— Frao ! Tu dis ce qu'il faut dire, et je dis ce que j'ai à faire !

— Si je n'avais rien dit, tu ne saurais rien.

— Peut-être que ce serait mieux. La pierre, elle me protège, elle est un peu moi. Elle me manque.

— Retrouve-la ! Tu la connais.

— Frao ! Va chercher Ékorss, vite !

Frao se dépêche et trouve Ékorss, la tête enfouie sous ses bras.

— Ékorss, tu peux dormir tranquille, c'est Tahül qui est énervé maintenant.

— Tu lui as tout dit ?

— Tout.

— Et alors ?

— Il veut que tu coures vers lui, avant la chasse.

— J'ai compris.
— Tu as compris quoi ?
— Notre amitié est fendillée comme un œuf de lézard à yeux bleus.
— Qui a marché dessus ?
— Moi, puis toi ...
— Tu n'as pas envie de...
— De quoi ?
— De voir ce qui se passe ensuite ? C'est pas toi qui veux du futur ?
— Ce qui est grave, c'est de perdre un œil, un bras, une jambe, un ami. Toi, Frao, tu trouves que dans les vieux cerfs, il y a un os dans le cœur. C'est du cartilage... Le futur, c'est ne pas savoir, même si l'on sait un peu, c'est prévoir.
— C'est bien ce que je dis ! Tu perds ton temps à tout observer.
— Je vais voir Tahül, tu me glaces les pieds à la fin !

Tahül regarde le fond de la vallée et ressent l'absence de sa pierre comme un signe, signe qu'il a perdu Jald. Ékorss s'avance à la façon des faibles cuons.
— Je sais, pas la peine de tout me dire encore.
— Je voudrais faire quelque chose pour toi. J'ai fendillé notre amitié.
— C'est Tank, c'est pas toi. Tank est cause de tout, et moi, j'ai agi par attraction pour Jald. Et je ne vais pas me répandre en excuses auprès des Troms. Cette pierre, je dois la retrouver. Je la retrouve, et notre amitié demeure.
— Tu peux la retrouver ?
— Dans quelle direction elle a roulé ?
— Vers les deux jambes de la rivière.
— Au retour de la chasse, je passerai par là. Aujourd'hui, on chasse le vieux cerf.
— Ah, le vieux cerf ?
— Cela te dérange ?
— On s'est débattu comme des bêtes, Frao et moi, au sujet du cœur. Elle croit qu'il y a un os dedans.
— C'est juste plus dur que de l'oreille, mais ce n'est pas de l'os ! Quelle cuonne ta Frao ! Heureusement, ce n'est pas une méchante. Ne la boude pas trop.

— Tahül, retrouve ta pierre et vite ! Et tous les Graüls et les Ogrrs d'ici t'aideront à reprendre Jald.

— Ékorss, je la connais tellement bien que je la retrouverai ma pierre.

— Et puis Jald.

— Et puis Jald. Jald que je connais encore mieux. Jald…

Il rumine et de ses pieds fourchus il marque son territoire. Le très très vieux cerf marche tête basse jour et nuit. Il ressemble à Ékorss. C'est lui que cherchent les Graüls. Il est encore bien vigoureux. Ékorss pense que Tahül va le frapper en pensant à lui, à sa trahison. Quand il sera blessé, ils porteront la dépouille, ils ouvriront le ventre pour distribuer la bête par morceaux. La panse sera vidée, le membre génital observé et lui ne prendra rien, il ne mangera rien.

Tank chasse les animaux comme il s'attaque à Jald. D'après lui, beaucoup de mâles chassent mais préfèrent goûter aux fesses d'une femelle. Il rêverait bien d'une chasse aux femelles, car Jald le déçoit beaucoup. Elle est comme les autres, et, en plus, elle ne le craint pas vraiment. Elle se laisse atteindre et reste prostrée. Il n'aime pas qu'on lui résiste, il apprend que c'est encore plus dur quand on ne lui résiste pas.

Gohr et Tahül se partagent les premières côtes après le cou du cerf. Le reste est trop dur à mâcher. Kira se plaint, il aurait mieux valu une jeune biche pour ses dents.

Ékorss se gratte la peau jusqu'au sang et Frao l'épouille pour l'apaiser.

— Rien ne te calme.

— Mes rêves rient de moi, mes rêves m'effondrent.

— Tahül finira par trouver sa pierre. Je l'ai touchée. Elle est douce…

— Moi, je perds un ami, c'est dur. Je l'ai blessé par maladresse.

Ékorss baisse les yeux. Frao soupire. La nature s'empare vite des choses sans vie. Des herbes ont poussé et un gros lézard s'y dore. Ses yeux bleus inscrits sur sa peau ressemblent à de vrais yeux.

Tahül passe devant, sans voir la pierre de foudre, cachée par les herbes.

Tahül passe encore devant sans rien voir.

Les herbes poussent encore. Puis viennent le vent, la pluie et les coquilles qui glissent si lentement.

Les Ogrrs perdent patience, certains repartent vers les hauteurs. Les plus proches des Graüls restent avec un certain plaisir pour la viande de bison…

Après une mauvaise chasse, Tahül baisse le front, et soudain, il butte contre la pierre de foudre. Il la reconnaît, la saisit et la garde contre lui.

— Jald, je te reprendrai à Tank !

Le groupe l'attend, il soulève la pierre vers le ciel, comme il l'avait fait avec son fils Gorki, avec sa fille Khi.

Lorsque tous les Graüls sont réunis et assis, il appuie la pierre sur la tête de Frao de plus en plus fort.

— Qui me fait peser une montagne sur ma tête ?

— Moi…

— Pourquoi ?

— …

— Je l'ai retrouvée pour qu'Ékorss cesse de geindre en dormant ! J'ai retrouvé la pierre de foudre ! Ékorss !

Ékorss ne répond pas. Il sourit et danse, danse, danse. Il fait des mouvements désordonnés que personne ne comprend, il libère son corps d'un poids invisible qui l'empêchait de respirer. Il imite la parade des oiseaux, des cerfs, le vol de l'aigle, tout en même temps.

— Qu'est-ce que tu fais, Ékorss, tu es malade ? demande Gohr.

— Je saute, je plane, je pique, je ressaute.

— Pourquoi ?

— La pierre de foudre est retrouvée ! Une chose est accomplie. Tahül a une meilleure expression ! Il va retrouver Jald aussi !

— Tu referas ces gestes quand Jald sera retrouvée et sera au milieu des Graüls, lui dit Tahül. Tu pourras même onduler comme le serpent si tu veux.

— Tu tourneras aussi sur toi-même ?

— Jusqu'à en tomber dans les bras de Jald.

— Moi, dit Frao, le visage soudain calme, je ferai les mouvements de la plante qui sort de terre, pousse vers le ciel, sèche et retombe en terre. Chaque fois que je bouge, je fais tomber quelque chose… Montre-nous la pierre de foudre, Tahül.

— Elle est sur moi, contre ma peau. Je ne la quitte plus.

Ékorss se gratte la tête et regarde Tahül.

— On la voit sans la voir. Elle est de retour sur toi. Frao fera des mouvements si lents que Jald aura le temps de faire un enfant. Frao ne cassera plus rien, ne jettera plus rien. Frao n'aura plus de mains !

Tous rient. C'est un ciel délavé, un air sans sable, qui accueille les petits cris de Graüls.

Tahül n'a plus qu'une idée : serrer Jald contre lui, et passer ses mains fendillées sur sa peau douce comme la pierre retrouvée, passer ses mains sur son ventre, ses seins, ses joues, ses bras, ses doigts, ses jambes et remonter jusqu'à sa bouche. Il sera prêt à être Tahül de l'intérieur, à sa propre place. Enfin !

Jald et lui iront à la cascade proche, dans la montagne des Pogrs où l'eau chauffe la peau et l'adoucit. Ils seront grands, très grands, des géants. Ils exigeront de Gohr de se rendre à Alekhta. Enfin ! Petits face à la montagne, face aux troupeaux de bisons, ils seront grandis de l'intérieur. Un instant, Tahül ressent le monde, Ékorss, l'autour des choses, les odeurs de fleurs, la beauté d'une dent de cerf, d'une écaille de poisson. Un instant, il revoit tous les visages disparus. Tout échappe à tout, et les Graüls ne sont rien qu'une tige où poussent parfois des vies.

40

Tahül rêve de Jald

Il n'est rien de réel que le rêve et l'amour.
Anna de Noailles

Celui qui se transforme en bête se délivre
de la douleur d'être un Homme.
« Las Vegas Parano »,
Terry Gilliam, d'après le livre de Hunter Thompson

Tahül rêve de Jald toutes les nuits. Il a la force d'Alekhta, celle qui rend invincible. Il descend ensuite vers les Troms, mais une force encore plus grande le repousse. Tahül ne peut plus faire un pas. Au réveil, Jald n'est pas là.

Tahül a besoin d'Aghir. Maho lui donne son avis :
— Jald veut sauver Sard. Sinon, elle se serait enfuie. Une mère ogrre peut comprendre ça. Une Troms, je ne sais pas… Sûrement. Jald voulait Tank avant toi ?
— Non, c'est Tank qui la voulait.
— Ah ? Et tu veux prendre nos mâles pour reprendre ta femelle ? Ils attendent que tu te décides vraiment. Ils attendent sans attendre maintenant.
— Oui. Je dois remonter vers la dent creuse avec quelques Graüls. Il n'y a plus assez d'Ogrrs qui sont restés…

— C'est pas mon vieil Argoh qui aurait fait ça pour moi. Il est mort en fuyant un gros ours, et c'est une pierre de foudre qui lui a fracassé la tête. Tu parles d'un chasseur, c'était comme un champignon qui pousse que quand il pleut, c'est tout, un mou, un vrai mou, c'est!... Un jour, je suis tombée dans un lac, il a même pas pensé à me tendre une branche. Je suis restée dans l'eau. Seul mon nez dépassait.

Comme s'ils étaient avertis de la volonté de Tahül, les Ogrrs les plus forts sont de retour et s'avancent sur le plateau. Le vent passe. Les sons arrivent; les Ogrrs sont revenus et Aghir serre Tahül contre lui.

— Nous allons tous t'aider, avant que le froid nous oblige à faire l'ours... Nous allons d'abord t'éloigner de Tank, ton ennemi! Nous allons te montrer quelque chose d'extraordinaire.

— Et ça va m'aider à quoi?

— À voir les choses avec l'aide du territoire des Ogrrs. Plus haut!

— Plus haut, on ne peut pas affronter Tank... Il est en bas!

— Sur ton plateau, tu n'arrives pas à te décider et à voir bien. On y va!

— Où?

— Très haut.

— Tank est en bas. Je ne comprends rien! Aghir, c'est pas comme ça que je vais retrouver Jald!

— Ékorss dit vrai: tu es bon sans avoir les bonnes questions. Si tu acceptes mon plan, tu seras l'aigle qui fonce sur cet abruti de Tank!

— Tank n'est pas un abruti. Il est brut, méchant, méchant!

— Bien que chef, il est seul. Viens et décide après.

Gohr fait signe à son fils qu'il doit accepter.

Aghir est hirsute, crasseux, mais ses dents illuminent son visage. Le froid et la chaleur ont taillé ses traits, et ses cheveux gris en font un arbre qui marche... Aghir s'aide d'un épieu pour se hisser dans des hauteurs difficiles à atteindre. Tahül ne sait plus s'il veut engager ces Ogrrs contre Tank. Ils peuvent perdre un bras ou la vie pour Jald qu'ils n'ont jamais vue. Aghir le rassure:

— Les Graüls sont des bons chasseurs et se comportent bien. Nous avons des Graülogrrs maintenant. Si un jour les Troms nous volent un Ogrr ou une Ogrre, tu viendras à notre secours.

— Des Graülogrrs ? C'est quoi ?

— Les enfants de nos deux clans. Tu vas retrouver Jald.

— Où on va ?

— Là où les Graüls et les Ogrrs peuvent aller ensemble. Alors, on sera prêt pour attaquer Tank et ceux qui le défendront.

— C'est près d'Alekhta où on va ?

— Je ne crois pas à cette histoire d'Alekhta…

— Qui t'en a parlé ? Tu connais ?

— Frao et même Khaol savent que Alekhta existe. Il est impossible d'entrer dans une eau qui fait mourir les poissons et les plantes et qui rend fort les chasseurs. On est fort ou on ne l'est pas…

— L'eau qui rend invincible n'existe pas, alors ?

— C'est comme vivre sur un nuage ou manger du vent ! Allez ! En avant vers la hauteur qui t'aidera à te décider, à décider.

La nuit ne fait plus se découper les silhouettes sur fond de ciel. Tout devient sombre. La nuit pèse et ferme les paupières de Tahül. Il rêve de Jald dans la montagne, celle d'en haut qui existe dans ses rêves. Il lui manque sa pierre qu'il cherche sans fin dans une forêt. Il ne peut traverser un torrent et voit Tank portant Jald dans ses bras. Il prend un autre chemin et arrive toujours au même endroit. Il saute sur des rochers, mais ne peut atteindre l'autre rive. Un torrent noir sépare Tank de Tahül. C'est Tank qui trouve sa pierre de foudre et rugit comme un fauve. Jald n'a plus de branche en fleur dans ses cheveux. Jald l'appelle, mais aucun son ne sort de sa gorge. Il fait des gestes qu'elle ne voit pas. Tahül se réveille. La pierre venue du ciel est toujours sur sa poitrine, elle a légèrement glissé.

L'air se réchauffe un peu et les Ogrrs s'agitent. Il est temps de partir vers cette destination inconnue qu'Aghir veut faire connaître à Tahül.

Les voilà qui montent au lieu de descendre.

Tahül grogne. Salv, celui qui marche à ses côtés, lui dit qu'on voit parfois la mer de là-haut, tout là-haut. Tahül ne le croit pas. Salv lui raconte le volcan Crotz.

— C'est la montagne qui éclate par plusieurs bouches. Elle a des dents creuses très méchantes qui crachent un sang gluant et rouge la nuit. Les langues de feu, tu verras. On voit loin, lorsqu'on est loin et haut.

— Il y a aussi des eaux chaudes ?

— Oui, mais Aghir dit qu'il ne faut pas s'y arrêter si tu veux voir Jald. Juste Crotz ! De la grande hauteur, tu peux voir où est Jald.

— De si loin ? C'est impossible. Voir où se trouve Jald après avoir autant marché, c'est impossible.

— Aghir ne ment pas…

Tahül voit le volcan cracher. Il se sent oiseau, il vole tant il voit loin. Lorsque tous repartent, la bouche de feu semble s'éteindre et se taire. Tahül comprend ce long détour. Les aînés voulaient voir si les Troms n'avaient pas préparé un piège à Graüls. Et le volcan, c'est Tank. Il faut être sûr de pouvoir s'attaquer à un violent… Tahül a vu la mer encore plus grande et pourtant plus petite, il a vu les huttes des Snèks et des Troms, il a compris qu'il était loin de Jald, trop loin. Sa rage a grossi et lui donne de la force dans les jambes pour refaire le chemin dans l'autre sens.

Tahül repart, accompagné des Ogrrs les plus vigoureux. Ils bifurquent en direction de la mer sans faire halte à la Grotte-Mère. Salv s'inquiète :

— Tu veux pas trouver une autre Jald ? Tu risques de t'épuiser. Je vois beaucoup de Troms en bas, des fourmis repues pleines de force.

— « Repues », ça veut dire quoi ?

— Qui ont eu des repas sans se fatiguer.

— Je ne comprends pas. On ne doit pas utiliser les mêmes mots.

— Si. Repues, gavées. Des fourmis qui ont bien bouffé, quoi !

— Ah, bouffer, ça je comprends.

— Là, j'engloutirais bien trois côtes de n'importe quoi.

— Salv, écoute. Arrêtons-nous là. Vite…

— Je ne vois rien.

— Moi non plus, mais je sens… Plus un bruit. Tous ! Aghir. Tous à plat ventre…

Tahül sent l'odeur de Jald. Elle est passée par là… Quand ? Est-elle encore proche ? Tahül demande à tous de ramper sans aucun bruit. Ce grand chasseur sait être discret, lent. Il se relève quand aucun ennemi ne peut les voir. Pas après pas, il perd, retrouve, renifle l'odeur de cette Troms qu'il veut, qu'il veut voir, qu'il veut voir retrouver le plateau des Graüls. Il imagine un instant son visage, sa peau, ses yeux, ses mains, son ventre, tout d'elle !

Un Snèks a repéré quelques éboulis, puis aperçu la silhouette de Tahül. Il en a parlé au fils du chef des Snèks qui en a informé son père. Sno se glisse dans le territoire des Troms et demande à son fils de prévenir Tank.

— Burok, vas-y, c'est un investissement de bonne entente avec eux. Tu prends ce que tu trouves de bon en échange. Vas-y mon fils. J'ai pas envie de voir Tank en ce moment.

Burok longe la mer et bombe le torse. Lorsqu'il trouve un Troms qui se chauffe dans la position du lézard, il se fait bien comprendre :

— On se bouge, là ! J'ai à parler à Tank.

— Il dort.

— Va le réveiller.

— Il veut pas qu'on le réveille. À part le tonnerre… Il excuse pas.

— Il va t'en vouloir !

— Non.

— Si, il va t'en vouloir ! J'annonce aux Troms l'arrivée des Graüls, de Tahül et des Ogrrs.

— Je demande.

— Tu le réveilles, et tu lui demandes ! dit Burok en apercevant un magnifique dauphin échoué.

— Tank, Tahül arrive ! Tahül cherche Jald partout.

— Il est seul ? demande Ksiss.

— Accompagné par des Ogrrs.

— Préviens les plus forts, exige Tank.

Tank sait maintenant que Tahül le cherche pour lui reprendre Jald. Il le bernera définitivement. Il est comme une araignée dans sa toile qui a attendu que les fils se mettent à vibrer. Il sait ce qu'il a à faire, il ne bouge pas. Il attend que Tahül soit très proche de lui. Il demande à Pouk, la fille de l'ancien chef, de veiller sur Jald, pour qu'elle ne se montre pas avant qu'il ne lui donne un signal, puis il se plante face à Ksiss.

— Je reconnais son odeur ; Tahül approche. Ksiss, tu fonces sur lui, tu lui donnes un bon coup sur la tête et tu files, et moi je profite de la surprise et je termine la chasse au Tahül !

Tahül sent la présence de Jald. Il la renifle de loin, tel un cerf en rut. Il n'en peut plus d'avoir attendu ce moment. Il veut étreindre Jald, la ramener chez les Graüls.

Tank sait qu'il a gagné. Il s'emplit d'air et crie :

— Fille de Krah !

— Oui, Tank ?

— Sors-la immédiatement ! Dis à Jald de marcher par là.

— Pourquoi ?

— Elle va enfin être contente d'avoir des yeux... Jald, y a ton Tahül par ici ou par là !

Tahül voit Jald qui marche vers lui. Elle ne le voit pas. Salv comprend le piège, mais il est trop tard.

Ksiss cogne Tahül, Tahül voit Tank, trébuche, sa pierre de foudre roule à ses pieds. Le sang inonde sa vue. Il étouffe et se traîne vers la mer, et un son sort de sa gorge qui veut dire :

— Jald, sauve-toi ! Cours vers nous tous, ils sont derrière moi...

Jald le voit, et trébuche.

Tank tient sa vengeance, il enfonce une pointe sous le cœur de Tahül qui s'effondre. La mer devient rouge dans ses yeux. Tahül s'accroche au rêve de Jald. Jald disparaît dans une mer de sang : ses propres yeux.

Les Ogrrs se précipitent sur Tank qui se plie en deux et retombe à plat. Il reste au sol, loin de tous, de tout. Il ne bouge plus.

Salv porte la dépouille de Tahül vers la mer et ses rouleaux. Tous reprennent un peu leur souffle.

Jald retrouve Rar et s'apprête à suivre les Graüls jusqu'à la Grotte-Mère.

Tahül n'est plus, mais Rar dit à Jald que sa fille Khi aime entendre parler de la mer et plonger ses yeux dans le ciel.

— Elle a les yeux clairs et porte une peau de lapin confectionnée par Ékorss.

Les étangs des Snèks et des Troms jouxtent la mer. Jald berce sa fille dans ses bras, comme si elle était là. Ses yeux sentent venir des vagues salées.

— Tahül !...

Ksiss lui a cassé les dents de devant, et Tank lui a pris son souffle. Tahül, d'un coup, est parti, tout en étant là. Tank l'a rendu au vent, aux langues, à la terre. Jald se redresse et prend le bras de Rar :

— Je dois retrouver ma sœur Sard chez les Snèks et redevenir troms. Nous apprendrons à vivre avec les Snèks.

— Ta fille est en haut, et tu dois aller en haut. Ensuite, tu fais ce que tu veux...

— ...

— Nous t'accompagnerons. Voilà les autres Graüls qui nous rejoignent. Ils font le signe. Ils ont assommé Tank. Il ne bouge plus non plus.

Jald nettoie le sang de Tahül et l'allonge dans la mer, la tête vers la montagne.

Tank ne craint plus rien et continue à faire le mort.

Plus tard dans le futur de Gohr : le paysage se déchire.

Gohr trouve son fils trempé dans l'eau de mer. Gohr pousse un cri.

Tank entend le cri. Il a gagné ce cri !

Tank se redresse. Tank marche. Il n'a plus peur. Il retrouve les Troms et son œil l'oblige à bouger sa tête pour intimer à tous l'ordre de lui obéir dans un grand silence. Il butte contre une drôle de pierre, celle de Tahül. Il la prend et la jette contre un rocher. Mais c'est le rocher qui s'effrite.

— Tahül ! Alors Tahül ? Tu veux jouer au plus fort avec moi ?

41

D'ICI LÀ

La sagesse, c'est d'avoir des rêves suffisamment grands pour ne pas les perdre de vue lorsqu'on les poursuit.
Oscar WILDE

C'est parce que les hommes ont cru qu'ils pouvaient se passer les uns des autres que le système économique s'est effondré, parce qu'ils ont préféré leur salut individuel aux disciplines des lois garantissant leur survie en commun.
Arnaud MONTEBOURG

Après la fin de Tahül, il ne reste plus que les os du bras à ronger. Le crâne évidé de Tahül semble fixer Ékorss.

Ékorss ne le supporte pas. Il prend la tête de son ami et la coince dans une cavité de la Grotte-Mère et il la bloque en hauteur. Ainsi, même disparu, Tahül restera le plus grand des Graüls. Il reste avec tous les Graüls. Il trônera au-dessus des carcasses.

— Gorki, ton père reste grand, dit Ékorss.

Gohr verse une larme. Toute la tribu des Graüls traite Ékorss de fou, ils n'ont pas compris ni vu la larme à l'œil de leur chef. Ils s'habituent à voir le crâne de Tahül. Ils parlent de Tahül et de Tank aussi. Ékorss se pose une question : pourquoi on mange le gras des crânes graüls, pour survivre ? Ou pour pleurer ceux qui disparaissent ? Certains insectes et certains animaux se mangent entre eux et mangent l'intérieur des têtes[1]. Mais les Graüls, ils font ça pour un lien entre eux maintenant...

Ékorss regarde le crâne de Tahül et crie comme un fou :

— Tahül, Tahül, j'aurai la peau de Tank, quitte à en crever ! Tahül.

Gorki détale et appelle Jald. Finalement, les Graüls iront au complet à la rencontre des Troms quand il sera temps.

Le temps est là.

Gohr dit que c'est le jour d'enlever Tank aux Troms, pour toujours. Gorki est aussi grand qu'à l'âge où Tahül avait découvert Jald. Le moment est venu !

Ékorss est l'ombre du chef Gohr qui décline, il l'aide à marcher. Ils se rendent à Alekhta avec la moitié du groupe des Ogrrs et des Graüls, ils ont décidé d'unir leurs forces.

Dikt meurt en chemin, il ne voit pas le long doigt pointé vers le ciel. Gohr prend cela pour un sexe d'homme, mais c'est l'ombre du doigt qui mène au ruisseau qui mène à Alekhta. L'ombre qu'il faut suivre est indiquée par une encoche que Dikt avait faite. Ékorss, le frêle guide, le sait, c'est sa fierté. Il sait sans savoir, il a poursuivi son rêve fou de trouver un lieu où personne ne peut vivre mais qui donne force et vigueur.

Les Graüls et les Ogrrs se baignent dans une eau bouillonnante, ils s'ébrouent dans l'eau et la boivent attiédie par l'air, ils sourient. Ékorss fait provision de pierres de vigueur, une sorte de poudre que certains animaux lèchent avec bonheur.

1. Le cannibalisme animal existe, il consiste à manger une ou plusieurs parties d'un individu vivant de la même espèce. Des animaux le pratiquent par nécessité ou par instinct. Il existe des cannibalismes de survie pour un gain énergétique, sexuel (l'araignée), ou parental (chatons, chiots malformés), ou encore récupération énergétique (hamster doré). Quand la nourriture est trop faible pour les adultes, ils peuvent dans certains cas dévorer leurs jeunes pour survivre et échapper à l'extinction. On parle d'« effet de canot de sauvetage ». À faible densité de population, l'énergie fournie par un juvénile cannibalisé est ensuite convertie en nouvelle progéniture produite par le cannibale.

Alekhta existe ! Alekhta existe ! ne cesse de se répéter Ékorss. Il ramasse une perle rousse par terre et songe à Tahül. Il regarde cette petite larme de cuivre.

Le futur est une drôle de chose, le futur, il le vit ! Alekhta est présente et ses eaux se régénèrent pour qu'un autre futur arrive pour abattre Tank ! Le futur, c'est la volonté, le futur c'est la mort pour chacun, de l'abeille au bison, de la loutre au petit Troms. Sauf la mer, sauf le vent, sauf les os qui demeurent dans la Grotte-Mère… Le futur, c'est rendre aux Troms leur vie d'avant, faire se joindre le passé et le présent. Ékorss exulte. Il est le dernier à sortir des bains d'Alekhta !

La force de la terre entre en Gorki. Au retour, il ne demande rien à personne et va seul chez les Troms. Personne ne bouge. Il attaque Tank bien abîmé, regarde son œil immobile, et l'écrase. Il longe la mer, reste avec les Snèks à cause de la Grande Bleue qui le fascine. Jald connaît le chemin. Elle viendra sûrement. Elle comprendra.

Chez les Snèks, Gorki aime aussitôt Sard. Mais c'est une autre histoire qui commence. Sard aime trop la mer pour se réfugier dans les montagnes et elle entraîne Gorki loin des dents de la terre. Leur première fille, Sardiss, aura les yeux couleur de mer. « Gorki et Sard s'aimeront et auront beaucoup d'enfants. » Quant à Ékorss, seuls les arbres se souviennent de sa bravoure de cœur… Et pourtant, il aura des descendants.

Épilogue

Il faudra attendre 21 250 générations pour voir arriver Bao, la Dame du Cavillon, 25 000 ans avant notre ère. Ensuite, dans Qôhèlet – autrement dit l'Ecclésiaste –, on peut lire :

> « [...] Y a-t-il une seule chose dont on dise : "Voilà enfin du nouveau !" Non, cela existait déjà dans les siècles passés. Seulement, il ne reste pas de souvenir d'autrefois ; de même, les événements futurs ne laisseront pas de souvenir après eux [...][1]. »

En 2013, bien après l'histoire de Tautavel, une annonce paraissait. Serait-ce du nouveau sous le soleil ?

« Cherche une mère porteuse pour créer un bébé néandertalien », voilà ce qu'on prêtait à un scientifique américain : George McDonald Church, professeur de génétique à la Harvard Medical School. Avec humour, il aurait répondu à un journaliste : « Ce serait bénéfique pour l'Humanité. L'homme de Neandertal pensait différemment de nous. Peut-être même était-il plus intelligent ? Quand le moment viendra de gérer une épidémie ou de quitter cette planète, sa façon de penser pourrait nous être utile... »

Vous venez de quitter le monde d'avant Neandertal, l'homme de Tautavel. L'atterrissage vous permet de comparer leurs vies à la vôtre. Les informations ne cachent plus l'envie de sonder nos

1. L'Ecclésiaste, 1, 10-11.

racines. Ce n'est pas comme ça que vous imaginiez nos ancêtres avant l'usage du feu, avant la sédentarisation ? Et pourtant...

Voici un autre scoop de 2010 qui nous apprend qu'une équipe internationale de généticiens et de paléontologues, dirigée par le généticien suédois Svante Pääbo de l'Institut Max-Planck d'anthropologie évolutive de Leipzig, a mis en évidence qu'entre 1 % et 4 % de notre ADN est identique à celui de l'homme de Neandertal. C'est peu, c'est énorme.

Il y a 450 000 ans, « nous » étions si peu nombreux sur terre que nous nous entraidions, à part les très grands violents...

Pour bien saisir les « nombres » et les « surfaces habitables » de l'époque, l'article du professeur Jean-Noël Biraben, de 2003, nous éclaire :

> « Pendant très longtemps, l'espèce humaine ne comptait tout au plus que quelques centaines de milliers d'individus, et ce n'est qu'il y a trente à quarante mille ans, c'est-à-dire très récemment dans l'histoire humaine, que sa population a franchi le seuil d'un million d'habitants. La croissance s'est alors poursuivie jusqu'à atteindre un milliard d'hommes vers 1800 et six milliards en 1999[1]. »

Quelle chance tout de même d'avoir résisté, insisté. Les animaux vivaient en masse et l'homme de Tautavel devait affronter tous les dangers sans les comprendre vraiment. Alors, merci aux prénéandertaliens de ne pas avoir baissé les bras, sans groles aux pieds, sans feu, sans musique, sans SMS, sans rien que l'envie de survivre et de vivre quelques instants de calme. Ils s'entraidaient avec peu. Nous avons tout et nous détruisons les liens.

Notre histoire s'accélère, mais nous sommes restés un brin des « préhistoriques » plus fragiles que nos ancêtres. La nature en quelques années peut reprendre ses droits sur nos inventions. À moins de naître sur Mars, notre berceau reste la Terre. Les maisons abandonnées d'une ville comme Tchernobyl ressemblent aux temples d'Angkor. Les arbres poussent, les animaux apprivoisés

1. Jean-Noël Biraben, *Populations et Sociétés*, « L'Évolution du monde des hommes », INED, n° 394, otobre 2003.

redeviennent libres et sauvages. Nous n'avons plus notre place, là où nous avons démoli nos grottes modernes…

Maintenant que nous avons tout, ne perdons-nous pas notre adaptabilité ? Maintenant que les outils sont perfectionnés, n'aurions-nous pas intérêt à retrouver l'esprit d'unité qui protégeait les ancêtres de nos ancêtres ? Maintenant que tout est immatériel, le plus bel outil n'est-il pas la parole, la communication réelle ? La réalité augmentée diminue notre lien à la nature… humaine.

Il y a trois millions d'années en Afrique, Lucy apparaît et elle mange déjà « à table » dans un campement et non pas sur place, comme les « cuons ». Plus les outils augmentent, plus nos très lointains ancêtres peuvent se déplacer. Toujours d'après Jean-Noël Biraben :

> « Le territoire occupé par ces premiers hommes, d'après les outils de pierre qu'ils ont laissés, s'étend sur un peu plus de quatre millions de kilomètres carrés de savane arborée, entre l'Éthiopie et le Zimbabwe. Le nombre de ces premiers humains peut être estimé à environ 100 000, sans doute déjà répartis entre plusieurs groupes distincts. L'apparition de ces hommes coïncide avec l'entrée de la Terre dans une période glaciaire, qui, comme tout changement climatique, a entraîné la disparition de nombreuses espèces et l'apparition de nouvelles. Pour l'homme, le changement génétique a été très rapide et a porté principalement sur le cerveau. Son poids, qui n'atteignait pas alors 500 grammes, s'est accru d'un kilo en moins de trois millions d'années[1]. »

On a eu « chaud » avec la glaciation. N'oublions jamais ce que nous devons à ceux que nous prenons pour des « bêtes ». Nous avons soumis beaucoup d'animaux, mais la nature ne se soumet pas. Toutes les plantes apparues depuis des millions d'années avaient survécu, et à cause du froid, il y eut une perte de diversité à travers toute l'Europe. La nature s'est adaptée, a été inventive. L'histoire de l'humanité a suivi cet exemple à Tautavel.

1. *Ibid.*

Jusqu'à quand ? « Les bêtes sont au Bon Dieu, mais la bêtise est à l'homme », disait Victor Hugo...

Je ne peux finir ce livre sans rendre hommage à un grand homme tout ce qu'il y a de vivant, sans qui je n'aurais jamais osé mettre un peu de chair sur les os de l'homme de Tautavel.

Le Pr Henry de Lumley m'a permis d'écrire cette histoire grâce à ses recherches et à ses découvertes magnifiques. Généreux, pointilleux, il a répondu à mes questions, ainsi que toute son équipe. Quel cadeau ! Préhistorien à la recherche de nos racines et ce, dans le monde entier, il m'a proposé le plus beau cadeau qu'on puisse faire à un écrivain : « Posez toutes les questions et, avec les réponses, faites un roman. Il faut que vous voyiez les musées, les chercheurs, les pierres, les moulages. » Toujours entre une conférence et plusieurs coups de fil, je l'ai vu entouré de crânes de datations diverses, expliquant à des visiteurs l'évolution de l'homme, assis dans un simple bureau aux armoires métalliques. C'était lui, le « petit prince » des cavernes. Il rendait leur dignité aux prénéandertaliens du pléistocène moyen et inférieur. Grâce au partage des connaissances, ces termes barbares devenaient familiers. Le Pr Henry de Lumley m'avait transmis son « virus ».

À dix ans, il lisait *La Guerre du feu* de J.-H. Rosny Aîné. Moins médiatique qu'un participant de *Secret Story*, Henry de Lumley est l'un des plus grands chercheurs et découvreurs de sites au monde. Grâce à lui, la préhistoire nous devient contemporaine... Dans la préhistoire, il n'y avait que du présent devenu passé, et Henry de Lumley a reconstitué le puzzle épars. Ce surprenant défricheur a étudié les sciences naturelles à la faculté des sciences de Marseille, avant d'entrer au CNRS à vingt ans. Il y a développé un laboratoire dédié à l'homme préhistorique par une méthode interdisciplinaire incroyable, patiente, détaillée et passionnante. Ce que j'ai ressenti lors de mes passages dans ses centres de recherche, c'est le lien qu'il tisse entre les maillons de l'humanité. Je garde ancrée en moi l'image du professeur, entouré de crânes de différentes tailles, du plus vieux au plus récent, petit sourire ironique et généreux aux lèvres.

Il fallait être entêté pour entamer des fouilles coûteuses et sans intérêt pour l'univers du virtuel et de la consommation. Il fallait comprendre le sens de l'archéologie, enseignante universelle de nos destins. Son épouse, Marie-Antoinette, également passionnée et passionnante, donne des conférences pour faire aimer cette science. Tous deux se savent proches de notre très ancien parent et font vivre cette très vieille actualité qui nous fascine. Le combat de pédagogie crée des emplois et fait écarquiller les yeux des enfants et des adultes. J'ai été conquise par la mise en scène de l'homme de Tautavel. Je repense à la phrase: «Allez-y, écrivez un vrai roman!» J'ai relevé le défi, en sachant que je n'avais pas le millionième des connaissances nécessaires. Mais la curiosité du Pr Henry de Lumley contaminerait une pierre! Suivre les étapes de l'aventure humaine, laisser infuser et imaginer des possibles, voilà quel fut le premier pas avant d'aborder des sujets éclectiques, de douter avant de plonger 450 000 en arrière avant notre ère. Après avoir rencontré Henry de Lumley dans son musée, son Institut de paléontologie humaine, je ne fais que participer à mon tout petit niveau à une mise en lumière de ses travaux. Si j'ai éveillé un peu de curiosité, les ouvrages d'Henry de Lumley répondront aux questions posées sur *l'Homme premier*, dont nous sommes descendants.

Un sidéral *merci* donc à Henry de Lumley qui m'a offert la plus belle occasion d'écrire sur l'humanité, en m'obligeant à quitter un vocabulaire trop riche et du coup vidé de son sens.

J'ai appris bien des choses sur nous les humains: notre proximité, comme notre éloignement face aux bipèdes d'avant la soi-disant Grande Histoire. Notre évolution est digne d'un arbre généalogique avec quantité de branches et d'embranchements. Certains n'ont rien donné, des caractéristiques sont restées, d'autres ont disparu. Plusieurs espèces d'hommes ont existé, parfois simultanément, mais y a-t-il eu filiation, mutation? L'*Homo habilis* commence il y a près de 2 millions d'années, l'*ergaster*, 1,5 million d'années, l'*erectus*, il y a 1 million d'années, alors ne vous impatientez pas en cas de panne de réseau ou d'arrêt TGV en plein milieu de nulle part. Notre temps va trop vite et, parfois, il est bon d'essayer de tailler une pierre pour découvrir l'ingéniosité et l'habileté qu'il fallait à l'époque de l'homme de Tautavel. Combien a-t-il fallu de temps pour qu'apparaisse l'homme de Neandertal, que l'*Homo sapiens* migre, que Cro-Magnon s'exprime… Certains esprits chagrins penseront que mon conte presque philosophique est ridicule et sans fondement.

Alors, revenons un instant sur ce fameux langage articulé qui manquait à l'homme de Tautavel. Il s'exprimait ! Ce qu'on sait pour le néandertalien en fonction de la structure de son larynx, c'est qu'il avait un langage articulé sommaire. En 1983, un os hyoïde néandertalien a été découvert. Sachez que l'os hyoïde ou os lingual, situé au-dessus du larynx dans la partie antérieure du cou, et qui maintient la base de la langue, est indispensable à l'élocution. Peut-on s'exprimer sans élocution ? Oui, même un chien sait se faire comprendre et comprend notre vocabulaire, et connaît le sens de centaines de mots. Une étude récente a montré que l'os hyoïde de l'homme de Neandertal était plus petit que celui de l'homme moderne : sa voix aurait ainsi été plus aiguë que la nôtre. Le langage articulé a été confirmé par une étude génétique : notre ADN possède un gène qui, chez l'homme moderne, est associé au développement des aires du cerveau liées à la maîtrise du langage articulé. Mais, avec nos claviers virtuels, plus besoin de l'os hyoïde (du grec : forme de U), on peut se dire « Je t'aime » ou « Je te quitte » avec les doigts. On va finir par se parler uniquement par e-mails et nos muscles zygomatiques s'exprimeront *via* un écran plat…

Alors, ne regardez jamais plus l'éclat d'un silex comme un vulgaire outil, il était plus utile que tout ! Et, allez savoir, il pourrait encore servir, si nous laissions tous les Tank prendre pouvoir sur nos cerveaux précambriens. Comme le résume si bien l'extraordinaire Arthur Koestler :

> « Depuis l'aube de la conscience jusqu'au milieu du XXe siècle, l'homme a dû vivre avec la perspective de sa mort en tant qu'individu ; depuis Hiroshima, l'humanité doit vivre avec la perspective de son extinction en tant qu'espèce biologique[1]. »

Si vous marchez entre laquets et grottes, si vous cessez de vous agiter loin du stress citadin, si vous retrouvez un peu de la peur d'Ékorss et de la bravoure de Tahül, vous sentirez le chemin parcouru par tout l'arbre généalogique de la famille humaine. Et rappelons-nous la phrase d'Albert Einstein : « Je ne sais pas comment

1. Citation d'Arthur Koestler.

on fera la Troisième Guerre mondiale, mais je sais comment on fera la Quatrième : avec des bâtons et des pierres. »

Vous ne me croyez pas ? Observez les réflexes d'hommes des cavernes en regardant de jeunes hommes dans les salles de jeux vidéo interactifs, ou les images de chasse, de guerre qu'ils aiment voir chez eux, sur leur écran, écran à la vie… Sur leurs écrans dédiés au virtuel, les lions sont remplacés par des tanks, les vautours par des hélicoptères, les mammouths par des chars, et les serpents par des automitrailleuses. Ils recherchent le danger, bien au chaud. Mais sauraient-ils inventer leur survie, alors qu'ils n'ont pas la poésie d'un Ékorss et le courage d'un Tahül ?

Pour ceux qui douteraient de la véracité de la communication entre hominidés avant l'usage du feu, et trouveraient stupide d'imaginer qu'en plus ils aimaient le beau, il suffit juste d'être plus curieux envers l'autre quel qu'il soit, d'où qu'il vienne, et quelle que soit son époque ou sa géographie…

Un immense merci à toutes les personnes qui m'ont accordé de leur temps pour que je réalise des interviews d'Henry de Lumley et de Luciano Melis, sans qui je n'aurais pas commencé cette aventure, mais aussi à :

Gérard Batalla
Marie Capdet
Vincenzo Celiberti
Tony Chevalier
Sophie Grégoire
Marie-Antoinette de Lumley
Charlotte Pelhate
Pierre Magniez
Anne-Marie Moigne
Marie-Régine Merle des Iles
Marion Quatrepoint
Thibaud Saos
Agnès Testu

Merci à toute l'équipe des Éditions de l'Archipel.

Ma gratitude pour ne pas avoir eu peur du « pléistocène moyen et inférieur » !

Cet ouvrage a été composé
par Atlant'Communication
au Bernard (Vendée)

Achevé d'imprimer sur Roto-Page
par l'Imprimerie Floch à Mayenne
en avril 2014
pour le compte des Éditions de l'Archipel
département éditorial
de la S.A.S. Écriture-Communication

Imprimé en France
N° d'impression : 86809
Dépôt légal : mai 2014